D0276519

Anna Chojnacka

De Poolster

Uitgeverij Luitingh-Sijthoff

Uitgeverij Luitingh Sijthoff en Drukkerij Ten Brink vinden het belangrijk om op milieuvriendelijke en verantwoorde wijze met natuurlijke bronnen om te gaan.

Omslagontwerp: Marry van Baar
Omslagfotografie: © Rodney Smith
Foto auteur: Anaïs López
Typografie: Wim ten Brinke

ISBN 978 90 218 0920 5
NUR 301

www.lsamsterdam.nl
www.boekenwereld.com
www.watleesjij.nu

Voor Arnout, mijn poolster,
die altijd weer de juiste weg beschijnt.

Voor Max, Jan en Alicia,
de drie supernova's, warmer dan de zon.

Inhoud

I

Het beloofde land *9*

II

Uit het dagboek *59*

III

De eed *97*

IV

Voor het ochtendgloren *169*

V

Komurasaki *201*

VI

Voorbij het front *233*

VII

Ave, patria *261*

VIII

In een novembernacht *285*

I

Het beloofde land

1

'Pap, vertel nog eens van die keer dat mama me vergiftigd heeft?'

Ik ben bijna zeven en zit op de keukenkruk, mijn lievelingsplek, bij de grote kolenkachel in de keuken. 1984 loopt bijna op zijn eind, het is bijna kerst en we zijn *bigos* aan het bereiden. De grote pan staat op het vuur en zal de komende dagen, een week bijna, het hele huis vullen met de geuren van zuurkool, paddenstoelen en rode wijn. De paddenstoelen hebben we in de herfst zelf geplukt en gedroogd. Papa heeft de zuurkool net gezeefd en alle vocht zorgvuldig opgevangen. De pan met zuurkool zet hij op het vuur.

Mama is niet mee geweest naar het bos. Ze heeft het hele weekend weer doorgewerkt in haar werkkamer. Het kamertje is meer een hok, de enige warmte komt van de keuken. Ze naait er onderbroeken. De kamer is bezaaid met honderden en honderden onderbroeken. Ik droom dat de bergen onderbroeken ooit zullen verdwijnen en dat ik daar mijn eigen kamer zal hebben. Nu slapen we nog met zijn allen in de enige echte kamer die we hebben. Onze verdieping telt drie van deze kamers. In de andere twee kamers wonen andere mensen.

'Je was zes maanden oud en je was erg verkouden. Zo verkouden zelfs dat je neusdruppels kreeg. Van die speciale,' begint papa het verhaal. Ik druk mijn gezicht tegen zijn hemd. Het is warm hier. Het ruikt naar tabak en aarde. En naar een vleugje zuurkool of augurken.

'En toen was het erg donker, toch?' Mijn wangen gloeien.

'Ja, het was erg donker,' gaat hij rustig verder.

'En jij had een ontstoken oog toch, papa?'

'En ik had een ontstoken oog. En daarvoor had ik ook druppels.'

'A-tro-pi-ne!' Ik gil het bijna uit.

'Ja, atropine,' zegt papa rustig.

'En atropine is toch giftig, papa?'

'Atropine is erg giftig. Zeker voor hele kleine jonge meisjes.' Ik knijp in papa's hand. Nu komt het mooiste gedeelte.

'En op die avond werd je heel erg blauw. We hadden nog nooit zo'n blauw kindje gezien.'

'En toen wisten jullie het toch, papa?'

'Toen we naar het ziekenhuis vertrokken en je druppels wilden pakken, wist je moeder het. Ze had jou de verkeerde druppels gegeven.'

'Want het was donker in de kamer,' knik ik goedkeurend.

'Ja, schat. Het was midden in de nacht.'

'En toen?'

'En toen wisten ze wat ze moesten doen.' Alles is goed gekomen, weet ik. 'Helaas ben je altijd blauw gebleven,' eindigt papa en we lachen.

Hij staat op om in de pan te roeren en mijn mama komt binnen. Ik voel me schuldig, want ik weet dat ze een hekel aan de atropine-anekdote heeft. Mama heeft handschoenen aan zonder vingers. Ze doet haar lange trui uit. Daaronder heeft ze een simpele donkerblauwe jurk aan. Haar borsten zijn te groot voor de jurk en eigenlijk vindt ze de rok ook te lang. Ze gaat zitten en steekt een sigaret op.

'Wat is de wisselkoers?' vraagt ze.

'Op de Langestraat staat de dollar op vierhonderd zloty en de Duitse mark op tweehonderdtien. Op het Vrijheidsplein is dat driehonderdnegentig en tweehonderdvijf zloty,' antwoord ik trots. Ik ben voor het eerst zonder een van mijn ouders, maar met mijn neef op pad geweest om dit uit te zoeken. Ik hoef niks op te schrijven, ik onthoud alles.

'Waar is Andrzej, hij zou toch komen eten?' vraagt mama.

'Ze staan met tante Maria in de rij bij de slager op de boulevard. Er is weer vlees,' praat papa haar bij.

Mama doet haar mond open.

'Ja, Maria heeft onze voedselbonnen mee,' zegt papa nog voordat ze het kan vragen.

Papa is meel aan het zeven. Dat gaat hij gebruiken om de soep te binden. Ik kijk gretig in de zeef; de oogst is deze keer drie meelwormen. Eén is heel erg dik. We gooien de wormen in onze kweekbak. Daar verpoppen de wormen zich tot meelkevers. Eigenlijk zijn de wormen voor zijn aquarium, maar papa wil dat ik de hele cyclus meemaak.

Papa doceert: 'Als de wormen verpoppen, is het van binnen één grote cellenbrij. Alle cellen van de meelworm krijgen een nieuwe plek, een nieuwe functie. Daarna is niks hetzelfde als daarvoor.'

Samen met mama gaan we tante Maria in de rij aflossen. De winkel is vlak bij het oude centrum van Poznań, niet ver van het huis van oma vandaan. Tientallen mensen, gekleed in dikke mantels, staan in de rij. De slagerij zelf is nagenoeg leeg: een witte betegelde ruimte met een rij lege haken aan de wand. Ook de enorme werkbank is leeg, op een klein kerstboompje na. Het boompje is niet echt; er hangt een vijftal lampjes in. Alleen op de toonbank ligt een berg lange knakworsten. Knakworst is geen echt vlees. Echt vlees is ham, karbonade of koteletjes. Of worst. Of desnoods een lever of de maag. Knakworsten, dat is restafval, zegt mama altijd.

De meeste mensen staan zwijgend in de rij en staren voor zich uit. Sommigen lezen. Voor ons staan twee jongens, een jaar of vijftien, zestien. Een vriend van hen komt aangelopen.

'Hé Stefan, je zou Jaruzelski toch verrot gaan schoppen?' vraagt een van zijn vrienden.

'Ben je gek man, die rij daar is drie keer zo lang,' gniffelt de jongen. Zijn vrienden lachen mee. Ook mensen die dichtbij staan, krijgen een flauwe glimlach op hun lippen. Maar een bejaarde vrouw draait zich om. Ze is furieus.

'Gebruik je verstand, domoor!' sist ze, 'denk toch aan je lieve moeder!'

Onopvallend trachten de jongens hun rechterschouder aan het zicht te onttrekken, de een met zijn sjaal, de ander door zich te verschuilen achter zijn vriend. Ze verbergen het embleem van hun school dat op hun jas is genaaid. Het is voor de tientallen wachtenden kraakhelder bij welke school ze een klacht over de jongens kunnen indienen.

Nu staan ook de jongens zwijgend in de rij; met doffe ogen kijken ze voor zich uit.

Ook buiten de textielwinkel naast de slager vormt zich een rij wachtenden. Er is een partij bh's binnengebracht. Mama weifelt en wisselt van rij. Weer staan we in de kou.

Na een uur of twee komen we eindelijk bij de toonbank. Hebberig betast mama de waar. De verkoopster werpt een blik op mama's borsten en oordeelt: 'Deze bh's passen u nooit.' Ze trekt de zwarte bh uit mama's hand. 'Ik vermaak hem wel,' werpt mama tegen.

'Mevrouw, ik zeg u, uw voorgevel past nooit in dit bh-tje. In de verste verte niet. Laat los!'

'Ik wil hem toch kopen.' De wangen van mama gloeien. Dit is de eerste keer in achttien maanden dat mama ergens een bh tegenkomt. Ze zal hem vermaken, ze vermaakt al haar bh's. Maar de macht ligt bij de verkoopster. 'Vrouw, loop toch door!' maant ze mama.

We staan weer buiten.

'Dit land is vergeven van achterlijkheid!' gaat mama tekeer als ze Maria weer ziet. We zijn inmiddels bij oma, die midden in het centrum van Poznań woont. Haar huis is een dankbare uitvalbasis voor alle familieleden die voortdurend op zoek zijn naar eten, kleding en wat er maar verkrijgbaar is.

'Het is één grote klerezooi!' foetert mama verder, 'we lopen honderd jaar achter op Afrika!'

Er rijdt een tram langs, het gebouw trilt. Oma loopt naar de wand en hangt routineus de foto van de paus recht. Ik ben zelf slechts een paar maanden na de officiële installatie van de Poolse paus Johannes Paulus II geboren; oma vertelt dat elke keer als er over mij gesproken wordt.

'Ewa, rustig. Zo'n verkoopster wil je alleen maar helpen,' zegt oma. Mama's blik is dik en duister als de nacht. Dan roept oma: 'O hemel, je hebt dus geen vlees?' Ze haast zich naar de keuken.

'Voor de oorlog had je winkels, daar stond "Slager" op. Binnen verkochten ze vlees. Nu heb je winkels, daar staat "Vlees" op. Maar binnen staat alleen nog de slager...' mompelt opa, tegen niemand in het bijzonder.

Opa is slechts gekleed in zijn lange onderbroek. Hij zit in zijn vaste leunstoel in de hoek. Opa drinkt. Nou ja, niet meer zoveel. Zijn gezondheid is slecht, het lukt hem niet meer zo goed om de vier trappen naar beneden af te dalen. Ook verstopt oma zijn broeken, om hem te beletten de woning te verlaten. Lukt het hem wel om het huis uit te komen, dan is het zeker dat hij er met meer vandoor is dan slechts zijn eigen broek.

'Ewita, het komt goed. Je verzint hier wel iets op, toch?'

zegt Maria plagerig tegen mama. Tante Maria draagt lippenstift en veel zwarte make-up. Ze is de mooiste vrouw die ik ken. Mijn oom, de vader van Andrzej, heb ik nooit gekend. Ik weet dat hij een stuk pijp heeft gestolen uit Cegielski, het metaalverwerkingsbedrijf waar hij werkte. Een stuk schroot dat niemand zou missen. Zijn drinkmaat in de kroeg aan wie hij de pijp wilde verkopen, bleek een informant te zijn. Hij kreeg elf jaar. Maria is gescheiden. Maar als iemand ernaar vraagt, vertelt oma liever dat Maria's man een alcoholist is die in de gevangenis zit, dan dat Maria gescheiden is.

Dan komt oma triomfantelijk uit de keuken met een pakket in haar hand. Het is een bot, verpakt in kranten. Trots overhandigt ze het aan mama. Alles is weer opgelost. Oma loopt weer richting de bergen pasta die ze aan het maken is, haar gebeden prevelend. De trilling in mama's handen blijft onopgemerkt.

Het is bijna een week later, de dag dat we eindelijk de *Wigilia*, de kerstavond, gaan vieren. Ik ben met papa bij oma. In de badkuip zwemt een karper. Het beest zwemt radeloos op en neer totdat hij uitgeput raakt. Na een tijd herneemt hij met nieuwe heftigheid zijn pogingen om een uitgang te vinden. Het is papa die de karper zo meteen zal onthoofden en schoon zal maken. De karper vormt het hoofdonderdeel van de Wigilia. In de keuken staat de *barszcz* al op, de hele keuken is gevuld met de zoetige geur van de bietensoep. Oma is ondertussen het deeg aan het uitrollen voor de *pierogi*. Ik mag helpen met het uitstansen van de ronde vormen uit het deeg; dat doe ik met een glas. Vervolgens vult tante Maria vliegensvlug de deegkussentjes, vouwt ze dubbel en drukt de randjes dicht met een vork. Speciaal voor de kerstavond worden de deegrolletjes gevuld met zuurkool en paddenstoelen: op deze avond wordt geen vlees gegeten. Het is een aanloop tot de kerstdagen, die in overvloed doorgebracht dienen te worden. Mama is er nog niet. Ik maak me een beetje ongerust, want de hele familie is al gearriveerd en het wordt snel donker.

Dan komt mama de keuken binnen. Triomfantelijk houdt ze een zware plastic tas omhoog.

'Ewa, wat heb je daar?' vraagt oma opgewonden. 'Moeder Maria, maar... maar dit is rundvlees!' roept oma uit. 'En ham! Dit is zeker een pond ham!' Oma is de inhoud van de tas op de keukentafel aan het uitstallen.

'Ewa, waar ben je geweest?' vraagt papa met een lage stem, 'toch niet bij Kowalski?' Mama kijkt weg; het gezicht van papa betrekt.

'Wie is Kowalski?' vraag ik.

'Kijk eens schat, ik heb ook sinaasappels gevonden,' zegt mama, en ze overhandigt me de grootste sinaasappel die ik ooit heb gezien. Gelukzalig houd ik de vrucht tegen mijn gezicht aan. Ooit ga ik naar het land waar deze vruchten groeien. Maar dat zeg ik niet hardop. Mijn dromen maken mijn ouders verdrietig.

Met mijn buit sluip ik naar de woonkamer. Die is volledig gevuld door de grote tafel. De tafel is bedekt met witte kleden en wacht al sinds de ochtend op het feest. Onder het laken is stro gelegd, als herinnering aan de sobere geboorte van het kindje Jezus. Er is ook een extra couvert voor de onverwachte gast. Mijn wang komt nog niet zo ver boven de tafel uit en ik beroer het kleed met mijn gezicht. Het staat strak van de stijfsel. Verspreid door het huis zijn mijn vele ooms en tantes, neven en nichten nog dingen aan het voorbereiden, klaarzetten en inpakken. Er hangt een aangename spanning in de lucht. Als de eerste ster aan de hemel is, mogen we aan tafel. Dat is al snel, en er moet nog veel gebeuren. Alleen in deze kamer heerst nog rust. Opa zit er al, zoals altijd in zijn vaste stoel. Ik ga naast hem zitten.

'Niunia, heb je een *papieroska*?' vraagt hij. Ik overhandig een sigaretje aan opa. Dat heb ik net uit een van de vele pakjes in de keuken gepakt. De sigaretten heten Mocne, dat betekent 'sterk'. Hij neemt tevreden een trekje.

'Opa, waar kan je vlees kopen?' vraag ik.

Opa denkt na. 'Vlees? Echt vlees?' Hij zwijgt een poos. Dan zegt hij: 'Als je vlees wil hebben, moet je bij de Partij zijn. Zij nemen alles, zij hebben alles.'

Ik weet dat opa ooit een winkel heeft gehad, twee straten verderop in het centrum. Er was ook een groot huis. Dat is weg.

'Je hebt van die idioten die vlees illegaal verkopen, maar je moet er niet voor dood willen gaan,' voegt opa eraan toe, en hij kijkt mismoedig voor zich uit. Misschien moet hij aan mijn oom denken. Oom Grzesiek is de enige in de familie met een auto, hij rijdt taxi. Hij heeft ooit een vriend vervoerd die illegaal vlees de stad binnenbracht, een heel varken hadden ze in de achterbak. De vriend moest achterin zitten en doen alsof hij klant was. Oom Grzesiek vertrouwde op zijn bekendheid met de controleposten langs de stadsgrenzen. Die passeerde hij regelmatig als hij klanten, vaak hoge Partijfiguren, de stad in en uit vervoerde. Het was Grzesiek en zijn vriend gelukt om het varken de stad binnen te smokkelen, en Grzesiek vertelt het verhaal wel eens als het laat wordt op feestjes. Het is bij die ene keer gebleven: oom Grzesiek heeft er te lang over gedaan om de zweetvlek, en vooral de geur van angstzweet, uit zijn geliefde auto te krijgen die zijn vriend daarin had achtergelaten. Hij reed toen een Warszawa 210, vertelde mijn oom altijd trots. Het model was gebaseerd op een Russische kopie van de Ford Falcon, meldde hij er steevast bij. De bouw van de Warszawa's werd echter gestaakt; Grzesiek heeft zijn auto nu ingeruild voor een Fiat 125.

'Of je moet dollars hebben, natuurlijk,' vervolgt opa na

een korte pauze. 'Met dollars of marken kun je alles kopen.'

'Waar hebben jullie het over?' Mijn jongste oom, Adam, loopt de kamer binnen. Hij zal zich straks als kerstman verkleden.

'Ik leg Ida uit wat communisme is,' zegt opa.

'Socialisme bedoel je, toch? Ha, Ida, ik zal je vertellen wat het socialisme is!' begint Adam vrolijk. 'Het socialisme is bedacht door Lenin...'

'Oeljanov, wat nou Lenin!' bromt opa.

'Oké, Lenin en daarna kwam dus Stalin...'

'Dzjoegasjvili. Stalins echte naam is Dzjoegasjvili, noem ze nou bij hun echte naam,' zegt opa.

'In ieder geval, Lenin leidde dus de Grote Socialistische Oktoberrevolutie...'

'Het was de communistische revolutie en ze vond plaats in november,' verbetert opa Adam.

'Ik begrijp niks van wat jullie zeggen!' roep ik.

'Dan heb je de essentie in ieder geval te pakken!' lacht Adam uitbundig, en zelfs opa schudt een beetje mee.

'Ik zie een ster, ik zie een ster!' roept mijn jongste nichtje in de keuken. Ik ren erheen en zie de volwassenen uit het raam kijken.

'Ja,' zegt oma plechtig, 'laten we gaan zitten.'

Met zijn allen zitten we aan tafel. Het is propvol in de kamer. Het enige licht komt van de kaarsen en de verlichte kerstboom. Ik zit bij papa op schoot, naast mama. Daarnaast zit tante Monika, zoals altijd onberispelijk gekleed en gekapt. Zij is de vrouw van Grzesiek, van de taxi, de oudste broer van mama. Grzesiek oogt moe. Overdag rijdt hij en elke nacht staat hij in de rij om benzine te tanken. De hele nacht. Oma past af en toe op, zodat tante Monika een nachtje met hem mee kan. Aan het hoofd van de tafel zitten opa en oma vandaag naast elkaar.

Lulajże, Jezuniu, moja perełko,
Lulaj, ulubione me pieścidełko.
Lulajże Jezuniu...

(*Slaap zacht, kindje Jezus, mijn pareltje,*
Slaap zacht, niets is mij liever dan jou te liefkozen.
Slaap zacht...
oud Pools kerstliedje)

Tante Maria zet het kerstlied in. Zij zit naast het lege couvert. Voor Andrzej en Jacek was er geen stoel meer, zij zitten elk op de leuning van de bank, die ook tegen de tafel aan geschoven is. Maria's stem is hoog en zuiver. Mijn ouders vallen in en al snel zingt iedereen mee. Midden op de tafel, te midden van de twaalf traditionele gerechten, staat een bord met de speciale kersthostie. Alle volwassenen nemen een stuk, gaan staan en delen het met de anderen in de kamer; iedereen krijgt van iedereen een klein stukje. Tijdens het breken spreken ze een wens uit voor het volgende jaar. Het gebeurt in een plechtige stilte, alleen verbroken door de radio die zachtjes op de achtergrond kerstliederen speelt. Geen tram of auto die over straat rijdt.

'Ik wens je veel liefde toe, Maria. Echte liefde,' fluistert mama tegen haar zus. Ze breken het brood.

'Ik wens voor jou dat je vindt wat je zoekt. Wat het ook mag zijn,' zegt Maria tegen mama, en ze kust haar op haar voorhoofd. Ze houden elkaar vast, hun armen verstrengeld. Oma voegt zich bij hen. Ik hoor niet wat oma tegen Maria zegt, maar Maria's ogen lopen vol. 'Papa, ik wens dat alles blijft zoals het nu is...' fluister ik tegen papa als wij aan de beurt zijn. Hij kijkt naar mama; zijn blik is nog net zo somber als die middag.

Mama staat aan de andere kant van de tafel, tegenover tante Monika. Elke krul van Monika's kapsel staat perfect in het gelid, anders dan bij mama's haar, dat zich nooit in een strak gekapte coupe wil plooien. Mama's nagellak is een beetje afgebladderd; het ontbreekt haar aan geduld om het goed te laten drogen. Dan breken ook zij de kersthostie. Ik hoor niet wat ze tegen elkaar zeggen, maar hun omhelzing lijkt gemeend. Dit is het enige moment in het jaar dat Monika en haar schoonzus Ewa elkaar aanraken.

Dan gaat de muziek weer harder; er wordt gegeten en gelachen. De flessen wodka gaan open. Behendig vullen mama en tante Maria het glas van opa met flink meer sap en minder wodka dan de andere glazen. Bij oom Adam lijken ze hetzelfde te doen.

Tegen de tijd dat Adam zijn kerstpak heeft aangetrokken, is hij behoorlijk vrolijk. Hij deelt de kleine cadeaus rond. Zeepjes voor de vrouwen. Voor de mannen aftershave – Brutal – of soms chocola en Russische cognac. Ik krijg een boek; ik krijg altijd boeken. Gretig open ik het pakketje. *Het beloofde land* staat erop. 'Reymont! Nobelprijswinnaar! 1924!' zegt opa veelbetekenend als hij met het boek zwaait. Boeken, althans goede boeken, zijn moeilijk verkrijgbaar. Als er een deugdelijke titel op voorraad is, wordt die meteen gekocht. In mijn familie wordt veel gelezen door opa en papa; mama is ermee gestopt. Misschien toen ze mij kreeg. In ieder geval vindt niemand het raar dat ik dit boek van ruim zeshonderd pagina's krijg.

Overweldigd blader ik door het boek. Het eerste wat me opvalt, zijn de vreemde namen: Max, Welt, Bucholz... Het verhaal speelt zich af aan het begin van de Eerste Wereldoorlog in Łódź, waar op dat moment een mengelmoes woont van Polen, joden, Duitsers, Tsjechen en Russen. Het is het verhaal van drie vrienden, een Duitser, een jood en een Pool, die samen een fabriek willen beginnen aan het begin van de twintigste eeuw. Ik besef dat ik eigenlijk niemand ken die niet Pools is. In mijn klas, in mijn buurt, overal zijn alleen maar Polen.

'Waar was het beloofde land dan?' vraag ik.

'In dit boek?' vraagt papa. 'Dat was Łódź. Die stad is in de negentiende eeuw uitgegroeid van een stadje met achthonderd inwoners naar een stad met meer dan tweehonderdduizend inwoners. Er werden ook veel fabrieken gebouwd, de industrialisatie zeg maar... Veel mensen trokken erheen, op zoek naar voorspoed en welvaart.' Ik hoef niet te vragen of ze het er vonden, de weemoed in papa's stem is veelzeggend genoeg. Papa bladert in het boek. Iets harder dan nodig leest hij een fragment voor: 'En ik ga niet werken, werken, werken! Want ik wil leven, leven, leven!'

'Ik ben geen trekvee, of een machine, ik ben een mens,' valt opa in, het citaat aanvullend. 'Slechts de dwaas streeft naar geld en geld alleen. Voor dat doel offert hij alles op, leven en liefde en de waarheid en de filosofie en al de schatten van de mensheid...'

'... en dan is hij vol, dan kan hij spugen met zijn miljoenen en wat dan?' eindigt papa theatraal, alsof hij daadwerkelijk een antwoord verlangt. En hij kijkt mama aan.

De vraag blijft nog even zweven in de ruimte.

'Het valt me nog mee dat je niet *De boeren* voor haar hebt gekocht,' zegt mama spottend. Papa zucht. De grootste droom van mama is te verhuizen naar een van de flats in de grote grijze blokken die het oude centrum steeds strakker insluiten. De appartementen met centrale verwarming en lift zijn de droom van velen, voor hen zijn ze het summum van de vooruitgang. Dáár wil mama heen.

Papa wil ook verhuizen, ook hij wil ruimte en een goed verwarmd huis. Maar de grijze blokken stoten hem af. Het liefst verblijft hij zo veel mogelijk op het kleine stukje grond net buiten de stad waar hij een klein huisje heeft en waar hij groente en fruit teelt. Een betere versie daarvan, dat is papa's droom. Misschien nog dichter tegen het bos aan, ergens waar je de stad in ieder geval niet meer ziet. Dit is aan mama niet besteed. Zelfs voor een zaterdagmiddag gaat ze nog niet mee naar het volkstuintje. En aan het bos heeft ze ronduit een hekel.

Mismoedig blijft papa in het boek bladeren. Voor mijn geestesoog zie ik intussen hoe de elegante man in kostuum die de omslag van het boek siert, met z'n miljoenen spuugt.

'Ja, wat dan?' vraag ik zacht.

Later gaan we met zijn allen naar de kerstnachtmis. Alleen papa en opa blijven achter. Onze familie loopt over straat en al snel komen we in een mensenstroom die ons naar de kerk voert. Onze kerk, dat is de Fara, het mooiste gebedshuis van de stad. In de kerk loop ik zo ver mogelijk naar voren. Achter het altaar bevindt zich in de muur een rijkversierd bouwwerkje met kleine deurtjes. Ik weet dat dit de plek is waar de hostie wordt bewaard. Tijdens de godsdienstles heeft de non ons verteld dat het ook de plek is waar God woont. Achter deze deurtjes woont dus het kindje Jezus. Ik probeer zo dicht mogelijk bij het altaar te komen, in de hoop een glimp van het binnenste van de tabernakel op te vangen.

'Gedraag je.' Ik voel de koude hand van tante Monika in mijn nek. Ze trekt me mee naar de bankjes waar we met zijn allen zitten. Bij het uitdelen van de hostie observeer ik mijn familie nauwkeurig. Over een jaar ga ik de heilige communie doen en mag ik ook de hostie ontvangen. Tante Maria is de enige volwassene die niet de hostie krijgt. Zij heeft niet gebiecht. Ongeacht wat ze doet, moet ze van de priester altijd eindeloos veel rozenkransen opzeggen, puur omdat ze een gescheiden vrouw is. En dat wil ze niet meer.

Uiteindelijk beslis ik dat tante Monika het beste kan knielen van allemaal. Ook bij het tong uitsteken, zodat de priester er een hostie op kan leggen, ziet ze er niet belachelijk uit. Dat knielen en tong uitsteken is waar ik het meeste tegenop zie. Wat ook belangrijk is, is om voldoende lang geknield te blijven als je weer terug bent in je bankje. Met de hostie nog in je mond. Mama is daar niet zo goed in. In een mum van tijd zit ze weer rechtop in het bankje. Ingespannen blijf ik naar tante Monika turen. Minutenlang knielt ze roerloos, diep voorovergebogen. Zelfs haar mond beweegt niet. De hostie lost waarschijnlijk uit zichzelf op. Eindelijk richt ze zich op en gaat ze weer zitten. Als ze oma opmerkt, die nog steeds devoot geknield zit, vertrekt een fractie van een seconde haar mond.

Het is 13 maart 1985; mama viert haar naamdag. De meubels in onze kamer zijn opzijgeschoven en de gitaar van papa staat al klaar. In de keuken wordt het eten voorbereid; enkele buurvrouwen komen binnen en zetten de schalen met eten in de keuken. In mama's werkhok is oom Adam al de hele middag bezig met onze radio. Het is een nieuw toestel van het merk Julia. De radio doet het prima, maar Adam is niet in de Poolse zenders geïnteresseerd. Hij wil Radio Vrij Europa ontvangen, en misschien de BBC... Soms lukt dat.

'Ik weet niet of ze weer gaan staken...' mompelt Adam. Solidarność heeft stakingen afgekondigd, maar hij weet niet waar en wanneer. Het is net bekend geworden dat gas, kolen en elektriciteit duurder gaan worden. Om de paar weken komt er weer een prijsverhoging. Anderhalf jaar geleden is de staat van beleg afgeschaft en Solidarność begint zich langzaam weer te roeren.

'Adam, laat dat toch, het is feest vandaag!' zegt mama vrolijk, en ze klapt in haar handen. Ik fleur er zelf van op; ze is niet zo vaak vrolijk de laatste tijd, bijna nooit meer.

'Ja, ik weet het, ik weet het, ik kom zo...' mompelt Adam, maar hij blijft aan de knoppen draaien. Papa komt erbij staan. 'Is er nieuws over Michnik?' Adam Michnik is een dissident. Ik herhaal het woord elke keer als ik zijn naam hoor. Dissident, dat klinkt zo ver weg. Als ik het uitspreek, is het alsof ik zelf ook verder sta van de mensen om me heen.

Van oom Adam weet ik dat Michnik een groot deel van zijn gevangenschap in een isoleercel heeft doorgebracht. Dat betekent dat je helemaal alleen bent. Ook heeft hij lange tijd niets gegeten. Soms, als ik net wakker ben, blijf ik onder mijn dekens liggen, helemaal alleen, luisterend naar mijn knorrende maag. Ik wil oefenen, voor als ik ooit in verzet moet komen. Maar al na een minuut of wat word ik naar de warme keuken getrokken, waar altijd wel iemand is, een lid van ons gezin of een van de buren. Als ze me zien, krijg ik steevast iets te eten. Warme melk en suiker met stukjes oud brood erin. Of vers brood met boter en zout.

'Ida, wat lees je?' vraagt mijn oom, en hij wijst naar het schriftje in mijn hand dat ik van school meegenomen heb. Daar staat een gedicht in dat ik zelf heb overgeschreven. Eerder heb ik het aan oma voorgelezen, en zij was erg trots op mij geweest. We reciteren het nu elke week tijdens de gymles, als voorbereiding op de optocht van 1 mei die over een paar weken plaats zal vinden. Al is volgens opa de 1 mei-viering allang niet meer zo grandioos als vroeger, stiekem ben ik toch wel blij dat ik het gedicht mag voordragen.

Duizend armen, duizend handen,
Onze harten slaan als één.
Duizend armen, duizend handen,
Zijn in een blijde mars vereend.
Wij gaan de toekomst tegemoet!

De wereld bouwen is ons leven,
Is ons streven, onze eer.
De zon, de lommerrijke bomen,

Zien onze mars door stad en land.
Wij gaan de toekomst tegemoet!

Kom jeugd, versterk toch onze rijen,
Verbonden zijn wij door ons lied.
En de arbeid, hij schenkt vleugels,
Aan ons, de bouwers van 't geluk.
Wij gaan de toekomst tegemoet!

'Rotzooi!' oordeelt Adam. Ik laat mijn hoofd hangen. Ik weet ook wel dat de wereld uit dit gedicht niet bestaat.

'Jongens, laat haar met rust,' zegt mama, die nog steeds bij ons staat. Haar toon is scherp. 'Hier is ze te jong voor.'

Papa kijkt me aan en zijn blik verraadt dat ook hij me te jong vindt. 'Ga maar naar de keuken, Ida,' zegt hij.

'En de oude radio? Die gingen we toch vanbinnen bekijken?' vraag ik. Papa kijkt mama aan; ze haalt haar schouders op. Dan pakt hij de oude radio, twee keer zo groot als 'Julia' en haalt het deksel eraf. Nieuwsgierig kijk ik naar binnen, naar de gekleurde draadjes. Papa is elektrotechnicus. Behoedzaam begint hij de radio uit elkaar te halen; bruikbare onderdelen legt hij zorgvuldig opzij.

Ik wijs naar een verdikking op een van de draden. 'Wat is dat?' vraag ik. Ik herinner me dat papa het kleine onderdeel wel eens op zijn hemd gespeld had, vroeger. Adam kijkt mee en glimlacht. 'Het is de elektrische weerstand, Ida. Het beperkt de doorstroom van elektriciteit.'

'Een soort verzet op de elektriciteitsdraad,' licht hij toe als hij mijn verbaasde blik ziet, en zijn glimlach wordt breder.

'Toen, toen ik klein was, droeg jij toen een *weerstand* op je hemd voor Wałęsa, papa?' vraag ik aan papa. 'Als teken van verzet?'

'Je kan niks voor haar verbergen, Anton,' zegt Adam. Hij lacht hardop en schudt zijn hoofd.

Papa kijkt even naar Adam en loopt weg, richting onze kamer. Even later komt hij terug met in zijn hand een op bruin papier gedrukt boekje. Hij legt het op het schrift met de gedichten voor 1 mei. 'Hier Ida, lees dit maar,' zegt hij.

'Wat is dat?' vraag ik verbaasd. Op de kaft van het boekje staat 'Ida'. Het is een ouderwets handschrift, het zou van opa of oma kunnen zijn, maar dat is het niet. Niet van mama's ouders in ieder geval. 'Maar dat is toch ook een lofzang op de Partij?' zegt Adam als hij het boekje bij het eerste gedicht openslaat en begint te lezen. 'Het gif?' voegt hij er bitter aan toe. 'Hopelijk het tegengif,' zegt papa. 'Het *lijkt* alleen een lofdicht.' Ik lees het gedicht dat Adam voor zich heeft:

't Beslissend uur heeft thans geslagen,
Wending der geschiedenis, tweede schaft.
Opzij! De mars is al begonnen
Naar de overwinning leidt ons de Partij!

De speculant stopt snel zijn waar weg.
De boer zegt angstig zijn gebed.
De querulant staart blind naar Londen:
Generaal Anders, u bent zó nodig hier!

Klappeien fluisteren bij de mangel:
Er is geen suiker, bitter is het brood.
Die heksen laten kinderen schrikken:
De Sovjets hebben onze boter geroofd!

De antichrist, beweren vrome dikkerds,
Vergiftigt water, al ons brood.
Een vetzak jaagt de boeren angst aan:
Jij wordt straks naar Siberië gestuurd.

Zij allen zullen moeten wijken
Voor jóúw Partij, van 't werkend volk.
Opzij! De mars is al begonnen
Naar de overwinning leidt ons de Partij!

Het gedicht brengt me in verwarring, ik snap niet eens de helft van wat er staat. Papa leest de regels voor en licht ze toe. 'Kijkt, hij somt alle vijanden op van het systeem met de boodschap dat ze slecht zijn, zie je? De boer heeft geen gelijk als hij vreest voor verbanning naar Siberië. De speculant is een slechterik als hij zakken tarwe verstopt in plaats van ze naar Rusland te sturen… Dat er geen suiker en boter is zou alleen geroddel zijn… Alleen de ruziezoeker zou hopen op de terugkeer van de Poolse regering in ballingschap, want dat is waar generaal Władysław Anders voor staat. Op het eerste oog lijkt Jan Brzechwa, de maker van het gedicht, ze te veroordelen. Al die ritselaars, andersgelovigen die de Partij willen tegenwerken. En toch… Ik heb altijd ergens het idee gehad dat Brzechwa ze met dit gedicht gewoon eens fijn wilde opsommen, al die zogenaamde "dwalers" en hun kritiek.'

Adam kijkt papa sceptisch aan, maar papa blijft zijn standpunt verdedigen.

'Dit gedicht zet je aan het denken,' zegt hij. 'Ik wéét niet of Brzechwa dat zo bedoeld heeft, maar ik ben hierdoor gaan nadenken. Het heeft me ertoe gebracht om vragen te gaan stellen.'

Een tijdlang bestudeer ik het gedicht, dat een lofzang lijkt maar mogelijk kritiek is. Kritiek op een systeem dat ik tijdens de 1 mei-optocht moet gaan bezingen, een daad die iedereen normaal vindt, terwijl niemand het ermee eens is.

'En nu is het afgelopen!' Het is mama die weer bij ons staat. Deze keer is ze echt woedend. 'Mijn kamer uit!' Ze pakt een paar van de onderbroeken en slaat Adam om zijn oren. Dan duwt ze hem en papa het kamertje uit en doet ze de deur op slot. 'Anton, jij zou echt beter moeten weten!' briest ze nog als ze me aan mijn hand door de lange gang trekt. 'Je weet wat ervan komt...' zegt ze dan, zachter nu.

Papa draait zich om en in plaats van met ons naar de gasten te lopen, gaat hij de badkamer in, waar hij een hele tijd blijft.

Onze kamer is volgestroomd met mensen die overal zitten, eten, praten. Toch wordt er ruimte gevonden voor een dansvloer. Even dreigt de feeststemming om te slaan, want papa speelt alleen sombere liedjes vanavond. Uiteindelijk pakken de gasten zijn gitaar maar af, en nu komt het moment waar oom Adam op gewacht heeft. Hij haalt de nieuwe radio met cassettedeck tevoorschijn en iedereen dringt voor om de meegebrachte cassettebandjes af te spelen. Ik trek aan de mouw van papa, in de hoop dat hij met mij wil dansen. Hij laat me op zijn voeten staan terwijl hij rustig met de muziek meebeweegt. Mama kijkt even naar ons, maar maakt geen aanstalten om bij ons te gaan staan. De muziek gaat eigenlijk te snel voor het trage bewegen van papa. Ze gaat zelf dansen, snel, stampend, ziedend bijna. 'Ewa de zigeunerin' noemt oom Adam haar wel eens, en vanavond snap ik waarom. Iedereen kijkt naar haar. Papa duwt me zachtjes weg en loopt de kamer uit. Snel glip ik onder de tafel. Ik licht een hoekje van het kleed op en blijf gebiologeerd naar mama kijken.

De volgende dag zit ik al vroeg in het werkhok van mama en blader ik door het schrift met de verschillende gedichten. Het gedicht van school maakt me vrolijk, vooral als we het met de hele klas samen opdreunen. Het heeft ook iets makkelijks: wie wil niet dat zijn hart als één slaat met de mensen om hem heen? Het gedicht dat ik van papa kreeg, daarentegen, maakt me een beetje onrustig. Ik snap dan wel niet helemaal wat er staat, maar ik krijg er wel een onaangenaam gevoel van in mijn buik. Ik ruik aan het papier en ben verbaasd dat deze woorden niet anders ruiken dan de taaloefeningen in mijn eigen schrift. Muffiger misschien, maar zeker niet scherper. Niks wat mijn gevoel voor gevaar kan verklaren. Toch kan ik het niet laten om juist dit gedicht keer op keer te herlezen, en achter elke regel een verhaal te vermoeden.

Ondanks het vroege uur komt mama het kamertje binnen. Ze kan niet veel geslapen hebben, meestal gaan de gasten pas weg met het ochtendgloren. Ze zucht als ze het bruine schrift in mijn hand opmerkt. Zij houdt niet van nadenken, van de onrust die het met zich meebrengt. Mama houdt van films, van de bioscoop, van dansen. Haar lievelingsfilm is *Gejaagd door de wind*, met Scarlett O'Hara. Soms wordt de film ergens in een van de vele bioscopen in de stad vertoond; in mijn familie weten we altijd precies waar wat draait. Vroeger, toen ik er nog niet was, had mama ook zo'n wespentaille als Scarlett, zegt ze. Als Scarlett het moeilijk heeft, zucht ze altijd 'Ik denk er morgen wel over na', en dat zegt mama ook als ze het moeilijk heeft. Eigenlijk zegt ze het elke dag.

Ik kijk naar haar zoals ze daar zit, gebogen, geconcentreerd, haar handen alweer bezig, haar ogen gericht op de stof in haar handen. De jonge vrouw van gisteren, die met iedereen danste en lachte, is weg. Ik merk de spanning in elke vezel van haar lichaam. Ze haat dit. Ze haat het naaien en ze haat het feit dat ze geen keus heeft. Geen keus in wat ze draagt, geen keus in wat ze doet. Zacht strijk ik over haar rug, maar ze lijkt me niet op te merken. De mars met de duizend handen is niet aan iedereen besteed.

Voordat ik haar kamertje verlaat, pak ik een van de weerstanden die op de werktafel liggen. Ik laat hem door mijn vingers glijden en stop hem dan in mijn zak.

Mama's handel in onderbroeken floreert. Samen met keukengerei, speelgoed en kant verkoopt mama de waar sinds kort op de markt in Boedapest. De hele familie heeft botje bij botje gelegd voor haar eerste reis. Nu gaat ze elke maand bepakt heen en komt ze bepakt weer terug. Wanneer ze terugkomt, heb ik alle informatie klaar, kan ik haar vertellen waar ze het beste haar dollars en marken kan verkopen. Soms zijn de prijsverschillen tussen de wisselkantoren zo groot dat ze meteen weer valuta aan de andere kant van de stad inkoopt. Andrzej heb ik niet meer nodig om alle prijzen te verzamelen. Ik krijg alles sneller uitgerekend dan hij. Al heb ik ook geleerd om soms mijn mond te houden. Te snel dingen roepen, levert me regelmatig een pak slaag op van mijn neef of een van zijn vrienden. Ze zijn niet slimmer dan ik, maar wel sterker. Ik vind het niet zo erg. Wél erg vind ik het als ze een verkeerd bedrag aan haar doorgeven. Toch lijkt mama liever naar mijn neef te luisteren dan naar mij, en ik snap niet waarom. Als ik me daarover beklaag bij papa, zegt hij alleen: 'Het is jammer dat domheid geen pijn doet.'

Dan is het zover en mag ik ook een keer mee naar Boedapest. Van papa krijg ik een boek over Hongarije. Er staat ook een klein Hoe & Wat-gedeelte in. Gretig leer ik de onbegrijpelijke Hongaarse zinnen. Het allermooiste is: we gaan met zijn drieën, papa, mama en ik. Ik krijg duidelijke instructies van mama: 'Al het speelgoed dat we bij ons hebben, is van jou, begrijp je?' Ik kijk naar de poppen, waar ik zelf nooit mee mag spelen. 'We gaan naar een bruiloft, daarom hebben we flessen cognac bij ons,' gaat ze verder, 'en nooit, maar dan ook echt nóóit, zeg je iets over het geld.' Ze verdeelt haar noodrantsoen Duitse marken over ons drieën. Een deel in papa's sokken en een deel in haar bh. Zelfs ik krijg een paar biljetten op mijn rug geplakt. Dat maakt me ongelooflijk trots. Een gemiddeld maandsalaris in Polen bedraagt ongeveer twintig mark;

ik reken snel uit dat we samen ongeveer één jaar waard zijn.

Ik weet niet beter of Hongarije is het beloofde land, met winkels waar alles ligt en waar je alles ook gewoon mag kopen. Zonder bonnen en zonder rijen. In Hongarije aangekomen, blijkt dat allemaal waar te zijn. Mijn hoofd duizelt ervan.

Een blond meisje dat vrolijk in het Hongaars naar de klanten roept, blijkt hier een ware verkoopmagneet. De zaken gaan erg goed en mijn ouders zijn vrolijk. De hele dag maken we grapjes. De verkopers van de kraampjes naast ons geven me voortdurend de meest wonderlijke dingen. Stukken gele paprika, kleine zoete sinaasappels die mandarijntjes heten en een grappige behaarde vrucht: een kiwi. De zaken gaan zo voorspoedig dat we zelfs nog tijd hebben om naar het Lunapark te gaan. En ik ben zo onder de indruk van het pretpark dat ik bijna niet kan praten. Er zijn wel vijftig attracties in dit park. Als ik uit de draaimolen stap, merk ik dat mijn ouders ruzie hebben. Ik hoor ze niet, maar zie ze schreeuwen. Dan draait papa zich om en loopt weg. Hij komt die dag niet meer terug. Hij laat mama, mij en de tassen achter in Hongarije.

2

Sinds de scheiding is mama inmiddels meer dan tien keer in Hongarije geweest. Mama en ik verhuizen begin 1986 van onze kamer-plus-werkhok naar een appartement met centrale verwarming; papa blijft in het oude huis. Ik ga vaak bij hem langs, ben bijna acht en de afstand van zeven tramhaltes mag ik nu zelf overbruggen. De flat ligt in een net opgeleverde kring grijze blokken, in een wijk met de naam Związek Młodzieży Socjalistycznej, wat 'De Unie van de Socialistische Jeugd' betekent. De letters ZMS boven op het eerste gebouw maken de wijk vindbaar te midden van de vele grijze kolossen die de stad rijk is.

Ik ken niemand anders die een huis heeft met vier kamers. Het appartement is groot en oogt leeg. We hebben simpelweg niet genoeg meubels om het huis te vullen. Wel heeft mama haar slaapkamer al besteld. Deze komt uit een Oost-Duitse catalogus; ik heb de foto's van de kamer al gezien. Ouders van vriendinnen, opa en oma, iedereen slaapt op een uitklapbare sofa in de woonkamer. Mama Ewa is de eerste die een kamer heeft die alleen bedoeld is om erin te slapen. Ze is ook de eerste die daadwerkelijk iets besteld heeft uit de catalogi die langs vele huizen circuleren. Ook is onze gang behangen met prachtig dieprood velours behang dat me aan kastelen en prinsessen doet denken; elke keer als ik erlangs loop moet ik mijn vingers eroverheen laten glijden. Toch maakt juist dit behang me ook verdrietig: als mijn vingertoppen het zachte dons beroeren, kan ik niet helpen me af te vragen waarom de koningin van dit kasteel dan gestopt is met lachen.

Op de muur van de woonkamer is volgens de laatste mode fotobehang geplakt met de afbeelding van een tropisch eiland. Voorlopig staat er één grote kast in de woonkamer. De onderste kastjes zijn gevuld met tientallen flessen wodka en dozijnen pakken koffie. Wodka is weliswaar het enige artikel dat in de bijna lege winkelschappen ligt, maar ook daar moet je voedselbonnen voor hebben. Het rantsoen bedraagt een halveliterfles wodka per maand per volwassene. Wodka blijft een welkom cadeau om een gesprek open te breken. Mama werkt tot drie uur bij het waterleidingbedrijf: dit is de baan die haar officieel tot arbeider maakt. Daarna trekt ze door de stad, altijd druk met een aangelegenheid die geen uitstel duldt. Afhankelijk van wat mama naar zo'n afspraak meeneemt, koffie of wodka, weet ik of ze een afspraak heeft met een man of een vrouw. Wat ik jammer vind, is dat in het nieuwe huis niet zo vaak gekookt wordt. Misschien komt dat nog. Misschien verhuist papa alsnog mee.

Nu we in het nieuwe huis wonen, heb ik ook een nieuw schoolembleem gekregen op mijn donkerblauwe uniform, mijn schooltas en mijn jas. Op mijn oude school kluste papa wel eens voor de leraren. Als leraar op een technische school had hij toegang tot bedrading en elektrische onderdelen die niet overal voorhanden waren. Mama zorgde voor koffie en echte chocola, waarmee ze mijn leraren gunstig stemde. Omdat papa me al op mijn vijfde had leren lezen, mocht ik een jaar eerder naar school. Mijn ouders maakten zich daardoor extra bezorgd om mij, maar ik deed het hartstikke goed. Niet alleen mocht ik het 1 meigedicht voordragen, ik was zelfs al een keer klassenoudste geweest.

Op mijn nieuwe school is het precaire evenwicht echter nog lang niet bereikt. Mama is pas één keer mee geweest en één pak koffie is zeker niet genoeg om ervoor te zorgen dat ik ergens anders terechtkom dan op de plek van de onbeschermde nieuweling. Deze school is ook nog eens twee keer zo groot als de vorige. Vaker dan op mijn oude school schalt hier 'Inspekcja! Inspekcja!' door de gangen. Op zo'n dag, zoals vandaag, wordt er iets gecontroleerd. Deze keer is het de persoonlijke hygiëne. Alle kinderen staan in een lange rij naast elkaar in de gang en worden door het inspectieteam gecontroleerd. De inspectrice gaat door mijn haren, bekijkt mijn nek en mijn handen. Bij mijn oren aangekomen stopt ze geschrokken.

'Mijn god!' roept ze uit, 'dit is toch niet normaal?' Andere leden van het inspectieteam haasten zich naar me toe om mijn oren te bekijken. Ik heb geen idee wat de inspectrice in mijn oren aangetroffen heeft. Het moet iets verschrikkelijks zijn.

'Dat kán toch niet voor een meisje?' Een voor een komen ook mijn nieuwe klasgenoten mijn oren bekijken.

‘Vies,’ sist er een. ‘Dit kost ons punten,’ bijt mijn nieuwe klassenoudste me toe. Andere kinderen lachen, opgelucht dat ze deze keer zelf de dans ontsprongen zijn.

Ondertussen praat het inspectieteam met mijn lerares. Haar gezicht is bleek. Als we weer in onze bankjes zitten, merk ik dat ik een enorme kramp in mijn buik heb. Ik durf het niet, ga toch naar mijn lerares toe en vraag om wc-papier. Ze geeft me een minuscuul velletje. ‘Mag ik er nog een stukje bij?’ vraag ik zacht. Ze kijkt me vragend aan. ‘Ik moet poepen...’ fluister ik.

‘Wat zeg je nou? Vieze oren én een vieze mond!’ roept ze. Ze geeft me een klap in mijn gezicht. ‘Je krijgt helemaal niks,’ schreeuwt ze dan. ‘De gang op!’

Buiten brandt de schaamte in me vele malen heftiger dan mijn wang.

Dan besef ik dat ik nog steeds moet poepen.

Thuis aangekomen, doe ik heel zacht de deur open. De jas van mama hangt aan de kapstok en haar schoenen staan er ook, maar ik wil alleen zijn, ik ga rechtstreeks naar mijn kamer. Hier pak ik mijn schrift, ik wil iets opschrijven, maar de schaamte is er nog steeds en werkt verlammend. Uiteindelijk schrijf ik op:

Het meisje dat leest.
Ieder heeft naar mij gekeken, ja.
Niemand heeft mij gezien, nee.

Mijn ogen dwalen over de woorden en vanbinnen word ik een klein beetje rustiger. In mijn hoofd vormt zich weer een beetje ruimte om over de situatie na te denken. Als ik ervoor kies om het voorval aan mama te melden, zal ze voor me opkomen, dat weet ik zeker. Oma vertelt me nog altijd over die ene keer dat ik op straat werd gebeten door een ander kindje. ‘Je moeder beet gewoon terug!’ vertelt oma dan vrolijk. Ik zucht. Het is niet zeker of een bezoek van mama mijn situatie op school er beter op zou maken. Papa, tja, die zou me van stoïcijns advies voorzien, of me een boek van Marcus Aurelius geven. Ik kies ervoor om het toch bij mama neer te leggen.

Waar is ze eigenlijk? Ik zit al meer dan een uur op mijn kamer, ze zou zo onderhand wel moeten komen kijken. Ik kom mijn kamer uit en bedenk dat het huis nog stiller lijkt dan normaal. Mama is niet in de woonkamer en ik loop naar haar slaapkamer en doe de deur open. Ze moet in slaap zijn gevallen: ze ligt op haar bed met haar ogen dicht en lijkt nauwelijks te ademen.

'Mam...' begin ik. Ze reageert niet. Ik schud aan haar schouder.

'Mam!' Ik schud nog een keer, heftiger.

Ze doet één oog half open.

'Ida... bel de dokter... bel de ambulance...' zegt ze, en ze grijpt naar haar buik.

Heeft ze last van haar buik? Nu pas zie ik de lege medicijnverpakkingen om haar heen. Ik hoop niet dat ze er te veel van geslikt heeft, dat zal haar buikpijn alleen nog erger gemaakt hebben.

Voor zover ik weet is nog bij niemand in ons trappenhuis telefoon aangelegd. Het is bijna een kilometer naar de dichtstbijzijnde telefooncel. Ik grijp de portemonnee uit mama's tas en ren erheen. De telefoon doet het gelukkig en ik bel de ambulance, die mama komt halen. Ze nemen ook de lege verpakkingen van de medicijnen mee. De twee ziekenbroeders lopen nog een rondje door het huis en blijven staan bij de bank, waar een lege wodkafles staat. Ik heb geen idee hoe die daar komt; van mama kan hij niet zijn, die drinkt nooit wodka. Als de laatste ziekenbroeder de deur uit stapt, wil ik automatisch achter hem aan lopen, maar hij houdt me tegen.

'Er mogen geen kinderen mee,' zegt hij alleen maar en

doet de deur achter zich dicht.

Even blijf ik voor de gesloten deur staan. Dan ren ik terug naar de telefooncel om de rest van de familie te bellen.

'Wat is er aan de hand?' vraag ik als oma, tante Maria en papa de flat van mama en mij in stappen.

'Je moeder heeft zichzelf vergiftigd!' zegt Maria fel.

Ik kijk haar niet-begrijpend aan.

'Voedselvergiftiging' voegt oma er snel aan toe.

Mijn ogen dwalen naar papa. Hij zal het aan me uitleggen, ik weet het. Hij kijkt me echter niet aan en zwijgt een hele poos.

'Ja, het was voedselvergiftiging,' stemt hij uiteindelijk in, en het lijkt alsof het leven zelf uit hem wegvloeit. Heeft hij verdriet om mama, net als ik?

Deze sluier tussen papa en mij blijft echter nog dagen hangen, net als tussen mij en de andere familieleden. Zo veel mogelijk tijd breng ik in mijn lege huis door, met alleen de radio aan en mijn boeken bij de hand.

Elke keer dat ik op bezoek kom in het ziekenhuis, moet ik pakken koffie en chocola meenemen. Dan, na een paar keer, de biljetten die mama in haar slaapkamer bewaart. Eerst de zloty's. Vervolgens ook de marken en de dollars.

'Ida, je moet nog meer meenemen...' zegt mama vanuit haar ziekenhuisbed. Ze ligt in een krappe kamer en deelt de ruimte met vijf andere vrouwen. Er zijn geen gordijntjes tussen de bedden; als de buurvrouw zich onverwachts zou uitrekken, zou ze mama zo een blauw oog kunnen bezorgen. 'Maar... er is niet meer zoveel,' fluister ik. Andere patiënten in de zaal luisteren aandachtig mee. Mama draait zich om, met haar gezicht naar de muur.

'Kloteland,' hoor ik haar zeggen.

'Is haar buik nog niet beter?' vraag ik als tante Maria me van school komt halen. Mama zou vandaag thuiskomen.

'Jawel... maar... ze moet nog een beetje bijkomen,' zegt Maria. Ze kijkt me niet aan.

'Blijft ze in het ziekenhuis?'

'Nee... geen ziekenhuis... Een andere plek.'

'Maar...'

'Hé, zou je het leuk vinden om een tijdje bij mij te logeren?' onderbreekt Maria me, en ze strijkt door mijn haar. 'Ik bedoel echt logeren? Dat je al je spullen ook meeneemt? Heb ik ook even een dochtertje.' Ze buigt zich voorover en geeft me een kus op mijn wang. Ik knik. Vanuit papa's huis moet ik elke dag bijna een uur met de tram naar school. Het huis van mama en mij was prettig, maar uiteindelijk ook... leeg. Het huis van mijn tante is inderdaad beter. Bovendien is Andrzej er ook.

Samen pakken we bijna al mijn kleren in. Daarna pakt Maria mijn sleutels en doet ze alle deuren op slot.

De eerste nacht dat ik bij mijn tante blijf, worden we midden in de nacht echter opgeschrikt door gebonk op de deur. Het is Bogdan, de nieuwe vriend van Maria. Hij is boos en blijft door de gesloten deur heen dingen naar mijn tante schreeuwen. Wat hij precies schreeuwt, is moeilijk te verstaan. Uiteindelijk laat Maria hem binnen en legt ze hem op de bank.

'Misschien kan ik morgen beter bij oma logeren,' fluister ik als er een gesnurk vanaf de bank opstijgt.

Mijn tante zegt niks.

'Mag Andrzej mee?'

Weer zegt mijn tante niks en ik vat het op als een ja.

Ik logeer al wekenlang bij oma en mijn neef Andrzej is er ook bijna altijd. In de flat van mama en mij kom ik bijna niet meer. Van mijn familie hoor ik alleen maar dat ze rust nodig heeft, heel veel rust. Ik vraag ook niet meer wanneer mama thuiskomt.

Op een van de dagen dat ik bij oma logeer, komt Andrzej met een mysterieuze uitdrukking op zijn gezicht thuis. Hij wenkt dat ik naar de keuken moet komen. Hij heeft iets in zijn hand; ik probeer het te pakken. Hij weet het nog een tijdlang te verstoppen, plaagt me, maar ik moet het weten! Dan heb ik eindelijk zijn hand gepakt en zie ik twee verkreukelde bioscoopkaartjes. Ik strijk ze recht; vol ongeloof staar ik naar de buit. Dit kan niet waar zijn! Andrzej, de held, heeft kaartjes voor *Star Wars* weten te bemachtigen! Deel drie, om precies te zijn, *Return of the Jedi*. De film is nog maar net uit in Polen, amper twee jaar na de echte première in de Verenigde Staten. We zijn gek op *Star Wars*. Iedereen in Polen is gek op *Star Wars*. De eerste twee delen heb ik al meer dan tien keer gezien, met Andrzej, of met papa.

De middag erop mogen we gaan, ik mis school, maar zelfs de gedachte aan de 'inspekcja' kan deze dag niet verpesten – Andrzej en ik staan ruim op tijd voor de bioscoop. Er is een enorme rij, iedereen wil nog een kaartje kopen, maar die zijn er niet. Degenen die achter het net hebben gevist, moeten wachten totdat de film weer in een andere bioscoop draait – en wanneer dat is, weet niemand. Trots duwt Andrzej me door de mensenmassa, hij mag naar binnen, hij wel, en ik ook. Ik hou mijn kaartje dicht tegen me aan, er is echt niemand die het uit mijn hand los zou krijgen. Niet dat iemand dat wil. Dit spel, uren in de rij staan en dan met lege handen weglopen, maakt iedereen hier zo vaak mee – met brood, medicijnen en wc-papier. *Star Wars* kan er ook nog wel bij.

Eenmaal binnen, kijk ik met verbazing om me heen, want de bioscoopzaal is vol, echt vol. Mensen zitten overal, op elkaars schoot, in het gangpad, op de trap. We lopen naar de voorkant van de zaal en gaan op de grond zitten. Iedereen lacht, is uitgelaten. Als de film begint, is het meteen muisstil, er wordt niet eens hoorbaar geademd. Ik ben opgelucht: er is ondertiteling, anders dan bij de films op televisie. Die worden niet nagesynchroniseerd of ondertiteld, er wordt gewoon dwars door het origineel heen gepraat: door één persoon, meestal een man – waarschijnlijk steeds dezelfde – die de vertaling voorleest. Het originele Engels horen we eigenlijk nooit. Wel de man die monotoon de dialogen voorleest, die avond na avond de liefde aan zichzelf verklaart, met zichzelf ruziemaakt en het vervolgens weer goedmaakt. En dat zonder ook maar één keer een octaaf hoger of lager te gaan. Maar vanmiddag niet, gelukkig. Vandaag krijgen we de echte Luke Skywalker, Obi-Wan Kenobi en Leia, de prinses te horen.

Dit is de allerbeste *Star Wars* tot nu toe. Luke Skywalker weet dat er een machine klaarstaat om de Rebelse Alliantie te vernietigen. Deze 'Ster des Doods' is klaar voor gebruik. Luke dringt door tot de kern van het Imperium van het Kwaad en wordt zelfs in verleiding gebracht om mee te doen met de vijand, met de kwaadaardige krachten die zo overduidelijk gaan winnen. Niks lijkt de slechteriken nog tegen te kunnen houden. En toch... de Rebelse Alliantie slaagt erin! Met de onverwachte hulp van Vader en dankzij held Luke behalen ze de overwinning. Tegen beter weten in, als ze bijna alle hoop hebben laten varen.

Kan het zijn dat we met zijn allen niet geademd hebben zolang deze film duurde? Lichter dan ooit lopen we naar buiten.

'Andrzej, je embleem,' fluister ik, want ik wil niet dat iemand zijn school inlicht om hem als spijbelaar aan te geven.

'Wij zijn toch niet bang Ida?' roept hij en houdt een denkbeeldig lichtzwaard voor zich uit. Hij wijst met het zwaard naar zijn mouw en met zijn andere hand rukt hij het embleem los. Met een zwierig gebaar gooit hij het embleem in de struiken.

'Zet hem op, Luke!' roept een oudere man hem toe. Ik kijk nog een beetje angstig om me heen, maar de voorbijgangers knikken instemmend naar Andrzej of steken hun duim omhoog.

'Een bom! Er is een bom ontploft!' roept een andere man opeens. Hij heeft een krant in zijn hand. Iedereen verdringt zich om hem heen bij de kiosk en praat door elkaar heen.

'Geen bom,' roept iemand anders. 'Een centrale!'

'Wat is er gebeurd?' vraag ik aan Andrzej. Opeens is onze trouwe metgezel terug, heftiger dan ooit: de angst, de angst voor het onbestemde.

'Ik weet het niet... Iets met atomen,' zegt hij, en hij trekt me aan mijn hand richting het huis van oma. We rennen zo hard als we kunnen.

'Waar waren jullie?' Oma is buiten zinnen. 'Maria ging jullie halen van school, maar jullie waren er niet!' Ze heeft echter geen tijd voor boosheid.

'We moeten jodium halen,' zegt ze dan. Ik begrijp er niets van. 'Adam, ga uitzoeken waar dat te halen is... In ieder geval voor de kinderen.'

'Ik weet niet waar ze dat uitdelen,' zegt oom Adam schouderophalend. 'Vraag het maar aan Ewa...' Mijn hoofd schiet omhoog. Aan mama vragen? Hadden ze dan contact met haar? Ik dacht dat niemand met haar mocht praten? Zelf mocht ik haar alleen maar brieven schrijven... Adam wordt vuurrood.

'Ik zoek het wel uit,' herstelt hij snel.

Adam loopt naar zijn radio en deze keer zit iedereen gespannen om hem heen. Het is een kerncentrale. Een kerncentrale in Tsjernobyl, Oekraïne. Ik kijk naar de volwassenen in de kamer, probeer hun gezichten te lezen. De angst die ik vaak kon voelen, al zeiden ze dat ze niet bang waren, was nu zichtbaar op hun gezicht. Weer wordt op de radio opgeroepen om jodiumdrankjes te halen, en weer geen woord over waar je het dan zou moeten halen.

'Jodium, dat zit toch gewoon in zout?' vraag ik aan oma.

'Ida, wees toch stil!' snauwt ze. Ze is nooit eerder tegen mij uitgevallen. De tranen springen in mijn ogen en ik merk hoe erg ik papa mis. Hij weet dat soort dingen. Hij had me vast ook uitgelegd wat een kernreactor is en waarom het zo erg is als er eentje stukgaat. Opeens mis ik ook mama. Zij had dit inderdaad opgelost, met haar koffie en haar wodka, of anders met haar marken of dollars, of anders gewoon op eigen kracht, dat weet ik zeker. Zij had ons allang het begeerde jodium gebracht, al weet ik nog steeds niet waarom dat ons zou helpen. Voor het eerst voel ik afkeer jegens mijn familie, misschien zelfs haat. Ik besluit dat de waarheid niet erger kan zijn dan dit: de eenzaamheid.

Uiteindelijk gaan we slapen, ik in de woonkamer op de sofa, naast oma, waar ik altijd slaap. Oma ligt naast me, kijkt nog televisie; onderwijl prevelt ze onophoudelijk haar gebeden. Voordat ze eindelijk de televisie uitzet en zelf gaat slapen (zelfs dan ligt ze nooit helemaal, ze zit meer tegen een stapel kussens), hangt ze nog een keer de foto van de Heilige Vader recht.

Pas als haar ademhaling een hele tijd regelmatig blijft, durf ik weer uit het bed te stappen. Ik haal het bruine schrift met mijn naam erop uit mijn schooltas en zoek naar de eerste lege pagina. De regels in mijn hoofd springen in het wild. Pas op papier schuiven ze netjes in een rij:

Het meisje dat leest II.
Het is goed dat ze leest, wijs.
Ze denkt dat ze iets weet, dom.

Ze is al groot, heus.
De kleinste van de klas, misschien.

Wat zit ze daar vredig, stil.
Toch is er oorlog, luid.

Zo blijf ik nog een tijdlang schrijven, maak me er niet druk over of ik de zinnen mooi vind, ik hoef ze niet vanavond al mooi te vinden. Uiteindelijk voeg ik dan een laatste zin toe:

Ze gaat de wereld redden, ja.
De wereld is niet te redden, nee...

De zinnen lijken het verdriet te verergeren, net zoals ze de eenzaamheid vergroten. Tegelijkertijd verandert wat ik schrijf dat wat er is; een ander gevoel komt op, ik weet niet wat het is, maar het vervangt de machteloosheid.

Voordat ik het schrift onder mijn kussen leg, strijk ik met mijn vingers ook langs de letters van mijn naam. Ik moet het niet vergeten, volgende keer dat ik papa zie. Niet vergeten om te vragen van wie dit schrift ooit is geweest...

Op 29 april 1986, binnen drie dagen na de ramp in Tsjernobyl, gebeurt er iets ongekends. Ondanks de hardnekkige bewering van de Sovjet-Unie dat er niks gebeurd is, start om elf uur een grootscheepse actie waarbij binnen achtenveertig uur verreweg het grootste deel van de bevolking, in ieder geval nagenoeg alle kinderen, van een jodiumdrankje wordt voorzien. Ik ben net acht jaar oud en krijg een drankje uit een van de eerste uitgeefrondes.

'Heb je nog pijn?' vraag ik als ik mama weer zie. Ze is bijna een maand weg geweest. Samen gaan we terug naar ons nieuwe huis waar we nog maar zo kort in gewoond hebben.

'Nee, geen pijn...' antwoordt ze, en ze laat een voorzichtige glimlach zien.

'Heb je nog last van je buik?' vraag ik, want ik weet nog steeds niet waarom ze zo lang weg moest blijven.

'Nee, dat is voorbij...' zegt ze, maar ze blijft verdrietig.

'Waar kwam je buikpijn door?' blijf ik doorvragen. Mama haalt alleen haar schouders op.

'Hopelijk komt het niet terug...' zegt ze na een tijdje.

Dat hoop ik ook, maar voor de zekerheid blijf ik de eerste nachten bij haar in haar bed slapen. Mama lijkt het fijn te vinden.

's Avonds zitten tante Maria en mama vaak op het kleed voor de kast in de woonkamer. Mama draagt nu net zoveel make-up als mijn tante.

Maria heeft het vaak over haar vriend, Bogdan. Bogdans kwade dronk lijkt alleen erger te worden en mama mag hem niet. Oma is wel blij met hem. Maria heeft tenminste een man.

Op de avonden dat ze bij elkaar zitten, bladeren ze eindeloos in West-Duitse catalogi of in de paar Duitse tijdschriften die ze hebben. Ik ken deze boekjes uit mijn hoofd. Het is in een van die boekjes dat ik voor het eerst een barbiepop zie. Barbies kun je in Polen alleen in de Pewex kopen, maar daar moet je met dollars betalen. De goedkoopste barbiepop kost drie dollar, weet ik. Het zou net zo goed driehonderd dollar kunnen zijn. Wel mag ik de barbie van mijn nieuwe buurmeisje lenen, soms wel dagenlang – dit in ruil voor een paar poetsbeurten met de bananentandpasta die mama voor me uit Hongarije meegenomen heeft.

Op een van de avonden is behalve tante Maria ook Kasia op bezoek, een vriendin. Kasia is verpleegster en zij gaat over de injectienaalden. Als er weer een schoolinenting is, koopt mama bij Kasia wegwerpinjectienaalden. Kasia neemt ze mee uit het ziekenhuis waar ze werkt. Heb je geen eigen naald bij je, dan moet je aansluiten in de algemene rij. In deze rij word je met zijn allen ingeënt met één naald, totdat deze afbreekt. Tussendoor wordt de naald afgeveegd met een ontsmettingsdoekje, dat al snel grauw ziet van de verschillende bruinrode bloedsporen.

Volgens mij heeft Kasia vanavond nieuwe buitenlandse tijdschriften meegenomen. Zeer tegen mijn zin in word ik naar bed gestuurd. Misschien hebben ze zelfs zo'n dikke catalogus! Ze hebben in ieder geval ontzettend veel plezier, want ze blijven maar lachen. Slapen lukt me niet. Op mijn zachte sloffen sluip ik naar de kamer en gluur naar binnen. Ze hebben geen oog voor mij, zo intensief zijn ze gebogen over hun nieuwe aanwinst. Hun wangen gloeien. Maar dit keer is het geen glanzend boekwerk met gekleurde foto's en zelfs geen tijdschrift. Het lijkt meer een gefotokopieerd boekje, met fotootjes van mannen. Pagina's vol met mannen, met een korte beschrijving bij elke foto. Zijn het bedrijfsmedewerkers of leraren? Ik snap de opwinding niet zo goed.

Later hoor ik Maria en mama op de gang praten.

'Snap je nou dat ze dat doet?' fluisteren ze opgewonden.

'Je weet dan toch nooit waar je terecht kunt komen?' hoor ik Maria. 'Je bent dan totaal aan zo iemand overgeleverd!'

'Maar je bent wél in Zweden,' zegt mama.

'Ewa!' zegt Maria geschokt, 'dit meen je niet!' Ze klinkt in één keer doodserieus. 'Waarom zou je zo'n risico willen lopen?'

'Ik word er ook niet jonger op,' zegt mama (ze is drieëndertig). 'Omdat ik dan tenminste een kans heb om… ik weet niet. Hier, dit leidt nergens heen,' zegt ze ernstig. 'Zoveel werk, en dan… Eén zuchtje wind en alles is weg.' Ze zwijgt een poos.

'Maar straks raak ik je kwijt…' zegt Maria. Ik luister nog aandachtiger, want het is ongewoon dat iemand in mijn familie zoiets zegt.

'Misschien raak je me juist eerder kwijt als ik blijf…'

zegt mama en ik houd mijn adem in. Ook mama lijkt te schrikken van haar eigen woorden, want snel probeert ze eroverheen te praten. 'Rustig maar, ik maak maar een grapje,' zegt ze. 'Ik laat mijn kleine zusje toch niet achter?' Op een vreemde manier voel ik me niet gerustgesteld – misschien omdat weggaan me opeens beter lijkt. Ingespannen wacht ik af wat ze verder gaan zeggen. Het gesprek lijkt echter afgelopen.

Jammer, denk ik. Misschien is Zweden wel net zo leuk als Hongarije.

'Adam, wil jij ook weg uit Polen?' vraag ik de eerstvolgende keer dat ik mijn oom zie.

'Weg, waarom?'

'Omdat dit een kloteland is?' zeg ik ernstig. Het gezicht van Adam betrekt.

'Ida, Ida, zeg dat alsjeblieft nooit meer. Dit is het beste land... Alleen met een slecht systeem...' zegt Adam rustig.

'Maar wil jij dan ook weg?'

'Nee... Nee... Ik zou wel veel willen zien... Maar weg, echt weg? Nee.' Hij verzinkt in zijn gedachten. 'Bovendien, je kan niet zomaar weg, dat heeft een bepaalde prijs... Je moet lid zijn van de Partij, bijvoorbeeld... En het liefst iemand kennen die nog hoger in de Partij zit... Of je moet een uitnodiging hebben van iemand in het buitenland, maar ook dat is vaak niet gratis of zonder implicaties... En je komt op lijstjes, hè, als je naar het buitenland bent geweest...'

'Maar iedereen wil toch naar het buitenland?'

Adam negeert mijn vraag. 'En dat is nog maar de prijs om weg te gaan, Ida...' zegt hij. 'Er is ook nog de prijs die je moet betalen om daarginds te blijven. Als je gaat, dan is dat voorgoed. Grote kans dat je je familie en vrienden nooit meer ziet.'

Mijn gezicht betrekt. Het klopt wat oom Adam zegt. Ik wist van een paar mensen, zoals de zoon van onze buren, dat ze in het buitenland zaten; vaak was dat de vs of West-Duitsland. Maar ik heb inderdaad nooit iemand van die mensen gezien.

'Maar bovenal denk ik dat het daar misschien helemaal niet leuk is...' zegt Adam. 'Het schijnt in de vs een vermogen te kosten om je te verzekeren voor je medische kosten, veel mensen lopen er onverzekerd rond... Dat betekent dat je niet naar het ziekenhuis kunt als je ziek bent, Ida.' Zijn blik priemt dwars door me heen. Ik denk aan de buikpijn van mama, maar meer nog denk ik aan haar verdriet...

'Hier kan iedereen wel naar het ziekenhuis, maar dan zijn er geen medicijnen. Of je mag alsnog betalen...' bromt opa vanuit zijn stoel. Hij haalt mismoedig zijn schouders op. Ik schrik: soms vergeet ik dat hij er ook is. Met terugwerkende kracht schaam ik me dat ik 'kloteland' heb gezegd waar opa bij was. Ook ben ik in de war. Want de Verenigde Staten, dat is voor mij het land waar iedereen een huis met een zwembad kan kopen. Als je maar hard genoeg werkt.

'En in het zuiden van de Verenigde Staten hangen ze zwarte mensen op in bomen,' voegt mijn oom nog toe. Ik kan het niet geloven, want in de vs hebben ze democratie, dat heb ik van papa gehoord. Iedereen mag er juist stemmen... Mijn oom merkt dat ik geschrokken ben en verzekert me: 'Echt, iedereen die naar het buitenland gaat, heeft de mooiste verhalen... Maar in werkelijkheid zijn ze veertien uur per dag daken aan het teren. Of ze zijn aan het afwassen terwijl ze hier professor waren. Ida, het is allemaal niet zo mooi...' Ik schud mijn hoofd. Mama wordt altijd zo blij als ze over het buitenland praat. Zo zegt ze het ook altijd: 'het buitenland', zonder een specifiek land te noemen.

Ik ga op de grond zitten in kleermakerszit en besluit, nee vóél, dat ik ook naar het buitenland wil, ooit... Nooit meer je familie zien lijkt me erg, maar daar zou mama vast wel iets op verzinnen. Zouden ze ook palmbomen hebben in de Verenigde Staten? Vast wel, in Amerika hebben ze alles... En dan moet ik ook Engels leren... Nu kom ik niet verder dan 'hello'. Mama spreekt een beetje Duits, ze heeft heel lang een correspondentievriendinnetje gehad uit Oost-Duitsland, maar ik weet hoe erg opa Duits haat en heb besloten er ook een hekel aan te krijgen.

'*Star Wars* komt toch ervandaan?' probeer ik nog zwakjes. Adam reageert niet meer. Ik laat verschillende beelden aan mijn geestesoog voorbijgaan. Kleurrijke straten, palmbomen, grote auto's, zwembaden. Het doet me niet zoveel. Polen vind ik zeker geen kloteland. Toch wil ook ik weg. Naar het buitenland. De plek waar moeders wél gelukkig zijn.

3

De maanden erna, al snel worden het jaren, lijkt het langzaam maar zeker beter met mama te gaan. Alleen is ze niet meer zo energiek als eerst; het aflopen van haar afspraken kost haar zichtbaar moeite. Ze helpt mensen met het regelen van dingen, ze kent heel veel mensen en als je aan een auto of een huis wil komen, kan ze je meestal met de juiste mensen in contact brengen. Met pendelen naar Hongarije is ze gestopt. De concurrentie is te groot geworden en het levert niet meer zoveel op als eerst.

De fut lijkt ook uit ons nieuwe huis. Al komen we in het dagelijks leven niets tekort, de kamers ogen nog steeds leeg. Het is ook vaak erg rustig in huis, en zeker als ik alleen ben, zet ik vaak de radio aan. Sinds 1 januari van dit nieuwe jaar, 1988, wordt de ontvangst van de zender van

Radio Vrij Europa niet meer gestoord, en Radio Vrij Europa was dan ook aanvankelijk de zender van mijn keuze. Geleidelijk aan, als de weken voorbijgaan en het spannende eraf is, zet ik echter steeds vaker gewoon muziek op.

Het duurt niet lang meer voordat het Pasen is, maar daarvan valt in ons huis helaas weinig te merken. Ik heb dan weliswaar tuinkers gezaaid, naast de bak met meelwormen voor papa's aquarium die nog steeds trouw in onze keuken staat, maar kan mezelf er niet toe brengen om in mijn eentje eieren te verven of andere paasversieringen te maken. Misschien de volgende keer, als Andrzej er is. Of als ik bij papa op bezoek ben. Sinds de ziekte van mama ben ik gewend om in mijn eentje overal heen te gaan en zie ik papa zo vaak als ik wil. Hij woont in ons oude huis, en daar is het net zo druk als altijd met de drie huishoudens op één gang.

Mama lijkt ook last te hebben van de leegte. Ze wijt het deels aan het feit dat ze een aantal van haar vriendinnen is kwijtgeraakt doordat ze een gescheiden vrouw is. Een *mooie* gescheiden vrouw, voeg ik er zelf aan toe, want inmiddels heb zelfs ik een oog voor dat soort zaken.

'Ze zijn bang dat ik hun man afpak, bah!' foetert ze dan tegen Maria. 'Stomme huiskippen, omaatjes van amper dertig... Ze zien eruit alsof het allemaal afgelopen is, maar het ís toch niet afgelopen, Maria? We beginnen toch zeker net?' vraagt ze dan aan haar zus. Tante Maria knikt altijd ja, al oogt ze zelf erg moe, de laatste tijd. Make-up draagt ze de laatste tijd niet meer. Ze is nog steeds met Bogdan, de man met de kwade dronk. Mama vindt nog steeds dat ze het uit moet maken. Oma vindt nog steeds dat Maria met Bogdan moet trouwen.

'Het is toch al erg dat zij zelf haar leven doorbrengt met een alcoholist? Moeten wij dat ook doen?' gaat mama tekeer.

'Vader drinkt toch niet meer, Ewa...' werpt Maria tegen. Ze klinkt niet erg overtuigd.

'Maria, wordt toch wakker!' zegt mama, en dat is altijd het moment dat ze echt boos wordt.

Maria knikt weer gedwee. Maar haar relatie met Bogdan beëindigen doet ze niet.

Het is zaterdagmiddag, een week voor Pasen, als er wordt aangebeld. Mama loopt richting de deur, maar blijft dan opeens staan en verstijft. Ik snap het niet zo goed, loop langs haar heen en doe zelf de deur open.

Het is Andrzej. Hij ziet er anders uit. Mijn stoere neef ziet eruit alsof ik hem met een zuchtje omver zou kunnen blazen.

'Mama is dood,' zegt hij, 'ze ligt dood op de bank.'

Mama's ogen schieten over hem heen, alsof ergens in zijn gebroken lichaam een ontkenning van zijn woorden verscholen ligt.

'Blijf hier,' schreeuwt mama. Ze grijpt haar jas en rent naar buiten.

Het blijkt waar. Maria is dood. Bogdan heeft haar tijdens een dronken ruzie tegen een keukenkastje geduwd. Andrzej heeft Maria gevonden toen hij terugkwam van een logeerpartij bij oma. Bogdan wordt dezelfde week nog opgepakt. Dit lees ik later in de krant. Niemand zal er met mij of zelfs met mijn neef ooit rechtstreeks over praten. In de krant staat ook dat Bogdan een gevangenisstraf van acht maanden krijgt. Altijd als ik mama dit later aan iemand hoor vertellen, legt ze steevast de nadruk op de strafmaat en niet op Maria's dood zelf. Ze klinkt dan ongekend bitter. Meteen daarachteraan noemt ze dan Maria's ex-man, die jaren vastzat voor de diefstal van een loden pijp. Haar gehoor knikt dan alleen maar gelaten. Misdaad tegen de staat weegt nu eenmaal zwaarder dan een misdaad tegen een gescheiden vrouw.

Die nacht komt mama pas laat thuis. Haar panty is gescheurd en ze heeft geen jas aan. Ik leg mama in bed en ga dan nog een tijdje bij haar zitten. Ik hoop dat ze iets tegen me zegt.

Uiteindelijk doe ik het licht uit.

Na de begrafenis van Maria komt de hele familie bij elkaar in het huis van oma. Het huis is vol, de familie is uit heel Polen naar Poznań getrokken en oma heeft de afgelopen dagen meer gekookt dan ooit. Oma is bijna de hele tijd bezig in de keuken, haast onzichtbaar door de wolken stoom die van de pannen kokend water af komen. Het water is bedoeld voor de pierogi. De pierogi die we deze keer met zijn tweeën gemaakt hebben. Al heb ik het zo vaak zien doen, zoveel keer geholpen, al is het me allang heel vaak gelukt in mijn eentje: deze keer lijken de deegkussentjes maar niet dicht te willen gaan. Zodra mijn pierogi in het hete water vallen, springen ze open en geven ze hun ingewanden bloot. Zo niet die van oma. Haar pierogi zijn stuk voor stuk strak en perfect, de een na de ander maakt ze met haar vlugge vingers, rap drukt ze de randjes dicht met een vork. Het is deze lading die we zo meteen aan de familie gaan voorschotelen.

Dan gooit oma een dik stuk spek in de pan. Het vet smelt, kleine spekjes komen aan de oppervlakte drijven. Ze gebruikt het vet om twee uitjes op te bakken en gooit er marjolein bij. Het loeihete mengsel sist en geurt. Behoedzaam pakt oma de pan op en schenkt de reuzel uit over de berg pierogi, die zijn uitgestald op een groot porseleinen bord dat nog de oorlog heeft overleefd. Voorzichtig pak ik de zware schaal op en doorkruis ik de hal, op weg naar de kamer waar de tafel staat.

Er wordt aangebeld. Mama komt de gang op en tegelijkertijd komt ook oma uit de keuken. Ik haast me om de schaal op de tafel te zetten en kom dan terug, nieuwsgierig naar de bezoeker die de begrafenis gemist heeft.

Voor de deur staat een piepjonge priester, die zo van het seminarie lijkt te zijn weggelopen.

'God zegent,' zegt hij, 'gecondoleerd met uw verlies.'

'Maar... maar komt u toch binnen!' zegt oma, duidelijk onder de indruk van het priestergewaad. Nerveus trekt ze haar schort uit. De jonge priester blijft echter staan.

'U weet, eenieder in de parochie is Gods kind. Daarom hebben we iets voor u, om uw leed te verzachten.' In zijn hand draagt hij een klein pakket, verpakt in bruin papier.

'Dank u, dank u... Dat God u mag zegenen...' Oma is nu diep geroerd en leunt tegen mama. De priester maakt een buiging met zijn hoofd, draait zich om en loopt weer weg. In de keuken pakt oma het pakket uit. Er zitten twee blikken in met het stempel van de Unesco erop. 'Het is poedermelk. Voor baby's,' zegt mama bitter. Andrzej is enkele jaren ouder dan ik. Oma kijkt naar de blikken, pakt er eentje op, bekijkt de onderkant en trekt aan het deksel. Het deksel geeft niet mee en ze trekt nu harder en draait er tegelijk aan.

'Melk?' zegt ze vertwijfeld.

Als ze de onderkant bekijkt en erop drukt, valt het blik open, de inhoud uitstortend over haar zondagse kleren. Het poeder is niet eens wit, eerder een beetje gelig. Geschrokken pakt oma een nat doekje en wrijft over de rok van haar donkerblauwe pak. Met elke haal ruïneert ze de wollen stof verder, totdat ik haar hand pak en er een eind aan maak. Mama bukt zich en pakt het gevallen blik op.

'Januari 1986,' leest ze voor. Tweeënhalf jaar oud, ver over datum. 'Hiermee krijg je een kind in het ziekenhuis!' Ze is woedend.

'Ewa, het is een gift. Van de kerk,' probeert oma haar dochter nog te kalmeren.

'Gift? Gif zal je bedoelen! Ik ga naar ze toe! Dit is moord!' schreeuwt ze, en ik hoor steeds meer geroezemoes op de gang.

'Wind je niet zo op. Het is maar poedermelk,' zegt tante Monika ijzig als ze de keuken in loopt. Oom Grzesiek gaat voor zijn jongere zus staan.

'Jij gaat nergens heen, begrepen? Je blijft hier,' zegt hij vastbesloten. 'Maria is vandaag begraven.'

Mama probeert zich nog los te trekken; haar blik is duister en kil. 'Mama...' zeg ik zacht. Ook ik wil niet dat ze gaat. Een seconde kijkt ze me aan en geeft dan toe.

Monika overhandigt oma schone kleren; vliegensvlug kleedt ze zich om en fatsoeneert ze haar kapsel. De blikken poedermelk zet ze zorgvuldig boven op een keukenkastje. Samen dragen we het brood naar binnen, samen met cake en andere zoetigheid. Het gepraat van het gezelschap zwelt al snel weer aan.

Mama loopt de rest van de middag van de ene kamer naar de andere. Soms lijkt ze wat te kalmeren, maar uiteindelijk zal ze in geen van de kamers langer dan een paar minuten blijven.

'Is je moeder thuis?' vraagt de man die aan de deur staat. Hij ruikt naar worst. Het is een paar maanden later, de zomer van 1988 is al een tijd voorbij.

'Nee, en ik weet niet hoe laat ze thuiskomt,' antwoord ik. De man komt me bekend voor. Hij woont in een van de huizen waar ik met mama langs ging als ze weer terug uit Hongarije was. Ik moest dan altijd buiten wachten. Zou ze haar reizen naar Hongarije dan toch weer oppakken?

'Geef dit maar aan je moeder,' zegt hij, en hij overhandigt me een dikke envelop. De envelop is dicht.

Ik voel dat dit iets belangrijks is. Mama is de komende uren nog niet thuis. In de keuken zet ik de fluitketel op. Als het water kookt, houd ik de envelop boven de stoom. De lijm laat vrij snel los. Ik haal de inhoud eruit. Het zijn brieven in het Duits, met stempels erop. En ook twee paspoorten, voor mama en mezelf. Ik blader mijn eigen paspoort door. Er zijn drie visa in geplakt. Een voor de DDR, een voor de BRD en een voor Nederland.

Ik doe de documenten weer in de envelop en pak de bus met meel uit de kast. In een flessendop vermeng ik een minuscule hoeveelheid meel met water en smeer het mengsel heel dun op de rand van de envelop. Ik plak de envelop weer dicht.

Dan kijk ik weer in de bus met meel. Automatisch schud ik de inhoud door, maar ik zie geen wormen of larven. Ik loop naar de glazen kweekbak die er nog steeds staat. De kweekbak pak ik in. Met het zware pakket loop ik naar buiten en neem de tram richting mijn oude huis.

'Ida, wat is dat?' vraagt papa verbaasd als ik voor zijn deur sta.

'Ik dacht, misschien kun je in deze bak ook vissen houden,' zeg ik, en ik schuif met mijn voet het zware pakket naar binnen.

Papa kijkt me heel even aan en zet dan thee.

'Pap, vertel je me nog een keer over Dombo, het vliegende olifantje?' vraag ik. Toen papa klein was, vertoonden ze nog Disney-films in de bioscoop. Ik ken deze verhalen alleen van papa.

'Dombo was een klein, gek olifantje. Met ontzettend grote oren,' begint papa.

'Hij woonde in het circus met zijn moeder,' ga ik verder. 'Om zijn oren werd hij ontzettend gepest. Op een dag was het pesten zo erg dat zijn moeder woedend werd en tekeerging tegen de andere olifanten...' Papa pauzeert weer, maar deze keer wil ik niet samen vertellen. Ik moet het horen.

'De circusbaas dacht dat Dombo's moeder dol was geworden en sloot haar op,' vertelt papa verder. 'Toen bleef Dombo helemaal alleen achter. Met zijn enige goede vriend, een muisje.' Papa stopt weer even en lacht onder zijn snor om de spitsvondigheid die nu gaat volgen. 'Zoals dat gaat met goede vrienden, werden ze op een dag flink dronken. Samen werden ze wakker in een boom. Dat was gek, want zoals je weet...'

'...'

'... kunnen olifanten niet in bomen klimmen.' Papa kijkt nu een beetje bezorgd naar mij. Dan gaat hij door: 'De kraaien die in de boom woonden, zeiden tegen Dombo dat hij er wel in gevlogen moest zijn. Eerst lachten ze hem uit, maar uiteindelijk gaven ze Dombo de magische veer, waarmee hij kon vliegen.' Nog een pauze. De spanning wordt elke keer opnieuw opgebouwd, ook al heb ik dit verhaal al tientallen keren gehoord.

'Dan is het moment van glorie eindelijk daar voor Dombo. Als de hele circustent vol is, springt Dombo van een brandend nepgebouw naar beneden. Maar dan gebeurt het ondenkbare...'

'Hij verliest het veertje,' zeg ik zacht.

'Even dreigt hij te pletter te vallen, maar Timothy het muisje, dat in zijn pet zit, schreeuwt tegen hem dat hij altijd al kon vliegen, ook zonder het veertje. Dat het veertje hartstikke nep was.' Papa kijkt voor zich uit alsof hij het glorieuze moment zó voor zich ziet: 'En ja hoor, Dombo herneemt zich en vliegt! Dwars door de circustent heen.' Hij staat op en maakt plechtig, met een weids gebaar, het verhaal af: 'Vanaf nu is hij die zo anders was, de grote ster!'

Ik zwijg nog steeds.

'Ah, Ida, weet je wat? Misschien heb je gelijk. Misschien kan ik nog wel een tweede aquarium inrichten,' zegt papa.

Hij pakt de glazen kweekbak, haalt het papier eraf en gooit het zaagsel met meelwormen en al in de prullenbak.

Mama is zenuwachtig. Ze vertelt me dat ik een tijdje bij oma moet logeren. Ze pakt een tasje voor me in en we gaan op weg. Als we uit de tram stappen, slaat ze echter af en loopt ze richting de Fara, de grote basiliek aan de achterkant van oma's huis. Voor zover ik weet heeft mama sinds het bezoek van de priester tijdens tante Maria's begrafenismaal nooit meer een voet in een kerk gezet. Al ver voor Maria's dood heb ik mama eigenlijk nooit echt zien bidden.

Nu staan we echter midden in de Fara. Ik ken deze kerk goed, hier ga ik altijd naar de zondagmis met oma. Dat doe ik nog steeds trouw, al weet ik niet precies waarom. Tijdens de mis verveel ik me en dwalen mijn gedachten altijd af. Het is dit gebouw waar ik zo van hou. Het lijkt zo standvastig, zo onverwoestbaar – een van die gebouwen die er altijd zijn geweest en er altijd zullen zijn, ongeacht wat er gebeurt. De Fara is een van de oudste kerken van de stad; de eerste steen werd al rond 1255 gelegd, kort nadat Poznań zelf was gesticht. Later, tijdens de zestiende eeuw, de Poolse Gouden Eeuw, was de kerk voorzien van maar liefst tweeënvijftig altaren: één voor elke zondag van het jaar. Die glorieuze tijd mocht echter niet al te lang duren: halverwege de zeventiende eeuw werd de kerk tijdens de 'Zweedse zondvloed' doelbewust in brand gestoken door de Zweedse legers die door Polen trokken. De kerk werd echter hersteld, grootser en imposanter dan ooit – tot de kerk in de achttiende eeuw wederom van de aardbodem verdween. Eerst werd hij beschadigd door een blikseminslag, daarna stortte hij gedeeltelijk in en ten slotte werd het gebouw getroffen door brand. De overblijfselen verdienden nauwelijks het predicaat 'ruïne'.

Dat was het moment dat het echt niet meer goed leek te komen. De achttiende eeuw was voor Polen namelijk de tijd van de drie grote annexaties door Oostenrijk, Pruisen en Rusland, de zogenaamde Poolse delingen. Al was 'plunderingen' hier een betere term voor geweest. Bij deze delingen lag Poznań in het gebied dat vrijwel meteen in Pruisische handen viel, en het Pruisische stadsbestuur verzette zich hevig tegen de heropbouw van de Fara. De restanten van de muren zijn destijds opgeruimd en het zo ontstane plein vond een geheel nieuwe bestemming als stadsmarkt. Het waren de jezuïeten die de kerk uiteindelijk overnamen en er een nieuwe versie van neerzetten in de Il Gesù-stijl. De huidige Fara heeft deze stijl behouden, met nu twee torens in plaats van één.

De zelfstandigheid van Polen werd pas tijdens de Eerste Wereldoorlog herwonnen en heeft amper twintig jaar mogen duren voordat de verschrikkingen van de Tweede Wereldoorlog zich aandienden. De Fara diende in de Tweede Wereldoorlog als opslagplaats van munitie en voedsel, wat tot de vernietiging van een deel van de altaren heeft geleid. De inwoners van Poznań hadden de kerk in 1951 niettemin al voor een flink deel gerestaureerd. Nu, na jaren van aanhoudende crisis, bladdert het stucwerk eraf en zijn de schilderingen vaal. Maar toch, de kerk staat er. De Fara is voor de inwoners van Poznań een symbool voor hun eigen weerbarstigheid, voor iets wat niet kapot is te krijgen.

Binnen in de Fara blijft mama staan bij het beeld van de Heilige Maagd Maria. Ze gaat voor het beeld staan en sluit haar ogen. Zelf durf ik in deze minuten geen beweging te maken, bang om de contemplatie te verstoren.

'We gaan,' zegt ze na een paar minuten bruusk. We lopen de kerk uit en ze brengt me naar de voordeur van het gebouw waarin oma haar woning heeft. Zelf loopt ze gehaast weer verder. Ik kijk haar na terwijl ze wegloopt en haal mijn schouders op.

Behalve opa is alleen Andrzej er. Vanavond komen allemaal ooms en tantes naar het huis van oma; er wordt een film op de televisie vertoond, *Animal Farm*. Ik snap de opwinding van de volwassenen niet zo goed, want *Animal Farm* is een tekenfilm.

'Maar het gaat over het Rijk van het Kwaad!' zegt Andrzej strijdlustig als we die avond in de kamer van opa, die vanavond als kinderkamer dienstdoet, met onze neven en nichten naar de film kijken. Ik kijk naar de varkens op het scherm. 'Het gaat over Rusland, dat is het Rijk van het Kwaad!' roept Andrzej nogmaals. Hij pakt de grote spoel met draad van oma's naaimachine. 'Het Rijk van het Kwaad, dat is Rusland, dat heeft de president van de Verenigde Staten gezegd!' Ja, al een hele tijd terug en dat weet ik, maar nog steeds snap ik het verband niet met de varkens. De film vordert, maar ik ben afgeleid door Andrzej. De spoel met draad, dat is het handvat van zijn lichtzwaard.

'Ik ben Luke Skywalker! Ik ga de Death Star vernietigen!' schreeuwt Andrzej. Hij zwaait en vecht tegen zijn denkbeeldige vijand. Het is hopeloos, want het Kwaadaardige Rijk is zo groot en machtig... Alleen een wonder, of een verbond, kan hem redden. Andrzej geeft het niet op, hij springt op de tafel, springt op de bank, verliest zijn evenwicht en valt tegen de muur. Als hij zijn armen tegen de wand slaat, raakt zijn lichtzwaard de lijst met de afbeelding van de paus, en deze valt op de grond. Meteen zijn wij kinderen stil en kijken geschrokken toe als Andrzej zich bukt, de afbeelding van de paus oppakt en die omdraait om te inspecteren.

Gelukkig, het glas is niet gebroken. Gekleed in zijn witte gewaad kijkt de vriendelijke man ons geruststellend aan.

Midden in de nacht word ik wakker gemaakt door oma. We gaan naar beneden; daar zit mama in een auto te wachten. Het is geen auto die ik vaak heb gezien, het is een Ford. Een Ford Taurus, zal ik later aan oom Grzesiek melden. De nummerborden zijn geel. De auto is volgeladen met onze spullen, er is nauwelijks ruimte voor mij over. Achter het stuur zit een man die ik nooit eerder heb gezien. Hij praat Duits met mama.

'Dit is Kejs,' zegt mama, 'we gaan naar Nederland toe.'
Nederland? Dat is dus waar we met onze nieuwe paspoorten en de visa heen zouden reizen.

'Wanneer komen we dan terug?' vraag ik. Ondanks de voortekenen voel ik me toch flink gedesoriënteerd.

Dan rijden we weg. Ik vind het jammer dat Andrzej niet meegaat. Misschien komt hij later nog, troost ik mezelf.

De afstand tussen Poznań en de Pools-Duitse grens is slechts honderdtachtig kilometer, maar de reis duurt uren. Het wegdek zit vol met gaten. Stukken weg zijn afgezet; dan moeten we omrijden via onbekende dorpen. Het gezicht van 'Kejs' is dan gespannen. Als hij tegen mama praat, lijkt het nog het meest op geblaf.

Eenmaal bij de grens aangekomen zien we rijen auto's, kilometers lang. Overal staan mensen buiten te roken, of ze drinken thee en koffie uit een thermoskan. Bij de overgang zelf zien we enkele auto's die volledig leeggehaald worden. De inzittenden staan er gelaten naast. Vlak voordat we zelf aan de beurt zijn, zegt mama: 'Ga op de tassen liggen en slaap.' Ik doe wat ze zegt. Onze auto wordt niet doorzocht.

We maken dit nog een keer mee bij de grens tussen de DDR en de BRD. Het wachten, de spanning. Mama zegt bijna niets en ik vraag ook niks meer. In West-Duitsland aangekomen, houdt de auto op met schudden. De weg is hier egaal, en voor het eerst kunnen we onafgebroken uren achter elkaar doorrijden.

De tweede nacht is bijna voorbij als we aankomen op onze eindbestemming: een plaats, een stad zo te zien, die Maastricht heet. Kees' flat bestaat uit twee verdiepingen; nieuwsgierig kijk ik om me heen. In een klein kamertje bij de entree word ik door mama in bed gelegd.

'Ida, ga maar slapen,' zegt ze alleen maar. Ze ziet grauw van vermoeidheid.

'Hebben we Polen nu verlaten?' vraag ik voorzichtig. 'Voor altijd' laat ik weg.

'Ja, Ida,' antwoordt ze, zonder me aan te kijken. 'In dat kloteland zal er toch nooit iets veranderen...' voegt ze eraan toe als ze wegloopt, meer tegen zichzelf dan tegen mij.

Het is februari 1989.

II

Uit het dagboek

1

Sigaretten ruiken anders in Nederland. Kees rolt ze zelf met tabak uit een pakje en een papiertje. De bovenste kootjes van Kees' rechtermiddelvinger en zijn wijsvinger zijn geel, bijna oranje.

Zijn appartement heeft zeil met het motief van parket op de vloer. De woonkamer is ingericht met zware donkere meubels. De salontafel is bedekt met een tapijtje. Naast de skaileren bank staat een glazen tafeltje met een goudkleurige afwerking. Daarop staan verschillende witte porseleinen dieren, voornamelijk poezen. Er zijn geen boeken of tijdschriften te zien. Wel is er een videorecorder. Ik zie een cassette liggen: *Rambo: First Blood* met Sylvester Stallone.

Er is ook een telefoon. Mama merkt dat mijn blik er lang op blijft rusten.

'Je mag niemand bellen, begrepen?' zegt ze dreigend.

'En je mag ook niemand schrijven, dan weten ze waar we zijn,' voegt ze eraan toe, zonder erbij te vertellen wie 'ze' zijn.

Van de televisie begrijp ik weinig. De reclamespotjes zijn het leukst. Op nummer één staat de Croky-chipsreclame met de blauwe pratende papegaai. Yogho!Yogho!-reclames zijn een goede tweede.

Mama verstaat de taal ook niet, maar kijkt altijd naar het nieuws van acht uur. Ik begrijp dat de meneer met de woeste wenkbrauwen de baas van Nederland is.

'Is hij ook generaal?' vraag ik aan mama.

'Nee, hij is premier. Hij is gekozen door de Nederlanders.'

'Net als in Amerika?'

'Net als in Amerika,' antwoordt mama. 'Alleen hebben ze hier meer partijen.'

Ik kijk weer naar de televisie. Ik vraag me af of de baas van Nederland de president van Amerika kent. Op de BBC, de radiozender, hoorden we twee jaar eerder hoe Reagan tegen Gorbatsjov zei dat hij de Berlijnse Muur moest slopen. Mijn ooms moesten daar toen hard om lachen. Maar Reagan, wist ik, dat was ook de president die Rusland het Rijk van het Kwaad had genoemd. Hij wilde zelfs een systeem bouwen, in de ruimte, om het Rijk van het Kwaad af te weren. Dat afweersysteem zou dan Star Wars heten.

Op de televisie houdt een groep mensen borden omhoog met 'Twee Procent' erop. Ik vraag me af waarvoor. Een paar maanden eerder demonstreerde papa ook, met Solidarność. Zijn eis was een verhoging van zijn lerarensalaris met tweehonderd procent. De salarissen liepen voortdurend achter op de hyperinflatie van gemiddeld vijftig procent per maand. Waar zou deze twee procent over gaan?

Mijn nieuwe klasgenoten hebben allemaal kleurrijke kleren aan. Niemand draagt een uniform, laat staan een schoolembleem. Als de leraar binnenkomt, spring ik op en ga ik kaarsrecht staan. Dat doe ik ook als de leraar zich rechtstreeks tot mij richt. De andere kinderen lachen dan.

'Eenmaalvierisvier, tweemaalvierisacht,' zingen de kinderen nu.

Niet-begrijpend kijk ik naar mijn nieuwe leraar. Ik zit op de eerste rij, een reus op een klein stoeltje. Mijn leraar pakt een krijtje en schrijft de tafels op het bord. Dan roept hij mij voor de klas.

2x4=? schrijft hij op het bord.

8 schrijf ik.

$5x7=?$

35 schrijf ik. Hij herhaalt dit een paar keer. Dan ga ik zelf sommen opschrijven:

$14x7=98$

$16:4=4$

$214x2.120=453.680$

De laatste som was niet helemaal eerlijk. Dat was de laatste dollarberekening die ik voor mama heb gedaan, en die zat nog in mijn hoofd.

$4/16=1/4$

$1x0,75=75\%$

$1mx1mx1m=1m^3$ schrijf ik erachteraan, en dan houd ik op. Dat was het laatste wat ik in Polen heb gehad. De leraar kijkt naar het schoolbord, dan naar mij en loopt de klas uit. Hij komt terug met andere rekenboekjes. Hier staan wel breuken in.

De rest van de dag verdiep ik me in het boekje. Er staan maar weinig echte sommen in, wel veel verhaaltjes die ik niet snap.

Voor elke som die ik goed maak, krijg ik een sticker. Zonde om de stickers in een schrift te plakken. Het liefst zou ik ze in hun geheel meenemen om ze op te bergen. Maar dat durf ik niet.

In Nederland blijken de scholen geen twee shifts te hebben waarbij de kinderen om beurten 's ochtends of 's middags naar school gaan. Elke dag begint op hetzelfde tijdstip. Ook lunchen de kinderen thuis. Twee keer per dag staat het schoolplein vol met moeders die de kinderen ophalen. Woensdag hoeven we na de lunch niet terug naar school, dan is de middag vrij.

'Misschien werken ze wel 's avonds,' zegt mama als ik ernaar vraag.

Als mijn eerste week erop zit, komt bij het ophalen een

oudere leraar naar mama toe. Hij stelt zich voor als meneer Vernooij en hij legt in het Duits uit dat hij me extra les gaat geven: Nederlands. Eén of twee keer per week helpt hij me na schooltijd met het leren van Nederlandse woordjes en zinnen.

Soms komt een van deze woorden in mijn bruine schrift terecht; Pools is de hoofdtaal. Temeer omdat ik in dit schrift vaak aan papa schrijf. Geen hele brieven, kattebelletjes meer, alsof echte, lange onverstuurde brieven een strafbaar feit zouden vormen. *Lieve papa, ik ben in een land dat begint met de letter N., in een stad die begint met de letter M. Het lijkt op Hongarije... Het land, niet de naam van het land. Weet je nog, dat de prinsessen uit* Duizend-en-eennacht *altijd wangen rood als granaatappels hebben? Die hebben we gisteren in de supermarkt gekocht, de granaatappel...*

Een kleine fruitschaal, dat was het enige wat we aan Kees' huis toegevoegd hebben. Mama zorgt dat er altijd iets van exotisch fruit in ligt. Laatst hadden we zelfs een ananas, of anders een sinaasappel of een banaan. Of een granaatappel dus, zoals vandaag.

Grappig toch, papa, dat ik er misschien heen kan? Ooit, naar het land van de sinaasappels, de granaatappels, misschien zelfs van de kiwi's? Met een lepeltje schep ik een partje van de granaatappel leeg en ongewild komt er een glimlach op mijn lippen. De belofte om de wereld te mogen ontdekken, smaakt zoet.

Ik zal er eentje voor je meenemen, papa... Een granaatappel...

De zure nasmaak van de vrucht verrast me. Met mijn lepeltje schep ik de vrucht verder leeg, en ik probeer aan de zoetzure smaak te wennen. Snel sla ik een paar bladzijden om en krabbel haastig in hetzelfde schrift:

De prijs voor verdergaan bedraagt:
nooit meer terug.

Mama leert ook Nederlands, twee ochtenden per week. Voor de rest maakt ze het huis van Kees schoon. Elk van de porseleinen poezen pakt ze op en stoft ze af. Als ze klaar is, gebaart Kees naar de porseleinen beesten aan de andere kant van de kamer: die ook, Ewa. Ze zijn al schoongemaakt, maar toch begint mama opnieuw. Tussendoor staat ze op het balkon te roken.

Mama's haar is kortgeknipt en haar rok komt tot boven de knie. Ook heeft ze een blouse aan met een decolleté. Met haar grote oorbellen en de lippenstift die ze draagt, ziet ze eruit als een van de vrouwen uit de tijdschriften. Dat Kees geen bad heeft, maar alleen een kleine douche en de wc samen in één piepkleine ruimte, lijkt haar niet te deren.

Kees is niet vaak thuis. Ik weet niet of hij werkt. Vaak zit hij in de kroeg een paar straten verderop. De kroeg lijkt op zijn huis, met tapijtjes op de tafels. Ik zit hier wel eens te tekenen, sommen te maken of mijn woordjes te leren. Dan krijg ik een zakje Croky-chips van de kroegbaas. De verpakkingen bewaar ik allemaal.

Het is in deze kroeg dat mama Edyta en Jarek leert kennen. Hun zoontje Teodor heeft een zeldzame aandoening aan zijn hart. Teodor is de reden dat ze uit Polen gevlucht zijn: hier kreeg hij de operatie die hij nodig had.

De eerste keer dat ze hun familie spraken, was twee jaar na hun aankomst in Nederland. Zij zijn nog niet terug geweest in Polen. Hun familie kan niet op bezoek komen; ze staan nu op de lijst en zullen nooit een visum krijgen. Ook niet via Kowalski, de man die ons aan onze visa heeft geholpen. Zelfs hij doet niks voor 'verdachte' mensen. Ook ik kan nog steeds geen contact opnemen met papa. Of met Andrzej.

Mama wil ook niet vertellen wanneer wij teruggaan. Ik hoop dat het geen vijf jaar gaat duren.

'Ewa, kijk uit met die Nederlandse man van je,' zegt Edyta tegen mama. 'Hij gebruikt je.'

Mama zwijgt. Zij ziet het anders. Zij heeft hem zelf uit de catalogus gekozen en wacht nog steeds op de kleurrijke plaat waarop iedereen lacht.

'Het zijn allemaal bandieten hier,' zegt Jarek nors. Edyta knikt. Zij maakt elke dag de kroeg schoon.

'Je weet dat hij nu meer uitkering krijgt? En kinderbijslag voor je dochter?' Wat het betekent, weet ik niet, maar het gaat over geld.

'Hij is niet te beroerd om mijn was te doen,' zegt mama. 'In Polen zou geen enkele man mijn ondergoed in de wasmachine stoppen.'

Ik heb Kees nog nooit de was zien doen, bedenk ik.

'Wij kosten toch ook wat?' probeer ik mama te helpen. Ze kijkt verschrikt op. Alsof ze allang vergeten is dat ik er ook ben.

De muziek in deze kroeg is zeurderig, zegt mama. Toch, gaat ze soms dansen, als het al avond is. Kees danst nooit mee.

'Gaan jullie trouwen?' vraag ik op een van die avonden. Ik hoop van niet.

'We zijn al getrouwd.'

Een paar dagen later laat ik Edyta de tekening zien waar ik mee bezig ben. Het is een kleurplaat van Albert Heijn. Er staan allemaal bonbons op afgebeeld, die moet je inkleuren. Er hoort ook een prijsvraag bij. Ik had aan Kees gevraagd wat er stond. Nederlands praten gaat steeds beter, maar in plaats van te antwoorden, heeft Kees er alleen iets onder geschreven.

'De vraag is wat je lievelingsbonbons zijn,' vertaalt Edyta. Hmm, dat weet ik. Met witte chocola, karamel en noten. Zouden die bestaan?

Edyta gaat verder: 'Eronder staat: "Ida komt uit Polen. In Polen hebben ze geen bonbons. In Polen hebben ze niks."' Edyta kijkt mama strak aan.

'In Polen *hebben* ze ook niks,' zegt mama hard, en ze draait zich om.

Ik verkramp. Als ze maar geen ruzie krijgen. Ik kom graag bij Edyta. Edyta's huis ruikt een beetje zoals het huis van oma. Soms mag ik ook op haar zoontje passen. Als het kon, zou ik dat wel elke middag willen doen. Af en toe krijg ik er zelfs een gulden voor. In Polen kreeg ik het meeste zakgeld van allemaal. In Nederland krijg ik dat niet; hier heb ik niets.

Gelukkig leidt de televisie Edyta af. Ik herken de man met de donkere bril: dat is generaal Jaruzelski. Er is ook een man met een snor die op een tank staat te zwaaien met de Poolse vlag, dat is Lech Wałęsa. Dan komen ook nog Reagan en Gorbatsjov in beeld. Edyta kijkt gespannen naar het scherm.

'Er komt een revolutie,' brengt ze ten slotte uit. In haar ogen zie ik pure angst. Dezelfde intensiteit heb ik maar één keer eerder bij volwassenen gezien, en dat was na de ramp in Tsjernobyl. Een seconde lang lijkt het alsof ik weer bij ze ben, daar in de woonkamer van oma, met Andrzej en oom Adam erbij, gespannen luisterend naar de radio. Papa, papa is toen ook bang geweest. Mijn gemis speelt weer op, heftiger dan ooit. Wie moet me dit keer van een ontwijkend antwoord voorzien?

De televisie in Edyta's huis staat nu voortdurend aan. Soms zie ik een mensenmassa. Vaker nog zie ik een oud vrouwtje met haar hoofd in een sjaal gewikkeld en een brood onder haar arm. Edyta heeft altijd een paar kranten liggen, soms in het Pools. Ik zou beter willen begrijpen wat er gebeurt, maar Edyta en Jarek raken erg gespannen als ik er rechtstreeks naar vraag. Mama wil al helemaal niet over Polen praten. Ze komt steeds minder bij Edyta en Jarek. Edyta zelf is blij dat ik er ben en met haar zoontje speel, voor haar radiologieopleiding studeert ze veel. Gelukkig mag ik ook in de zomer bij meneer Vernooij langskomen. Hij neemt samen met mij de kranten door. Als er iets over Polen staat, legt hij het aan me uit. Mijn woordenboek heb ik altijd mee.

Er komen verkiezingen en Solidarność mag ook meedoen.

'Waarom is iedereen dan zo bang?' vraag ik. Want mijn familie, Edyta en Jarek: iedereen wil juist dat er iets gaat veranderen.

'Degenen die de baas zijn, gaan niet graag weg,' zegt meneer Vernooij.

'Net als Nero?' vraag ik.

Meneer Vernooij zwijgt. Misschien is hij in zijn geheugen op zoek naar een heerser die vrijwillig zijn macht heeft afgestaan. Of op zijn minst eentje die niet buitensporig veel geweld heeft gebruikt.

'Toen ik twee was, was er oorlog in Polen,' zeg ik. Ik weet nog niet hoe je 'staat van beleg' zegt.

'Oorlog?' vraagt meneer Vernooij.

De staat van beleg duurde tot ik vier was. Voornamelijk in het eerste jaar, 1981, reden de tanks door de straten, toen was ik dus twee. Over die tanks hoorde ik jaren later, voornamelijk op Radio Vrij Europa.

Oom Grzesiek was in die tijd een keer door een lastige taxiklant laat opgehouden aan de andere kant van de stad. Hierdoor was hij nog op straat op het moment dat om tien uur de avondklok inging. Oom Grzesiek werd aangehouden. Met een paar anderen werd hij in een busje gegooid en kilometers buiten de stad gebracht. In het bos aangekomen, mochten ze het busje verlaten. Bij het uitstappen kregen ze allemaal klappen met rubberen knuppels. Mijn oom was jong en behendig, hij kon goed wegdraaien; de klappen kwamen op zijn rug terecht. Uiteindelijk kon hij wegsprinten met alleen een gekneusde elleboog. De anderen, ouder, ziek of dronken, struikelden en vielen.

Terwijl mijn oom het bos in rende, hoorde hij nog lang de klappen die zijn lotgenoten kregen. Anderhalve dag later was hij weer in de stad. Zijn geliefde Warszawa 210, waarvan Grzesiek altijd de opvallende gelijkenis met een Ford Falcon benadrukte, was leeggeroofd.

Grzesiek had geluk gehad.

'Ja,' zeg ik. 'Oorlog.'

De zomer van 1989 trekt voorbij en geweld blijft uit. Er is wel een revolutie; Polen heeft een nieuwe regering. Jaruzelski is geen generaal meer. Hij is nu de eerste president van Polen, al heeft niemand op hem gestemd. Tadeusz Mazowiecki, een van de sleutelfiguren van Solidarność, is de nieuwe premier. 'Zij de Senaat, wij de Kamer' is het credo van deze regering.

Revolutie. Zou ik nu een brief naar papa kunnen sturen? Tot nu toe heb ik het nog niet gedurfd, gehoorzamend aan mama's verbod. Alle briefjes aan papa bevinden zich in mijn schrift. Maar we zijn al bijna een halfjaar weg en ik wil graag dat papa weet dat ik het goed doe. Voor het eerst ligt er een los vel papier voor me. Alles wat ik zou kunnen schrijven komt me echter ongelooflijk dom voor. In een opwelling teken ik, zo goed en kwaad als het gaat, het enige wat me te binnen schiet, en dat is een olifantje. Mijn naam of een retouradres zet ik er niet bij. Met een bonkend hart gooi ik het briefje in de brievenbus.

Voor de zomer krijg ik mijn eerste Nederlandse rapport. Er zijn drie gouden sterren op geplakt. Goede cijfers voor rekenen, bij taal een leeg vakje. Drie sterren is blijkbaar goed, want na de zomer sla ik een klas over. Ik zit in groep zes en mijn stoel is nog maar een beetje te klein.

Dankzij de lessen van meneer Vernooij, de kinderen in mijn straat en de Croky-reclames ben ik inmiddels in staat om simpele gesprekken te voeren.

In groep zes zijn er ook proefwerken. Die gaan vaak

over maar twee of drie pagina's van het geschiedenisboek. Uit verveling leer ik de pagina's letterlijk uit mijn hoofd. Algauw haal ik tienen.

Mama heeft het schoonmaakbaantje van Edyta overgenomen, die zich helemaal op haar studie wil richten. Het baantje in de kroeg is zwart werk. Legaal werk mag niet, want dan zou Kees geen geld meer krijgen. Bovendien, ze kent de taal nog niet zo goed.

In de middag en in het weekend gaan mama en ik vaak naar de stad. Urenlang lopen we dan door de verschillende winkelstraten; er lijkt geen einde aan de winkels te komen.

Af en toe koopt mama iets kleins: oorbellen, of een rok in de uitverkoop.

Urenlang betast mama de kleren, de jurken, weegt ze de stoffen in haar hand. Haar favoriet is het ondergoed van Triumph. Dat is heel duur. Toch heeft ze van haar baantje één bh kunnen kopen. Een zwarte, cup D.

Hij past perfect.

Het is begin november 1989. We zijn bij Edyta. Haar zoontje viert zijn naamdag. Het cadeautje dat ik meeneem wordt haastig in de handen van Teodor geduwd en we worden meegesleurd naar de televisie. Ik zie een muur, met daarvoor honderden mensen, mensen die proberen op de muur te klimmen, mensen die met een spijker en beitel de muur bewerken. Er is zelfs een vrouw die met de hak van haar schoen tegen de muur slaat. Elke keer als er iemand een stukje uit de muur weet los te wrikken, klinkt er gejuich. Het IJzeren Gordijn blijkt een muur van losse stenen.

Gefascineerd bekijk ik de beelden van Berlijn. De grens tussen de BRD en de DDR. De grens tussen het 'goede' Duitsland en het 'slechte' Duitsland. Een plek die ik alleen in de duisternis heb gezien, die ik alleen heb gevoeld. De scheiding tussen het kronkelige, pokdalige pad en de gladde, makkelijke weg.

Edyta zit geknield voor de televisie en huilt met haar gezicht in haar handen. Haar schouders zijn voor het eerst ontspannen.

'We kunnen naar Polen. We kunnen gewoon naar Polen,' blijft ze zeggen. Jarek knielt naast haar en omhelst haar.

Het duurt even voordat het tot me doordringt. Papa? Andrzej? Kunnen we gewoon op bezoek? Mijn buik verkrampt. Ik pak mama's schouder vast.

'Gaan wij ook?' vraag ik.

'Met kerst, we gaan met kerst,' zegt mama. Ze houdt me dicht tegen zich aan. Aait over mijn hoofd. Ze huilt, ik voel haar tranen over mijn wang glijden. Edyta haalt haar kasten open, overal vandaan haalt ze eten, wijn, wodka. Kennissen komen met taart, en koek; buren komen aanzetten met Nederlandse wodka. De opwinding wordt door allen gedeeld. Iedereen omhelst elkaar, zoent elkaar.

Mama begint te zingen. Ze zingt een lied over zigeuners op drift. Vóór hun zwerftocht hebben ze ervoor gekozen om hun hart achter te laten. Het lied bezingt deze zoektocht en het verdriet. Iedereen valt in of neuriet mee. Opnieuw komen de tranen.

Tijdens de opzwepende refreinen gaat mama dansen. Iedereen klapt, fluit en joelt. Ze blijft dansen en draaien zonder ook maar iets in de volle kamer te raken. Alle ogen zijn gericht op haar, op Ewa, mijn moeder.

Het is een nacht die nooit ophoudt. Met mijn nieuwe ooms en tantes val ik op Edyta's bank in slaap.

Ons enthousiasme lijkt zelfs effect te hebben op Kees. Samen met ons treft hij de voorbereidingen voor de kerstreis naar Polen. We staan in de Aldi en Kees komt aan met een hele doos marsepein.

‘Hier Ewa, koop dit nog,’ zegt hij. Mama gebaart van nee, maar Kees heeft zijn portemonnee al getrokken. Mama en ik kijken elkaar verbaasd aan. Mama haalt haar schouders op.

We kopen veel. Gekleurde wol voor oma, veel marsepein en luxe chocola. Speelgoed voor mijn neven. Het lijkt alsof mama zelf de Kerstman is als we in Polen aankomen en de koffers opengaan. Mama heeft haar huis in Polen nog; het staat leeg. Dit is ook de plek waar we verblijven. Grzesiek wacht ons op de parkeerplaats op en helpt met de koffers. Hij fluit als hij de kilometerstand van Kees' Ford ziet: die staat op tweehonderdduizend kilometer. Geen van Grzesieks zorgvuldig uitgezochte en onderhouden auto's heeft ooit de zeventigduizend gepasseerd. Terwijl iedereen zich binnen over de koffers buigt, loopt Kees naar buiten en rolt zijn shagje. Zelf loop ik door het huis, dat nu nog groter lijkt. In de badkamer laat ik het bad vollopen. Terwijl ik wacht tot het bad volloopt, aai ik in het voorbijgaan het roodfluwelen behang in de gang. Uiteindelijk ga ik zitten op het kleed voor de grote kast in de woonkamer. Met mijn tenen raak ik de houten vloer aan, het parket waar mama zo lang naar gezocht heeft. De grote kast achter me is leeg, weet ik zonder te kijken.

Ik blijf een tijdje op het kleed zitten, met gesloten ogen. Het rumoer, de geuren uit de keuken, waar oma voor iedereen eieren aan het bakken is: alles wil ik in me opnemen.

Uiteindelijk is het oma die naar me toe komt en zegt: ‘Je bad is vol.’

‘Hé, Ida, hebben ze daar geen bad?’ vraagt oom Adam plagerig.

‘Nee, daar zijn ze meer van het douchen,’ antwoordt mama haastig.

‘En van het fietsen!’ help ik haar. ‘Iedereen gaat er op de fiets.’

'Iedereen?' vraagt Adam. Bij ons in de familie is hij de enige volwassene die fietst, op een sportfiets, 's zomers.

'Ja, ook mijn leraar... De buurvrouw ook, die is bijna advocate,' vul ik aan.

'Rare mensen, die Nederlanders. Dan heb je geld en ga je op de fiets!' roept Adam uit.

'Ida, spreek je ook al Nederlands?' vraagt tante Monika.

'Een beetje,' antwoord ik. Met bijna iedereen kan ik een gesprek aangaan; alleen Kees lijkt me nooit te verstaan.

'Wat eten ze daar?' vraagt Monika door. Ik denk aan het zompige brood en de friet die we vaak eten. De ham in Nederland smaakt ook niet naar de ham die ik bij zeldzame gelegenheden in Polen heb geproefd.

'Nou, gewoon...' antwoord ik ontwijkend. Duizend vragen, waarvan ik maar de helft wil beantwoorden.

'Kijk, Andrzej! Hier!' Trots overhandig ik hem mijn cadeau: een rubberen beeldje van Yoda uit *Star Wars*. Verlegen neemt hij het aan en ik durf hem geen knuffel te geven; ik ben bijna elf, hij is dertien. Terwijl ik hem zo verschrikkelijk gemist heb.

'Ewa, wat drinken ze daar dan?' vraagt Adam.

'Bier. Heel veel bier,' lacht mama. Kees kijkt op. 'Piwo' is het enige Poolse woord dat hij verstaat.

'Dat is toch geen drinken?' roept Adam verbaasd.

Ik ga in bad. Langzaam hoor ik iedereen weer weggaan. Tegen hun zin moeten ze nog op zoek naar een laatste buit.

Veel mensen komen nu aan van buiten de stad, en sinds de val van de muur ook uit het buitenland. Ze bieden hun koopwaar aan langs de drukste straten en pleinen. De waar wordt uitgestald op veldbedden in plaats van op kleine kleedjes. De rest van mijn familie gaat naar oma's huis om te helpen met de laatste kerstvoorbereidingen. Over een paar uur alweer zullen we allemaal aan de kersttafel zitten.

Oom Grzesiek gaat als laatste weg. Hij is dit jaar met tante Monika een winkel gestart met witgoed en keukenmeubelen.

'Hoe bedoel je, je bent je auto kwijt?' hoor ik mama op de gang aan Grzesiek vragen.

'De imbeciel eiste dat we zijn dollarlening in één keer terugbetaalden. Vijf weken nadat hij het aan ons geleend had. We hadden net de bevoorrading voor onze winkel aangeschaft.'

Mama zwijgt.

'In die paar weken was de dollar van tweeduizend zloty naar negenduizend zloty gesprongen. Onze inkomsten natuurlijk nog niet...' vervolgt Grzesiek. 'Dus toen heb ik mijn auto verkocht.'

Mijn hart verkrampt. De Fiat 125p was een beetje van ons allemaal geweest.

'Ik heb er nog meer voor gekregen dan toen ik hem vijf jaar geleden kocht,' voegt hij er een seconde later wat vrolijker aan toe. 'Mensen willen alles kopen, maakt niet uit wat!'

Dan loopt ook Grzesiek het huis uit en is het stil. Misschien kan Grzesiek eindelijk eens slapen, nu hij geen auto meer heeft, denk ik.

'Vergeven van de imbecielen, dit land,' hoor ik mama nog net mompelen voordat ik zelf een beetje wegdut in het warme water. Het is een lange reis geweest, en de grensovergang was drukker dan ooit.

Voordat ook ik naar oma ga, wil ik bij papa langs. Hij heeft nog geen telefoon en ik hoop vurig dat hij thuis zal zijn. Ik heb hem nu bijna een jaar niet gezien of gesproken. Zou hij mijn briefje ontvangen hebben?

'Papa!' roep ik uit als ik hem zie. Ik val in zijn armen. Begraaf mijn gezicht in zijn hemd. Hij ruikt naar kerst.

'Heb je mijn brief gekregen?' vraag ik als ik op mijn oude kruk zit. 'Eentje maar,' zegt papa, en hij houdt de envelop omhoog.

'Je wist dus waar ik was?' vraag ik. 'Ja,' zegt papa, en hij zucht. 'Ik hoorde het ook van Adam. Die spreek ik soms.'

'Ik heb je gemist, papa,' zeg ik alleen. Hete tranen rollen over mijn wangen. Ik leun tegen hem aan, ben te groot voor zijn schoot.

Papa zucht nogmaals.

'Ida, ken jij het verhaal van de andere Ida? De verzorgster van Zeus?' vraagt papa. Zonder hem los te laten, schud ik van nee.

'De vader van Zeus, Kronos, wilde hem vernietigen. Ida was een nimf, gevraagd door Rheia, Zeus' moeder, om hem te verbergen en te verzorgen. Dat heeft ze gedaan. Ida heeft Zeus een schuilplaats geboden, ze heeft hem gevoed. Later heeft Zeus haar als dank als sterrenbeeld aan de hemel geplaatst. Dat sterrenbeeld kennen we nu als de Grote Beer,' zegt papa.

'Het steelpannetje?' vraag ik door mijn tranen heen.

'Ja, het steelpannetje,' zegt papa. 'Jij werd geboren in de koudste winter van de eeuw. De sneeuw lag meters dik door de hele stad heen, hele kruispunten waren onder de sneeuwvlakte verdwenen. Ik grapte tegen je moeder dat als ze de weg niet meer wist, ze de sterren maar moest volgen. Misschien dat ze daarom met de naam Ida kwam...'

Even verzinkt hij in zijn gedachten. Dan herneemt hij zich weer en zegt: 'Zolang je maar op dit halfrond blijft, kan je het steelpannetje altijd zien.' Hij haalt diep adem en voegt er zachtjes aan toe: 'Dus als je me nodig hebt, moet je gewoon naar de Grote Beer kijken, oké? Ik zal dan ook naar de Grote Beer kijken en dan zijn we samen.'

Het schemert als ik bij oma aankom. Ik haast me om op tijd te zijn, om de laatste tram te halen nog voor de eerste ster aan de hemel verschijnt. Binnen is iedereen er al; de tafel is gedekt. Als we allemaal aan tafel zitten, blijken er twee lege couverts te zijn in plaats van één: Kees is er niet. Ik kijk mama aan. Ze is gespannen.

'Ewa, ga je nog iets doen met de dollar?' vraagt oom Adam aan mama.

De enorme inflatie en de waardestijging van vreemde valuta's is onderwerp van verhitte gesprekken aan tafel.

'Er verandert ook nooit iets...' begint opa te vertellen. 'Weet je, net voor de Tweede Wereldoorlog reisde een oom van oma op en neer vanuit Warschau naar Lwów om daar zloty's op te kopen... Van de ene op de andere dag was het Russisch grondgebied geworden, en van de ene dag op de andere werd daar de zloty afgeschaft.' Hij maakt met zijn duim en wijsvingers het gebaar van verdwijnend geld. 'In Lwów dan, want in Warschau wilden ze de zloty's natuurlijk nog wel hebben... Ai, ai, ai...' Hij schudt zijn hoofd en kijkt dromerig voor zich uit. 'Die oom, die noemden we "de Speculant". Zij reisden altijd in groepjes, die speculanten: joden, Polen, Duitsers, allemaal door elkaar heen. Zaken verbroederen, ha!' roept hij uit, met een lange uithaal op dat laatste 'ha'. 'Het was gevaarlijk werk. Je kon beroofd worden, of opgepakt. Maar er zat niks anders op. Zijn vrouw werkte in een chocoladefabriek, maar viel twee keer per week flauw van de honger,' gaat hij door. Zoals altijd praat hij tegen niemand in het bijzonder. Oma is allang de kamer uit gelopen, zoals altijd als opa aan het vertellen is over zaken die ik graag wil horen. 'Zofia...' gaat opa verder, dromerig nu, '... de plaatselijke schone. Ze stierf veel te vroeg, veel te vroeg... Misschien maar beter, nu heeft ze de oorlog niet meegemaakt.' Mistroostig schudt hij zijn hoofd. Ondertussen probeer ik het voor me te zien: chocoladefabrieken vol uitgehongerde vrouwen.

Als we in ons eigen huis zijn teruggekeerd, blijken alle spullen van Kees weg te zijn.

'Hij is ervandoor. Hij is gewoon vertrokken,' blijft mama herhalen als we door het huis lopen. 'De hufter!' briest ze. 'Ging gewoon een paar sokken uit zijn auto halen, zei hij.' En in het Nederlands zegt ze: 'Lul!'

Als ik uren later naar bed ga, zit ze nog steeds in de huiskamer. Ze rookt de ene sigaret na de andere.

De nacht van oud en nieuw brengen we door in de trein. Niemand weet de waarheid over Kees' terugtocht. Hij moest dringend terug wegens familieomstandigheden, is het verhaal. De treincoupé is overvol; iedereen eet, praat en drinkt. Zo goed en zo kwaad als het gaat wordt *Sylwester*, de oudejaarsnacht, gevierd.

'Er staan duizenden en duizenden mensen bij de Brandenburgerpoort: Oost-Duitsers, West-Duitsers, alles door elkaar!' vertellen de passagiers die in Berlijn instappen. Ik probeer koortsig de muur, de resten van de muur, of tenminste iets van een mensenmassa op te vangen. Helaas, het is donker en ik zie alleen fragmenten van een grauw, verlaten treinstation.

In Maastricht aangekomen, blijkt Kees niet thuis te zijn. Mama zet al onze spullen in het kleine kamertje waar ik normaal slaap en gebaart dat ik naar de slaapkamer op de bovenste verdieping moet komen. We gaan samen op het bed liggen.

Als ik wakker word van de sleutel in het slot, staat mama al boven aan de trap. Ze heeft een groot, wit voorwerp in haar hand, ik kan niet zien wat.

Mama praat. Schreeuwt. Kees blaft terug. Mama daalt een voor een de treden af. Als ze halverwege de trap is, tilt ze het witte object met een uitgestrekte arm over de leuning van de trap: het is een van de witte porseleinen katten, de grootste. Kees blaft harder. Mama kijkt hem strak aan. Bijna onzichtbaar beweegt ze het beeldje op en neer, alsof ze het aan het wegen is.

Dan laat ze de kat vallen.

Mama loopt de trap verder af; ze staat een meter voor Kees. Met een minieme schouderbeweging geeft ze me te kennen dat ik moet komen. In trance loop ik achter mama aan. We gaan het kamertje in, ik als eerste, zij achter mij aan. Haar ogen zijn op Kees gericht.

Het kamertje is volgestouwd met onze spullen. De dekens en de kleren vormen een tweede bed, er is haast geen vloer over. De deur barricaderen we met een stoel. Het raam van dit kamertje komt uit op de galerij van het flatgebouw. Mama trekt de gordijnen strak dicht. Ze hangt ook nog een deken voor het raam.

Als mama eindelijk slaapt, schuif ik deken en gordijn een klein beetje opzij.

Ergens daarboven is de Grote Beer.

We zitten veel bij Edyta en Jarek. Mama en ik zorgen dat we zo laat mogelijk thuiskomen; dan gaan we rechtstreeks naar de kleine kamer toe om te slapen. 's Ochtends staat mama kort na vijf uur op, en nu ga ik elke dag mee om de kroeg schoon te maken.

Van meneer Vernooij krijg ik een bibliotheekpas voor mijn elfde verjaardag. Op donderdag is de bibliotheek tot zeven uur 's avonds open, op zaterdag van tien tot drie. Eigenlijk zijn alleen de zondagen een probleem.

In de stadsbieb lees ik alle boeken van Karl May en Astrid Lindgren. Ook vind ik er boeken die niet bekend zijn bij mijn klasgenoten, maar die ik zelf nog uit Polen ken – van Lucy Montgomery en C.S. Lewis. Tot slot lees ik ook *Jip en Janneke*, Jan Terlouw en Thea Beckman. Ook de boeken die in de boekenkast in de klas staan, ken ik nu allemaal.

Tijdens de Boekenweek op school win ik de quiz met allemaal vragen over kinderboeken. De quiz wordt in de aula gehouden voor de oudste klassen. De leraar van groep acht houdt het briefje met mijn naam omhoog.

'Gefeliciteerd Ida Shm... Tsjaj... Jamaica!' roept de leraar uiteindelijk triomfantelijk. Dit is niet hoe je mijn achternaam uitspreekt.

'Hé Ida, je hebt ze mooi een poepie laten ruiken!' zegt meneer Vernooij later op die dag. Ik kijk hem niet-begrijpend aan.

'Poep?' Ik bloos een beetje. Meneer Vernooij lacht.

'Dat betekent dat je iedereen voorbij rent. Zo hard dat ze alleen je scheetjes kunnen ruiken,' zegt hij, en ik lach mee. Misschien hoef je niet alles precies te begrijpen.

'Ik hoop dat ik later snel trouw,' zucht ik.

'Trouwen? Waarom?' Meneer Vernooij kijkt serieus.

'Dan ben ik van die achternaam af.' Ik verkramp elke keer als iemand hem probeert uit te spreken.

'Ida, jij moet gewoon zorgen dat je later ergens erg goed in wordt. Zo goed, dat het een sport wordt voor mensen om jouw achternaam goed uit te spreken,' zegt meneer Vernooij. Hij klinkt nog steeds ernstig.

Trouwen lijkt me reëler, maar dat houd ik voor mezelf.

Mijn prijs voor het winnen van de quiz is een boekenbon. Als ik die middag in de boekhandel sta, besef ik dat ik van de bon ook iets anders dan een boek kan kopen. Al heel lang heb ik een dagboek op het oog dat ze bij de Bruna verkopen. Het bruine schrift is vol en valt een beetje uit elkaar. Dit dagboek heeft een harde groene kaft en een slotje. Op de voorkant staat een circusolifantje.

Het kost wel het astronomische bedrag van twaalf gulden en vijftig cent. Ik twijfel. Het is veel beter om gewoon het geld te nemen.

'Je kan de bon niet voor geld inruilen,' zegt de mevrouw achter de kassa streng. Mijn hart springt op, en zo beheerst mogelijk leg ik het dagboek en de boekenbon op de toonbank.

Met mijn buit ga ik naar Kees' huis. Het is nog vroeg,

maar zijn auto staat er niet. Ik loop naar binnen en ga aan de keukentafel zitten. Nadat ik het dagboek heb uitgepakt, schrijf ik op de eerste pagina de datum: 12 maart 1990. Daaronder schrijf ik in het Nederlands: 'Mijn eerste dagboek'. Dan doe ik het dagboek weer dicht.

Ik pak mijn geschiedenisboek en begin te leren voor het proefwerk de volgende dag. Het dagboek ligt voor me; af en toe raak ik het even aan.

De deur gaat open en Kees komt binnen. Hij heeft een plastic tasje van de slager in zijn hand. Het vlees legt hij op het aanrecht; dan pakt hij een pan en zet hem op het vuur. Ik wil weggaan, maar kan het niet. Kees doet zijn jas uit – hij heeft nog steeds geen woord tegen mij gezegd – en gooit de jas over de tafel heen. Hij rommelt in de keukenla, pakt het grootste mes en snijdt de randjes van de varkenslap.

Ik staar naar de jas. De mouw raakt mijn dagboek aan. Ik steek mijn hand uit en schuif de jas opzij. Kees draait zich om.

'Wat doe je?' vraagt hij, en hij brengt zijn gezicht dicht tegen het mijne. Hij ruikt naar bier.

'Huiswerk,' antwoord ik, en kijk omlaag.

Met het puntje van het mes tilt hij een paar pagina's van het geschiedenisboek omhoog. Ik beweeg nog steeds niet. Dan, in één gebaar, gooit hij het boek en mijn schriften op de grond.

Het dagboek ligt nog steeds op tafel. Ik buig me voorover en leg mijn hand erop. Kees legt het koude lemmet tegen mijn bovenarm. Het staal drukt in mijn vlees. Ik sta stil. Uiteindelijk vermindert de druk en wil ik mijn hand terugtrekken.

Opeens staat mama in de kamer. Ze schreeuwt, ongecontroleerd en schel. Ik weet niet wat er het eerst was, de schreeuw of het snijden, maar nu voel ik hoe het metaal door mijn huid dringt. Kees trekt het mes weg, zet een stap achteruit en laat het mes op de grond vallen. Mijn snee ziet eerst bleek; dan begint er bloed uit de wond te stromen. Rode druppels vallen op het witte plastic tafelkleed. Mama schreeuwt nog steeds.

Een seconde later staan we op de galerij; de buurvrouw vangt ons op. Dan arriveert de politie. Mama en ik gaan mee.

2

De buurvrouw, die advocate is, helpt ons. Een paar weken later krijgen we een huisje voor onszelf. Het huisje heeft een kleine woonkamer en drie slaapkamertjes, een kelder en een minuscuul zoldertje en een tuintje.

Iedereen hier in de straat heeft een uitkering, ook mama. Daarnaast mag mama een beroepsopleiding volgen. Ze neemt me mee naar haar intakegesprek, bang dat ze iets niet zal verstaan.

'Welke opleiding heeft u gevolgd?' vraagt de medewerkster aan mama.

'Hogere technische school,' zegt mama. Daar heeft ze papa leren kennen. Mama heeft nooit de hogere technische school willen doen. Ze is niet technisch. Maar er waren mensen nodig bij het waterleidingbedrijf. Als je eenmaal een baan bij de overheid had, kon je in ieder geval elk jaar op vakantie, was je ook verzekerd en kreeg je allerlei extra's zoals voedselbonnen en bonnen voor benzine, en misschien zelfs een telefoonaansluiting. Ook had je tijd om een eigen bedrijfje ernaast te runnen.

'Dat is gunstig,' zegt de medewerkster. Ze kijkt in haar papieren. 'We hebben altijd technische mensen nodig.'

'Kan ik niet iets anders doen?' vraagt mama met een zwaar accent. De medewerkster kijkt vertwijfeld naar mama. 'Dan moet u eigenlijk beginnen met het behalen van certificaten van de middelbare school,' zegt ze.

'Middelbare school?' Mama twijfelt. Ze wil geen boeken, ze wil vooruit. Edyta en Jarek, beiden radioloog, zijn hun opleiding opnieuw aan het doen. Ze hebben twee jaar erop zitten en moeten er nog zes.

'De technische opleiding is goed,' zegt ze.

Op de opleiding blijkt ze weinig te leren. Wel moet ze veel metaal buigen. Ze moet ook een overall aan en zware schoenen met stalen neuzen.

Ze stopt ermee. Ze gaat voornamelijk schoonmaken. Zwart.

We wennen snel aan de nieuwe omgeving. Aan de ene kant woont Cheyenne; ze is alleenstaand. Dat wil zeggen: haar man is er soms wel en soms niet. Ze hebben een baby van een paar maanden oud. Ze heeft ook nog twee jongens, een tweeling van een paar jaar. Hun vader heb ik nooit gezien. Vaak pas ik op bij Cheyenne, als ze uitgaat met haar zus of mama. Ze kan me niet betalen, maar soms gaan Cheyenne en haar kinderen met haar zus naar Center Parcs of de Efteling, en mag ik mee. Cheyenne is jong, begin twintig pas, en bezit nog de vrolijkheid die bij haar leeftijd past. Langs haar ogen en op haar voorhoofd tekenen zich echter al diepe groeven af, die niet voor lachrimpels kunnen doorgaan.

Links van ons woont een ander gezin waar ik oppas. Daar zijn twee kinderen, een jongetje en een meisje, Demi en Desi. Het is het enige huis in de straat waar de gordijnen altijd dicht zijn. Behalve ons huis dan; mama kan maar niet wennen aan de gewoonte om de ramen onbedekt te laten. Na al die jaren van strijd voor een eigen plek, van strijd om je privédomein af te mogen schermen, is ze er niet aan toe om een leger voorbijgangers toe te laten.

Mama heeft evengoed voor lichte raambedekking gekozen, met lamellen, zodat er zo veel mogelijk licht naar binnen kan vallen. Geen ogenblik laat ik onbenut om de deuren en ramen open te zetten en frisse lucht in het huis te laten. Mama doet ze altijd meteen weer dicht als ze thuiskomt, ze houdt niet van tocht en kou. Het huis van Demi en Desi heeft zware donkere gordijnen en er hangt een muffe geur van meer dan alleen sigaretten. Ook hier zet ik de ramen open als ik kom oppassen, maar het helpt niet. Demi en Desi zijn vier en twee, en heel schuchter. Praten doen ze nauwelijks. Ze zijn niet meer dan een schim van Cheyennes kinderen, die te veel energie hebben voor haar huisje. De moeder van Demi en Desi praat zelf nauwelijks, en hun vader maakt nooit een zin af. Voor Desi en Demi neem ik boekjes mee uit de bieb die ik aan ze voorlees. Eigenlijk is het meer samen plaatjes kijken. Ik denk dat ze dat prettig vinden. Mijn dagboek met het olifantje vinden ze fascinerend, en soms lees ik ze mijn nieuwe gedichten voor. Versgebakken in mijn nieuwe taal.

(Het meisje dat leest XXX)
De wereld: nieuw.
De hemel: oud.

Zelfde hemel: ja.
De sterren echter: nee.

Als je klein bent, kan je bij.
Misschien ben ik te groot.

'*Er*bij,' zegt Demi ernstig. 'Als je klein bent, kan je "*er*bij".'

'Ah.' Ik gum het verkeerde woord uit en verbeter het. Dit is de reden dat ik alles in mijn dagboek met potlood schrijf.

'Dank je, Demi.' Hij kruipt nog iets dichter tegen mij aan.

'Kan ík nog bij de sterren?' vraagt hij even later met een bezorgd gezicht. Met een even serieus gezicht kijk ik hem aan.

'Eens even kijken... Alle kinderen die in de tovenaarsmantel passen, kunnen er nog bij.' Ik pak mijn regenjas van de kapstok en sla hem om hem heen. 'Armen erin,' gebied ik. Met een ernstig gezicht doet Demi wat ik zeg, maar hij moet lachen om de lappen stof die blijven hangen nadat hij zijn armen in de mouwen heeft gestoken.

'Hij past! Jij kan nog steeds bij de sterren,' vel ik mijn oordeel met een maximum aan gewichtigheid. Na Demi doet ook Desi mijn jas aan. Ze kan aanvankelijk de gaten van de mouwen niet eens vinden.

'Nu jij, nu jij, Ida!' kraaien ze beiden. Ik doe wat ze vragen. 'Het past, hij past nog!' stellen zij op hun beurt vast. Ze komen niet meer bij van het lachen. Ik lach al net zo hard met ze mee, minstens net zo uitgelaten als zij tweeën.

'Tuurlijk past hij nog!' Deze tovenaarsmantel is wat ik heb, denk ik erbij, en een vreemd soort warmte kruipt door mijn lichaam.

Dit jaar gaan we niet naar Polen. Mama heeft tegenover de naturalisatiedienst verklaard dat ze daar niks meer heeft: geen familie, en zeker geen eigen huis. Soms maken we een uitstapje met Edyta en Jarek. We gaan naar Aken, Brussel en zelfs Parijs. De wereld is heel dichtbij, hier in Nederland.

Algauw maak ik ook een paar vriendinnen in de buurt. Het meest trek ik nog op met Sandra; zij kent iedereen in de wijde omtrek en heeft altijd een groepje meiden om zich heen. Op een keer bellen ze aan. Ik ben net een boek aan het lezen in mijn lievelingsstoel bij het raam, maar leg het weg en doe de deur open.

'Doe je mee met een heitje voor een karweitje?' vragen ze. Mijn ogen lichten op. Dat had ik eerder dat jaar ook gedaan, met een klasgenoot. We moesten geld ophalen voor een goed doel; met een sponsorkaart moest je je familie en kennissen om een bijdrage vragen. Ik had niet zoveel familie of zelfs kennissen hier die ik om geld kon vragen, en was best verdrietig. Toen stelde een klasgenote voor om een heitje voor een karweitje te doen. Dan ga je langs de huizen en doe je klusjes voor een klein bedrag. We hadden best een mooi bedrag opgehaald en ik had me trots gevoeld.

'Oké, leuk!' zeg ik, en ik pak mijn jas. 'Wat is het goede doel?' vraag ik als ik naar buiten loop.

De buurmeisjes lachen.

'De kermis staat weer op het Vrijthof,' zegt Sandra; zij woont aan de overkant van ons minuscule straatje.

'Maar krijg je dan ook klusjes en geld als je zegt dat het voor de kermis is?' vraag ik verbaasd. Ooit heb ik een paar jongeren in Polen op straat gitaar zien spelen. 'We sparen voor biertjes' hadden ze op een kartonnetje geschreven. Was dit net zoiets?

Ze lachen nu iets harder.

'Dat zeggen we natuurlijk niet!' Ze schudden hun hoofd bij zoveel naïviteit: 'Het is uiteraard voor een goed doel! Wíj zijn het goede doel!'

Ze manen me om door te lopen. Maar ik schud mijn hoofd en blijf staan.

'Ik ga niet mee...' zeg ik zacht.

'Kom op, Ida, jij praat je wel naar binnen,' zegt Sandra.

'Nee, nee, ik wil het niet,' zeg ik, en ik staar naar de stoeptegels. Ik wou dat ik de deur niet open had gedaan.

'Durf je niet?' vraagt Sandra door.

'Nee, ik wil het niet.' Het is mijn eer te na. En eer, dat is het enige wat ik op het moment heb.

'Ben je nu al thuis?' vraagt mama verbaasd als ik na vijf minuten weer binnen sta. 'Wat is er gebeurd?' roept ze geschrokken als ze de schram op mijn gezicht opmerkt. Mijn haar is door de war. Mogelijk is er een pluk uit.

Verzet was mogelijk geweest, ik heb vaak genoeg met mijn neven gevochten en ben hierdoor een redelijk bedreven straatvechter. Had ik echter nu al gevochten, dan zou de focus van Sandra en haar vriendinnen de eerste weken en misschien wel maanden volledig op mij en mama zijn komen te liggen. Het zou gedaan zijn geweest met de pas verkregen rust. Gelaten had ik ze tegen me aan laten duwen, en ik had mijn hoofd pas weggetrokken toen ze aan mijn haar rukten en ik een hand op mijn gezicht zag afkomen. Te laat. Mijn wang schroeit. Zonder hen aan te raken had ik me zo rustig mogelijk omgedraaid en was ik weggelopen.

Je moet je strijd zorgvuldig kiezen.

Ik vertel mama summier wat er gebeurd is en pak mijn boek weer op om verder te gaan lezen.

Mama schudt alleen haar hoofd.

'Was maar meegegaan. Je weet dat ik geen geld heb voor de kermis.'

Ik haal mijn schouders op.

'Ida, je hebt geen weet van het echte leven,' zegt ze.

Ik reageer niet.

'Ida, het leven speelt zich niet af in een boek,' zegt ze, harder.

Ik pak mijn boek op en ga verder lezen op mijn eigen kamer.

Op school hebben we de Cito-toets. Deze test zal grotendeels bepalen naar welke school ik straks mag. Ik wil naar een school waar ze Latijn leren. Waarom weet ik niet precies. Maar in de leesboeken waar de hoofdpersonen op de geordende, overzichtelijke wereld van een kostschool zitten, leren ze altijd Latijn. Ook ligt de buurt waar ons huisje staat niet ver van een oud klooster vandaan, waar ook een gymnasium gevestigd is. Om bij het klooster te komen, moet je een tamelijk steile weg op. Het klooster ligt op een heuvel en is omringd door glooiende velden die bezaaid zijn met grote, vrijstaande huizen. Daar wil ik heen.

Een paar weken na de Cito-toets mag mama op gesprek. Ik wacht buiten tot zij naar buiten komt. Mama is erg blij: ik mag naar het vwo.

'Mag ik dan ook naar het gymnasium?' vraag ik aan mijn leraar.

'Nou, nou, rustig aan Ida, laat eerst maar zien dat je dit kan!' zegt mijn leraar, en hij geeft een slap klapje op mijn schouder. Mijn achternaam kan hij nog steeds niet uitspreken.

Ik ben er nog niet helemaal gerust op. Wat betekent dit nou? Terwijl mama het goede nieuws vertelt aan iedereen die we op het schoolplein tegenkomen, ben ik in gedachten verzonken. Dan komt meneer Vernooij naar me toe.

'Goed gedaan, Ida!' zegt hij blij.

'Maar mag ik nou naar het gymnasium?' vraag ik gespannen.

Meneer Vernooij kijkt me een seconde aan en trekt me opzij, weg van de andere kinderen.

'Ida, ik heb je uitslagen gezien. Het waren de hoogste uitslagen die we ooit op onze school gehad hebben.' Hij zwijgt even. 'Twijfel niet aan jezelf, Ida,' voegt hij er dan aan toe.

Ik zucht. Hij legt zijn hand op mijn hoofd.

'Laat ze daarboven een poepie ruiken, Ida,' zegt meneer Vernooij als hij naar de heuvel wijst met mijn gedroomde schoolgebouw erop. Nu lach ik ook.

Jammer dat je je leraren niet mag omhelzen.

De zomer van 1992 is erg warm. Ik bel aan bij het huis van Demi en Desi. De avond ervoor paste ik op en Demi was in slaap gevallen met het boek van de bibliotheek onder zijn hoofdkussen verstopt; dat wil ik terug. Zijn vader doet open en ik loop naar boven om het boek te pakken. Demi en Desi delen een kamer en slapen op een stapelbed; Demi slaapt als oudste in het bovenste bed. Ik beklim het laddertje om het boek te pakken. Ook in hun kamertje ruikt het muf en het bed van Demi ruikt nog erger: waarschijnlijk heeft hij vannacht in zijn bed geplast. De stof is inderdaad nat en ik haal het laken van het bed af. Ik schrik. Het middenstuk van het matras is zwart. Eromheen zijn de contouren zichtbaar van eerdere vlekken; gelige bruine randen lopen door elkaar heen. Ik moet ervan kokhalzen, maar kijk toch rond of ik niet een ander laken kan vinden. Er is alleen een handdoek, die leg ik maar op het bed.

'Ik heb het laken van Demi's bed gehaald, dat was nat,' zeg ik tegen zijn vader als ik weer beneden ben. Hij zegt niks.

'Zal ik hem bij de wasmachine leggen?' Hij zegt weer niks. In de keuken, waar de wasmachine staat, ligt een berg was.

'Heb je ergens een nieuw laken?' vraag ik voor de vorm nog, maar Demi's vader haalt alleen zijn schouders op. Ik loop naar de wasmachine en leg het laken in de trommel. Ik zet de wasmachine aan en hoop dat ik het goed doe, want dit apparaat ken ik niet.

Hij loopt achter me aan naar buiten en gaat zitten bij het groepje mannen dat op witte plastic stoeltjes zit. Biertjes in de hand, televisie in de schaduw. Het EK voetbal is al weken afgelopen, maar ze brengen hun tijd nog regelmatig televisiekijkend buiten door. Urenlang staren de mannen naar het scherm. Grote buiken, rood aangelopen gezichten.

Brood en spelen.

Aanvankelijk zeggen ze niet veel, maar als de schemer invalt, komen de vrouwen erbij zitten en zwelt het gesprek aan. Steeds luider praten ze door elkaar heen. Als het eindelijk rustig wordt, is het al ver na middernacht.

Dagenlang hangt er een bepaalde loomheid in de lucht. Ik verlang naar het einde van de zomer. Het voelt alsof elke beweging die mama of ik maken nauwlettend in de gaten wordt gehouden. Ook als ik een tijd later opnieuw bij het huis van Demi en Desi aanbel, priemen de ogen in mijn rug. Ik ga hun vader vragen of hij een matras wil overnemen waar iemand zogenaamd van af wil. In werkelijkheid heb ik het bij de kringloopwinkel gevonden. Met het gevaarte sta ik voor zijn deur. Demi's vader doet open en ik zie dat er een nieuwe gouden ketting om zijn nek hangt. Een nieuw matras? Nee, dat hoeft hij niet. Bijna wil ik het opgeven als ik het hoofdje van Demi verlegen van achter de benen van zijn vader naar me zie gluren.

'Demi, kijk, een bootje! Ik heb een speelbootje voor je geregeld! Dat wilde je toch graag?' zeg ik harder dan noodzakelijk.

Demi kijkt niet-begrijpend naar het matras. 'Bootje?'

'Ja, bootje!' roep ik enthousiast uit, en ik houd het schuimrubberen gevaarte iets omhoog. Met het matras als mijn schild stap ik het huis binnen. Zijn vader gaat opzij. 'En een zeil!' voeg ik eraan toe als ik het meegebrachte laken in de lucht hou.

Ik sleep het matras omhoog de trap op. Het zweet op mijn rug voelt koud aan. Demi komt achter me aan, kirrend van plezier. Ik verwissel de matrassen en zet de oude rechtop in de gang, met de zwarte vlek naar voren toe – hopelijk is dat voor mijn buren genoeg reden om zich definitief van het matras te ontdoen. Zwetend loop ik de trappen weer af. De hete zomer lijkt de zuurstof uit de lucht te verdrijven.

Terwijl ik al was vergeten dat we aan het wachten waren, komt de brief alsnog: we mogen in Nederland blijven!

Gewapend met onze splinternieuwe bordeauxkleurige Nederlandse paspoorten reizen we opnieuw naar Polen. Met de bus deze keer, dat is het goedkoopst als je geen eigen auto hebt. Net over de grens in Polen gaan alle Polen meteen de Poolse snackbar in. De meesten halen een broodje met worst en mosterd, sommigen een portie darmpjes. Wij kopen niks, maar gaan naar het wisselkantoor om geld in te wisselen. Niet te veel, want net over de grens is de koers niet gunstig. De dollar is nu twintigduizend zloty. De gulden staat op ruim tienduizend. Daarnaast is de inflatie nog niet getemd. Als je valuta hebt, wissel je die pas in op de dag dat je geld nodig hebt; anders zou je zomaar de helft kwijt kunnen zijn.

Mama wisselt haar geld in. De man achter de kassa overhandigt haar een briefje van één miljoen zloty plus nog een flinke stapel biljetten van honderdduizend en tienduizend zloty. Mama stopt de meest waardevolle briefjes in haar portemonnee en doet de rest los in haar tas.

Het biljet van één miljoen is nieuw, nog maar een paar maanden in gebruik. Als we weer in de bus zitten, vraag ik of ik het mag zien. Er gaat een schok door me heen als ik zie wie er op het biljet van een miljoen zloty afgebeeld staat: het is Władysław Reymont. Ik probeer me te herinneren wat hij zei over de dwazen die liefde en waarheid inruilen voor miljoenen.

En ik ga niet werken, werken, werken! Want ik wil leven, leven, leven! Ik ben geen trekvee, of een machine, ik ben een mens. Slechts de dwaas streeft naar geld en geld alleen. Voor dat doel offert hij alles op, leven en liefde en de waarheid en de filosofie en al de schatten van de mensheid. En dan is hij vol, dan kan hij spugen met zijn miljoenen en wat dan?

Hopelijk zijn we bestand tegen de miljoenen.

We passeren talloze kramen waar tuinkabouters, rieten tuinmeubilair en sigaretten worden verkocht. Bij elke afslag staat een groepje opgedirkte prostituees.

'De stad gaat naar de verdoemenis,' zegt opa als ik een paar uur later zijn kamer binnenstap. Hij zit in zijn stoel en kijkt naar buiten, waar een enorm doek met reclame voor Gillette wordt opgehangen. Op zijn schoot liggen twee boeken, geopend op elkaar gestapeld.

'Ida, heb je een papieroska?' vraagt hij dan, alsof hij nu pas doorheeft dat ik er ben. Ik geef opa een sigaret. Zijn lievelingsmerk, Popularne, is dit jaar opgehouden te bestaan. Mocne bestaat nog wel, al is het nicotine- en teergehalte van deze sigaretten teruggebracht tot normale proporties. Dat houdt in: vijf keer zo weinig nicotine en tien keer zo weinig teer.

Opa leest een boek. Het is stil in huis; de stilte wordt alleen onderbroken door het getik van de oude klok en door de trams die af en toe langs denderen.

'Het was Himmler,' zegt opa opeens. Ik schrik; in de stilte was ik weggedoezeld. 'Ik was zijn naam vergeten, maar het was Himmler.' Opa schudt zijn hoofd in ongeloof. Hij tikt op het boek dat op zijn schoot ligt.

'*Alle Polen zullen van deze wereld verdwijnen. Het is essentieel dat de Duitsers het als hun hoofdtaak zien om alle Polen te vernietigen*,' zegt opa. 'Dat heeft Himmler gezegd.' Hij verschuift een beetje. 'Hij haalde Hitlers woorden aan, dat wel.'

'Eerst hebben ze onze taal verboden,' gaat hij verder. 'Toen hebben ze ons uitgehongerd en tewerkgesteld. En toen hebben ze Auschwitz gebouwd.'

'Auschwitz? Daar werden toch joden vermoord?' zeg ik. Minstens een miljoen joden zijn in Auschwitz omgekomen. Dat stond in alle boeken die ik over dit onderwerp heb gelezen.

'Klopt,' zegt opa. 'Maar het eerste transport bestond uit Poolse politieke gevangenen. Uit Tarnów.' Tarnów, dat is de geboorteplaats van opa.

'Dat was al in 1940.' In 1940 was opa dertien, reken ik snel uit. Net als ik nu.

'De massadeportatie van joden naar Auschwitz begon in het voorjaar van 1942. Het kostte ze twee jaar om hun werkwijze te perfectioneren. Eigenlijk hoefden ze ons niet in kampen te stoppen, we stierven toch wel,' vervolgt opa zijn relaas. 'Uithongering, razzia's. Toch hebben ze in Auschwitz nog honderdduizend Polen vermoord.'

Ik ben stil. Dat wist ik niet. De Holocaust staat voor mij gelijk aan zes miljoen joodse levens. 'Honderdduizend,' herhaal ik zacht het getal. Alsof ik het door het uit te spreken zou kunnen begrijpen.

'Drie miljoen Poolse joden en drie miljoen Poolse christenen zijn er tijdens de oorlog gesneuveld,' zegt opa, alsof hij merkt dat ik hier echt niks van af weet. 'Twintig procent van alle Polen...

De meest arische kinderen werden naar Duitse gezinnen gestuurd. Anderen, dat waren dan ook ruim twee miljoen Polen, werden in Duitsland tewerkgesteld. Behalve degenen die er arisch uitzagen. Die werden naar Łódź gestuurd, voor nader onderzoek.

Polen was bedoeld als extra leefruimte voor de Duitsers. Groot-Polen, onze provincie, was het experimenteerveld. Luister maar.'

Hij buigt zich naar de oude cassetterecorder die naast hem staat en zet het bandje aan. Een krakerige stem oreert in het Duits: 'Over vijftig jaar zal hier een bloeiend land zijn, zonder de Pool of de jood! Dat is de waarheid!' De toespraak wordt onderbroken door applaus. 'Als iemand me vraagt waar ze zullen zijn, antwoord ik: dat weet ik niet. In Palestina of in de Sahara, dat is mij om het even. Maar hier...' – de stem op de band schalt, zwelt aan – '... zal het Duitse grond zijn!'

'Dat is Robert Ley, die van Groot-Polen de "Blonde Provincie" wilde maken,' zegt opa. Geschrokken laat ik de pluk van mijn blonde haren los waar ik mee aan het spelen was.

'Aan de andere kant van Polen werden bijna twee miljoen mensen door de Russen naar Siberië gestuurd. De

Sovjets op hun beurt wilden het oosten van Polen ontruimen.'

Een siddering gaat door mijn lichaam: daar komt oma vandaan. Háár oma had ooit negen dorpen in haar bezit. Nooit heb ik gevraagd hoe ze de dorpen zijn kwijtgeraakt, al meen ik te weten dat het al voor de Tweede Wereldoorlog is gebeurd. Ik denk koortsachtig na. Heb ik ooit iets over de deportaties vanuit Oost-Polen naar Siberië gehoord?

Oma komt binnen.

'Waar hebben jullie het over?' vraagt ze.

'Over de Holocaust,' zeg ik. Meteen schaam ik me voor mijn provocatie.

Maar er verschijnt een lieve lach op oma's gezicht. 'Ida, de kippensoep is klaar,' zegt ze. Ik loop met haar mee naar de keuken.

'Oma, hoe zijn uw grootouders hun bezit kwijtgeraakt?' vraag ik. 'Toen er honderdduizenden mensen naar Siberië werden verbannen? Of al eerder?'

'Hoe vind je de macaroni?' vraagt oma, 'lekker?' Oma maakt de pasta niet langer zelf, maar koopt die in de winkel.

'Prima,' zeg ik. 'Maar uw ouders, hoe...'

'Kijk, ik heb ook je lievelingspastei klaargemaakt,' zegt oma. 'Eet maar...' Ze blijft me aankijken totdat ik een hap in mijn mond heb gestopt.

'Lekker?' vraagt oma nogmaals. Met een volle mond knik ik bevestigend.

Oma's lach wordt nog breder en glijdt over haar gezicht.

Later op die dag komt de familie bij elkaar. Tante Monika ziet er beter uit dan ooit. Ze ruikt alsof ze rechtstreeks van de kapper komt; ook haar make-up zit perfect. Ze draagt een licht mantelpakje dat mooi contrasteert met haar kastanjekleurige haar. Het pakje past perfect en heeft een rok tot net onder de knie. Ondanks het warme weer is haar blouse dichtgeknoopt en rond de kraag draagt ze een sjaal, elegant gestrikt.

De winkel die ze samen met oom Grzesiek heeft geopend, blijkt een succes. Er is veel vraag naar de koelkasten, wasmachines, keukens en kleine huishoudelijke apparatuur die ze verkopen. Het is bij hen in de winkel dat Andrzej en Jacek een enorme stereotoren hebben aangeschaft.

Nu zijn mijn oom en tante bezig een tweede winkel te openen. Vol trots laat Grzesiek zijn laatste aanwinst zien: een keukenmachine. Deze keer heeft hij de hand weten te leggen op maar liefst vijf stuks. Twee moest hij bij de medewerkers van de groothandel zelf achterlaten om zich verzekerd te weten van aantrekkelijke inkopen in de toekomst. Dit exemplaar, dat nu voor ons op tafel staat, is voor zijn moeder. De overgebleven twee gaat hij verkopen in zijn winkel, die altijd vol met gretige klanten staat. Ik zie mama's ogen oplichten als ze hun lopende zaken bespreken. Ze rookt haar sigaret net iets sneller, haar armbanden rinkelen luid bij elke beweging die ze maakt. Mama's haar is nu halflang en haar jurk zit vrij strak. Als ze over straat loopt met haar enorme schoudertas en grote zonnebril vangt ze alle blikken. Binnen is het Monika die afkeurend blijft staren naar het dijbeen van Ewa, dat zichtbaar wordt, telkens als ze opspringt. Mama merkt het. Ze trekt haar jurk een paar keer naar beneden, maar vergeet het na een tijdje weer, als het gesprek interessanter wordt en oude kennissen besproken worden.

'Kowalski doet het goed, hij runt een groothandel in kunststof kozijnen... Wladek en Przemyslaw zitten in Duitsland, ze werken in de bouw...' somt mijn oom op. 'Jacek doet nu in tweedehands auto's, hij wil bij je langskomen, kan dat?' Zelf heeft Grzesiek dit jaar een tweedehands Talbot Solara aangeschaft. Hij is er helemaal voor naar Venlo gereden. Iedereen uit zijn verhalen lijkt een bedrijf op te zetten, of is aan het handelen, of is op zoek naar een auto, of knapt op zijn minst zijn huis op.

'Ewa, heb jij al werk?' vraagt Grzesiek dan. Hij kan het gewoon niet geloven dat er ergens een land is dat een heel huis voor mama betaalt en dat ze daarnaast ook nog genoeg overhoudt voor het eten. Dat kan gewoon niet kloppen.

Mama wuift hem weg.

'Heb je een man, Ewa?' vraagt oom Adam dan. Hij is de enige van wie mama die vraag kan verdragen. Nu zijn het oma's ogen die nieuwsgierig oplichten.

Vol minachting, walging zelfs, kijkt mama rond.

'Misschien,' antwoordt ze. 'Ik moet trouwens weg,' zegt ze dan. Ze drukt haar sigaret uit en pakt haar shopper. Verbouwereerd laat ze haar familie achter.

'Het is niet de Ewa die ze ooit was,' zegt oom Grzesiek, en hij schudt zijn hoofd.

'Ewa was altijd zo'n lief meisje. Ze hielp me altijd met alles, tegen iedereen was ze vriendelijk,' knikt mijn oma bevestigend. 'Misschien, als ze eindelijk...'

'Moeder, je zal ooit de werkelijkheid onder ogen moeten zien!' roept Adam uit. 'Je weet wat er met Ewa aan de hand was! Is!'

Alle spieren in mijn lichaam spannen zich. Wat zegt hij nou over mama?

Grzesiek staat op. 'Let op je woorden, Adam,' zegt hij dreigend. Het is oma die hem weer omlaag trekt. Nors kijken de broers voor zich uit.

'Maria's dood heeft tenminste bij iemand z'n sporen nagelaten,' mompelt Adam bitter. Het is pas vijf uur, maar hij heeft waarschijnlijk al een paar borrels op.

'Zij die niet bewegen, zijn zich niet bewust van hun eigen ketens,' citeert opa vanuit zijn stoel, tegen niemand in het bijzonder.

Grzesiek kijkt hem spottend aan. 'Zij die niet bewegen,

kunnen maar beter zwijgen,' zegt hij terwijl hij de kamer uit loopt.

Tante Monika zit nog waar ze zat en kijkt naar mij. Haar blik is onderzoekend. Het lijkt net alsof ze door me heen wil kijken, alsof ze wil weten wat ik weet.

Alsof ik hier ook maar iets van snap.

De rest van de zomer breng ik vooral bij papa door. Hij heeft zijn huisje bij zijn volkstuintje uitgebouwd, er is daarbinnen zelfs een mooi toilet en een douche. Je kan hier in de zomer prima slapen. Er is een meer in de buurt, en een bos. Veel van de mensen om hem heen hebben hun huisjes opgeknapt.

'Het wordt hier een soort dorpje!' zeg ik vrolijk als we samen naar het winkeltje lopen om flessen water te halen.

'Helaas wel,' zegt papa.

'Helaas?'

'Steeds meer mensen wonen hier nu permanent,' vertelt papa. Ik kijk om me heen. De huisjes waren prima voor een nachtje in de zomer, maar in de winter? Het waren tuinhuisjes van beton, met dunne wandjes en vaker niet dan wel riolering. Geen centrale verwarming, alleen met hout en kolen gestookte kachels. 'Mensen met alleen een pensioen kunnen de huren in de stad niet meer betalen, Ida,' vervolgt hij dan.

De volkstuintjes waren van oudsher al bevolkt door ouderen. Blijkbaar wordt er nog steeds groente verbouwd. Zouden er ook nog steeds konijnen gefokt worden? Vroeger was het een aanvulling op wat er niet verkrijgbaar was, nu op datgene wat je niet kan betalen. Ik kijk naar de onverharde weg: een beetje regen en je komt hier al vast te zitten. In de winter is het niet ongewoon dat het dan min twintig is.

'Wat een mooie stad is het trouwens, Maastricht,' zegt papa dan. Aan het begin van 1992 is het verdrag van Maastricht ondertekend, en bij die gelegenheid kwam de stad veelvuldig in het nieuws. De gedachte dat twaalf landen vrijwillig hebben afgesproken om binnen een paar jaar dezelfde munt te delen, vind ik duizelingwekkend; ik geloof niet dat het zover zal komen. Van alles wat ik heb gehoord over de totstandkoming van de Europese Gemeenschap heb ik maar één ding onthouden: het diende ter voorkoming van een nieuwe oorlog.

Ik hoop dat Polen ook snel tot de Europese Unie toetreedt.

Langzaam loopt de zomer op zijn eind en het nieuwste biljet van twee miljoen zloty wordt gelanceerd. Op dit biljet staat de afbeelding van Ignacy Jan Paderewski, een componist en staatsman. In zijn laatste levensjaren was hij het hoofd van het Poolse parlement in ballingschap in Londen. Hij was toen tachtig jaar. In die jaren richtte hij ook een fonds op om de Polen te helpen; hiervoor gaf hij, zelf ooit een befaamd musicus, tal van concerten. Toen ging het niet meer zo goed met hem. Bij een gepland optreden in Madison Square Garden bleef hij volhouden dat hij dit concert al gegeven had. Waarschijnlijk bedoelde hij een concert dat hij daar in 1920 gaf.

Zijn strijd en zijn waanbeelden zorgen ervoor dat ik sympathie voor hem voel. De keuze voor zijn afbeelding op het briefje van twee miljoen is volkomen juist.

Hoe weinig waard de zloty ook is, twee miljoen zloty is toch bijna tweehonderd gulden, te veel om uit te geven aan een souvenir. Uit deze lichting briefjes bewaar ik alleen die van duizend, met Mikołaj Kopernik erop. In Nederland is hij bekend onder de naam Copernicus. Ik weet het nog niet, maar al snel zal dit briefje me goed van pas komen. Enkele maanden later zal mijn leraar maatschappijleer de klas vertellen dat Copernicus een Griekse wijsgeer was die aan de wereld heeft laten zien dat de aarde om de zon draait, en niet andersom. Mijn mededeling dat het een Pool was, zal door hem weggewuifd worden. Het is dit duizendje dat de eer van Copernicus redt.

De rest van mijn geld geef ik uit aan een tuinkabouter bij de laatste stop voor de Duitse grens. Het eettentje was omringd door rijen van deze tuinkabouters, rieten manden en enorme pluchen beesten. Zorgvuldig kies ik er eentje uit; het wordt een tuinkabouter in een gevangenispakje. Aan zijn grijns te zien is het een kabouter die ontsnapt is.

III

De eed

1

De eerste weken in de brugklas vallen mee. Een paar klasgenoten ken ik van de basisschool. Even maakte ik me zorgen dat ik uit de toon zou vallen – met mijn dertien jaar ben ik een jaar ouder dan mijn klasgenoten – maar al snel ontstaat een nieuw ritme waarin alles op zijn plek valt.

'Ida,' zegt mijn leraar geschiedenis, meneer De Ruyter, tijdens een van de eerste lessen. 'Jij komt uit Polen. Wat een spannende tijden.' Ik knik.

'Kan je ons vertellen wat jij het grootste verschil vindt tussen Nederland en Polen?' vraagt hij.

Ik denk even na.

'De winkels misschien?' suggereert hij, maar ik schud mijn hoofd, want dat verschil werd nu, drie jaar na de val van de muur, in een razend tempo ingehaald. De molochs van winkelcentra aan de rand van Poznań staan me helder voor de geest. Ze waren opeens overal, net als de paddenstoelen die tegen het aanbreken van de herfst altijd ineens overal in de bossen verschijnen. Ik denk verder. De school is anders, de manier waarop met je wordt omgegaan is anders, het feit dat het zo belangrijk wordt gevonden wat je zelf vindt en wat jij zelf wil, is anders. Dat wil ik echter niet delen, niet hier op dit moment.

'Het vertrouwen is anders,' zeg ik uiteindelijk.

'Het vertrouwen?' vraagt De Ruyter verbaasd.

'In Polen geloven mensen per definitie niets van wat de overheid zegt. Dat komt doordat er tot voor kort voor elk nieuwsbericht een alternatief nieuwsbericht bestond, dat je zelf moest zoeken. Reclame wordt al helemaal niet geloofd, omdat tot voor kort bijna alle producten uit overheidsfabrieken kwamen. Het enige waarvan je verzekerd kon zijn, was dat de kwaliteit beroerd was. Ook wetenschappers werden niet geloofd, want er was geen onafhankelijk onderzoek.' Ik pauzeer even.

'En in Nederland?' vraagt De Ruyter.

'Over het algemeen vind ik dat de mensen hier veel meer vertrouwen hebben, ja...'

'Kun je daar een voorbeeld van geven?' De Ruyter is inmiddels gaan staan en heeft zijn handen in zijn zij. Ik kijk de klas rond; mijn blik valt op de pakjes Liga Aardbei-Milk-biscuit op de bankjes van mijn klasgenoten; de grote pauze begint zo.

'Nou, neem bijvoorbeeld die Liga-koeken. Zo'n biscuitje bestaat uit zesentwintig ingrediënten, en van de helft hebben we geen idee wat het is. Er zit ongezond vet in en veel suiker. Toch zien veel ouders het als eten. Gezond eten. Zeker niet als een gefabriceerd koekje.' Ik ben blij dat ik een onweerlegbaar voorbeeld heb gevonden.

'Maar Liga ís ook gezond!' zegt het meisje naast me heftig. Ze tikt op de verpakking voor haar met de afbeelding van een glas melk en aardbeien. De meeste leerlingen lijken het met haar eens. Ze kijken naar me alsof ik iets raars heb verkondigd. Uit mijn ooghoek zie ik een van de jongens veelbetekenend op zijn voorhoofd tikken.

'Meneer de Ruyter, in Nederland worden toch ook gewoon *goede* producten gemaakt? Er zijn toch ook veel controles en zo?' vraagt het meisje naast me opgewonden.

Andere leerlingen knikken.

'Dat is waar,' zegt De Ruyter behoedzaam. 'Maar toch is het raadzaam om niet alles te geloven wat je hoort.' Hij lijkt zelf onder de indruk van de heftigheid van de reactie van zijn leerlingen. Dan gaat de bel. 'Huiswerk: maak voor de volgende les een vergelijking tussen de samenstelling van dit Liga-koekje en een ander willekeurig koekje, een vruchtencakeje of zo, uit de supermarkt,' zegt De Ruyter tegen de leerlingen.

'Maar meneer...' – mijn medeleerlingen zijn in verwarring gebracht – '... wat heeft Liga nou met geschiedenis te maken?'

Maar De Ruyter glimlacht alleen veelbetekenend en loopt de klas uit. Zelf verlaat ik als een van de laatsten het klaslokaal.

'Cognitieve dissonantie,' hoor ik achter me. Verbaasd draai ik me om. Het is Elise, een stil meisje dat ik nog niet eerder heb gesproken.

'Wat?' vraag ik.

'Feiten die je diepste overtuigingen tegenspreken, veroorzaken een onaangename spanning. Er ontstaat dan meteen een neiging om de eigen overtuiging te bevestigen, ongeacht de, vaak voor de hand liggende, feiten. De makkelijkste manier om dat te bereiken is om te zeggen dat jíj gek bent.' Ik kijk een beetje verdwaasd om me heen. Elise kijkt me geamuseerd aan. 'Eigen schuld. Eigenlijk heb je daarnet gezegd dat hun moeder liegt, met die gezonde Liga's en zo.' Ze lacht aanstekelijk en ik kan niet anders dan meelachen.

'Er zíjn gewoon meerdere waarheden,' zeg ik dan, 'of in ieder geval dimensies,' en aan de spanning in mijn lichaam merk ik dat ik één waarheid zou prefereren. 'Maar jij...?'

'Ik word later wetenschapper,' zegt Elise vastbesloten. 'Iets met hersenen.'

'Ah.' Ik zwijg een tijd. 'Ik word later filosoof,' zeg ik dan en ik schrik, want dit heb ik nooit eerder hardop gezegd. Maar Elise knikt goedkeurend.

'Of schrijver... Misschien dat ik er een baan of een gezin naast neem,' voeg ik er voor de volledigheid aan toe.

Na school gaat ze mee naar mijn huis. Ze kijkt rond op mijn kamer en is vooral geïnteresseerd in mijn boeken.

Veel van mijn boeken zijn in het Pools, sommige gekregen van Edyta, sommige van papa tijdens mijn laatste bezoek en ook veel door mezelf gekocht. Nederlandse boeken haal ik nog steeds bij de bibliotheek. In Polen hebben ze de gewoonte om namen van Engelse en Franse schrijvers te verpoolsen; ik houd de boeken een voor een omhoog en vertaal de namen voor Elise.

'Szekspir zal dan wel Shakespeare zijn?' Elise heeft het snel door. 'Maar eh, Kar… Karte… Kartezjusz?' vraagt ze dan verbaasd. 'Descartes dus,' zeg ik. Het blijft een puzzel. Ik koop zo veel mogelijk boeken in het Pools, omdat het voor mij veel goedkoper is en ga dan puzzelen, zoek in de bieb naar de Nederlandse versies, leg soms stukken tekst tegen elkaar aan.

'Waar kom jij vandaan?' vraag ik aan Elise. Haar huid is donker en haar haar pikzwart. Ze is voor de helft of voor een kwart Indonesisch, denk ik.

'Hoe bedoel je? Ik ben gewoon een Maastrichtenaar,' zegt ze, alsof ze niet weet waar ik het over heb.

Dan blijft haar blik hangen op mijn tuinkabouter in zijn gevangenispakje, het pronkstuk van mijn kamer.

'Je mag hem wel hebben, hoor,' zeg ik, en ik vertel haar over de levendige handel in deze gedrochten bij de Pools-Duitse grens. 'Er zijn honderden en honderden van deze kabouters.' Elise en ik vallen even stil terwijl voor ons geestesoog een leger kabouters vanuit Polen West-Europa overspoelt.

Een tijd later verlaat ze mijn kamer, met onder haar arm de breed lachende tuinkabouter.

De volgende dag, het is zaterdag, staat Elise weer voor mijn deur.

'Ik ga naar mijn paard,' zegt ze; het klinkt als een uitnodiging. Ze ziet er anders uit dan de dag ervoor. Haar lange zwarte haar heeft ze in een staart, en ze draagt een bril.

Haar lenzen gaan niet goed samen met paarden. Mooie zwarte rijbroek, nog lang niet versleten, registreer ik automatisch. Meisjes met een paard zullen ook niet veel versleten kleren hebben.

Haar paard is ook zwart. Hij oogt groot, zeker naast Elise, die een stuk kleiner is dan ik. Ik ga op het hek zitten en kijk om me heen. Elise borstelt haar paard geroutineerd en stijgt dan op; een zadel heeft ze niet nodig. Dan doet ze haar bril af en geeft hem aan mij. Ze knijpt haar ogen half dicht. De bril in mijn handen heeft dikke glazen, als ik erdoorheen kijk wordt alles een dikke brij. Ze zet haar hak in de zijkant en zet een galop in; ze verlaat het terrein en algauw is ze niet meer dan een stip.

'Het is Elises paard,' zegt de stalmeester, die bij me komt staan. 'We hadden Pit al afgeschreven, maar Elise bleef volhouden; nu is ze de enige die op hem kan rijden.'

Ik dacht eigenlijk al dat het Elises paard was, maar door deze mededeling begrijp ik dat de manege de eigenaar van Pit is. Elise heeft alleen de exclusieve gebruiksrechten.

Elise blijft ruim een halfuur weg. Als ze terugkomen, is Elises broek gescheurd: Pit was te dicht tegen een boom aan gekomen.

'Pit is de mannelijke variant van "pita" wat staat voor *pain in the ass*,' licht Elise lachend toe.

'Wil je ook?' vraagt ze, maar ik voel dat dat niet echt de bedoeling is.

Later, op weg naar huis, op het punt aangekomen waar we allebei de andere kant op moeten, haalt ze een schrift uit haar tas, een stevig notitieblok met een dikke kaft.

'Voor ons!' zegt ze er vrolijk bij. Ik sla het schrift open en zie dat op de eerste pagina een wikkel van een Liga Milk-Aardbei is ingeplakt.

Eronder staat: 'Op naar waarheid! En daar voorbij.'

Het schrift van Elise ligt op tafel in de woonkamer, zoals altijd wanneer ik mijn huiswerk maak.

Onder de Liga-wikkel teken ik eerst twee poppetjes. Het ene zit op een paard en draagt haar haar in een staart; het andere poppetje heeft halflang haar en staat ernaast. Omdat ik haar iets van onverschrokkenheid mee wil geven, teken ik een groot zwaard in haar hand.

Dan schrijf ik:

Waarheid volgens Van Dale:
waar·heid *de*; *v*; mv. -heden 1 het ware; overeenstemming van woorden met feiten: *antwoorden naar ~*; *iem de ~ zeggen*: zeggen waar het op staat. 2 iets wat waar is.

Waarheid volgens de voormalige Sovjet-Unie:
Pravda, Een dagblad dat *Waarheid* heette, waarin de woorden geen verband hielden met de feiten.

Waarheid volgens Ida:
1. Dat wat er is; men dient een stap naar achter te zetten en te kijken. Men dient zijn vergrootglas te pakken en te kijken.
(Teken: onaangename spanning, want je doet het met een vermoeden dat wat er te zien is, slechts dient om iets anders te verbergen.)
2. Dat wat er is achter het stoffelijke is. Voorbij de elementen, voorbij het tastbare.
(Teken: ondraaglijk leed, omdat je hierbij per definitie het aangename laagje moet verlaten dat we met zijn allen over de feiten heen gelegd hebben.)
3. Dat wat er is.
(Teken: rust? Want wat er is, is zo heftig dat er niks anders rest dan te blijven staan, er te zijn. En tot slot, altijd, doe je een stap terug, keer je terug naar de

wereld met de duizend laagjes, duizend wikkels als je wil, omdat de wereld van de naakte waarheid voor ons stervelingen niet permanent bewoonbaar is.)
4.

Dan denk ik even na. Ik pak het potlood weer op en maak de ogen van de beide poppetjes buitensporig groot. Eigenlijk wil ik het schrift morgen aan Elise geven, tijdens de les Frans, als we weer naast elkaar zitten, maar ik kan niet wachten en fiets nu naar haar huis. Het is al tien uur geweest en de straten zijn verlaten. Ik gooi het schrift in haar brievenbus.

Bij de les Frans schuift Elise het schrift al aangevuld naar me toe:

E. *Waarheid; volgens de wetenschap: die is er niet. De wetenschap trekt zichzelf juist altijd in twijfel. Van alle waarheden die er wel zijn, is het duidelijk dat het een voorlopige waarheid is... Want de waarheid hierin is gelijk aan de wetenschappelijke en feitelijke kennis van de mensheid als geheel en is dus logischerwijs veranderlijk...*
Eronder staat nog een haastige krabbel, met een andere kleur pen geschreven: *Dit is vrij bagger, vind je niet? Waar had jij jouw definitie vandaan?* Dan weer met een andere pen: *De eenvoudigste verklaring wordt als waarheid aangenomen.*

Elegant... schrijf ik eronder, en in een groot kader plaats ik de volgende tekst: WAARHEIDSVINDING: VOORTDURENDE BEREIDHEID OM TE ERKENNEN DAT ONZE KENNIS TEKORTSCHIET.

Vervolgens schrijf ik erbij: *Houdt dit in dat er geen waarheid* is? Verbaasd kijken we naar elkaar, en beiden verzinken we in onze eigen gedachten.

En zo gaan we door. Zo veel mogelijk lessen proberen

we naast elkaar te zitten en voeren we onze gesprekken in het schrift:

E: *Nee, nee, nee! De waarheid moet gezocht worden… door middel van deconstructie en zo…* schrijft Elise er de volgende dag onder tijdens de Franse les.

I: *De-con-struc-tie*

E: *D-E-C-O-N-S-T-R-U-C-T-I-E*

I: *Op de waarheid!*

E. *Oui, oui…* schrijft Elise, want we krijgen nu Frans.

I: *La Vérité!* schrijf ik op, om in de sfeer van onze les te blijven.

E: *De trui van M. is trouwens heel erg paars.*

E. *Past bij zijn gezicht…*

'Dames, letten jullie op?' galmt meneer Mots, de leraar Frans. Haastig streep ik de laatste zin door.

I: *Alleen feiten, oké?*

E: *De trui is paars!*

I: *Oké, oké, zijn gezicht is ook paars…*

E: *Mogelijke oorzaken…*

I: *Hypothese 1: Wol van trui is behandeld met een paarse verfstof.*

E: *Correct. Hieruit volgt: gezicht M. is eveneens behandeld met een paarse verfstof.*

I: *Fout. Gezicht niet van wol.*

E: *Inderdaad, scherp. De gegroefde paarsrode structuur behoeft nader onderzoek.*

Ik bekijk de laatste zinnen nog eens kritisch. Dan teken ik op de beide poppetjes onder de Liga-wikkel een groot hart.

E: *Een hart? Wat heeft dat met de waarheid te maken?*

Dat weet ik niet, het komt me ineens voor dat het zoeken naar waarheid enige morele leidraad behoeft – zoals de liefde?

Maar Elise pak haar gum en veegt de twee harten uit.

E: *Wetenschap en emotie gaan niet samen.*

Emotie inderdaad niet, nee. Maar is liefde slechts een emotie, vraag ik me af, en ik wil er weer iets onder schrijven.

'Dames, laatste waarschuwing!' De kleur van Mots' gezicht verdiept zich verder. Met tegenzin stopt Elise het schrift in haar tas.

Bij thuiskomst tref ik meneer Vernooij bij ons in de huiskamer aan. Even bekijk ik ons huis met zijn ogen. De vloerbedekking is pas gelegd en we hebben sinds kort ook een nieuwe tafel; de woonkamer is nu ingericht. Aan de muur hebben we een mooie leren klok en een bijpassende spiegel; die heeft mama uit Polen meegenomen. Het ziet er al met al redelijk uit. Opgeruimde woonkamer, boeken in nette stapels op de tafel. Het is een goed moment voor het bezoek van een geliefde leraar.

'Ida, ik wil je iets vragen. In het klooster waar ik help met de tuin hebben ze een nieuwe moeder-overste. Zij is Poolse en spreekt geen Nederlands. Zou jij haar willen helpen met het Nederlands?' vraagt meneer Vernooij. 'Mijn vrouw doet het eigenlijk al, maar ik dacht, het gaat nog sneller als jij ook meehelpt.'

Dat wil ik wel. Al hoop ik niet dat de moeder-overste aan me vraagt of ik vaak naar de kerk ga. Dat doe ik al een paar jaar niet meer.

Het blijkt om een klein klooster te gaan in het centrum van Maastricht. Onderweg gooi ik het schrift dat ik van Elise gekregen heb in haar brievenbus; nu is het de beurt aan de wetenschapper.

Bij de ingang lees ik dat het klooster eind negentiende eeuw is opgericht door Maria Teresa Ledóchowska, die in 1888 een vereniging ter bestrijding van de slavernij in Afrika heeft opgericht. Daarna heeft ze ook een reeks toneelstukken geschreven als bijdrage aan de afschaffing van de slavernij.

Nog steeds waren Polen die naar het buitenland gingen een uitzondering voor mij. Zeker als het reizen buiten Europa betrof. Het feit dat deze Poolse vrouw uit de negentiende eeuw een grotere actieradius had dan mama en mijn tantes een eeuw later, raakt me.

Deze congregatie kent geen nonnen, maar zusters. Ze zijn slechts met zijn vieren in het grote huis. Bij de eerste kennismaking ontmoet ik ook een paar Poolse meisjes van ongeveer mijn leeftijd: dertien, misschien veertien. De meisjes logeren hier, ze zijn op een soort uitwisseling. Hun schuwheid bevreemdt me. Ze zeggen nauwelijks een woord waar ik bij ben en richten zich vooral op hun werk, het sorteren en gebruiksklaar maken van allerlei tweedehands spullen. Automatisch kijk ik rond: ik ben nog steeds op zoek naar nieuwe spullen voor Demi, zoals lakens, schone kussens, misschien een stoer T-shirt, spullen waarvan ik weet dat hij ze van zijn vader niet zal krijgen.

De heen- en terugreis van deze meisjes wordt verzorgd door een plaatselijke bakker. Hij is toevallig op bezoek, en we raken aan de praat. De bakker maakt die reizen om in Polen gebruikte broodmachines te verkopen, licht hij toe. Hij rijdt heel vaak op en neer, blijft een dag of twee en komt dan weer terug. Mijn interesse is gewekt.

'Mag ik een keer meerijden?' vraag ik. Het zou fantastisch zijn om papa vaker te zien.

'Jazeker,' antwoordt de bakker joviaal, 'wanneer wil je gaan?'

Eigenlijk zo snel mogelijk.

Een paar weken later sta ik dan in de werkplaats van de bakker. Mama brengt me weg. Ik heb haar aangespoord om haar turquoise blouse aan te doen, dat is echt haar kleur. De bakker is nog niet klaar; we wachten achter in zijn winkel. Hier wordt het brood gebakken. Er staan grote bakken waar het deeg wordt gekneed. Ook lopen er twee rottweilers rond, af en toe steken ze hun snuit in een van de bakken met deeg.

Er gaan nog een paar Poolse mensen mee die in de bakkerij werken, maar zij wachten ergens anders. De bakker neemt nog snel een douche. Met openhangend hemd komt hij daarna de werkruimte in. Hij is gebruind en ziet er niet slecht uit. Ik schat hem niet ouder dan vijftig. Brede borstkas, grote wenkbrauwen, dikke bos haar. Hij ruikt sterk naar aftershave. Hierin zie ik een goed teken en ik kijk onopvallend naar mama. Ze zit rechtop haar haar te fatsoeneren.

Mama gaat niet mee; haar schoonmaakwerk in de cafés brengt het meeste op in het weekend. Wat niet is, kan nog komen, denk ik als ik richting de auto loop.

Automatisch wil ik achterin stappen, bij de rest. De bakker houdt me echter tegen en dirigeert me naar de plek van de bijrijder. Het voelt onwennig. Normaal gesproken is dit de plek van mama. Na een tijdje pak ik mijn boek uit mijn handbagage, de enige tas die ik mee heb.

'Ida, ik wil koffie,' zegt de bakker. Ik pak de thermoskan en schenk de koffie in. Dan pak ik mijn boek weer op.

'Er zit geen melk in,' zegt hij dan. Ik maak twee kuipjes melk open en schenk ze in het bekertje.

'Suiker.' Ik zoek in de plastic tas die voorin staat en vind de suiker.

'Drie klontjes.' Ik zoek er een klontje bij en laat het in zijn koffie vallen.

'Roeren.' Ik roer zijn koffie. Hij zet het bekertje in de houder.

'Ik heb twee broodbakmachines mee,' zegt de bakker dan.

Ik knik beleefd.

'Ik ga nog een bakkerij beginnen binnenkort,' zegt hij. 'Alles gaat erg goed. Ik mis alleen nog een goede vrouw.' Oké. Ik zal het aan mama doorgeven, denk ik. Verlangend kijk ik naar mijn boek. Het is al bijna donker, en dan kan ik niet meer lezen.

'Heb jij een vriendje?' vraagt de bakker. Lastige vraag. Mijn dagboeken staan vol met beschrijvingen van potentiële vriendjes. In werkelijkheid is er nog niet zoveel gebeurd, behalve de zoen die ik kreeg tijdens carnaval. Maar die telt niet.

'Nee, geen vriendje. School gaat voor,' herhaal ik de woorden die oma me altijd meegeeft. Absolute onthouding tot het einde van je opleiding. In combinatie met een alles verzwelgende strijd om een geschikte man te vinden. De blauwdruk voor een succesvol leven was me nog niet helemaal helder.

'Weet je Ida, als we in Polen aankomen, stoppen we bij een hotel,' zegt de bakker als we de nacht in rijden.

Een hotel? De afstand tussen Maastricht en Poznań is minder dan duizend kilometer. Iedereen rijdt altijd in één keer door. De reistijd bedraagt tussen twaalf en veertien uur, afhankelijk van de grensovergang.

'We gaan eerst de rest wegbrengen naar Wrocław,' vervolgt hij dan met een bepaalde vanzelfsprekendheid, alsof hij de meest voor de hand liggende mogelijkheid voor me schetst.

Koortsachtig denk ik na. Zo heel goed in wegen ben ik niet, maar ik weet wel zeker dat Poznań eerst op de route komt als je vanaf Berlijn rijdt. Hoe dan ook, als we in Polen aankomen, zal het bijna ochtend zijn. Een dag later staat de terugreis alweer gepland. Nergens in dit verhaal kan ik een hotel plaatsen.

'Je kan me ook ergens bij een treinstation afzetten, als het makkelijker is,' zeg ik.

'Dat hotel is erg goed,' gaat de bakker onverstoorbaar verder. 'We kunnen er champagne drinken. En aardbeien eten.' Dat ken ik. Dat heb ik gezien in *Pretty Woman*. Die film die ging over een hoer.

We zijn al ruim halverwege. Mijn medepassagiers slapen achter in het busje. Zou een van hen iets van dit gesprek kunnen opvangen? Zouden ze Nederlands spreken?

Bij het eerstvolgende tankstation maak ik aanstalten om naar de wc te gaan. Dat is ook waar mijn medepassagiers heen gaan. Voor de ingang van de wc staan ze met zijn drieën te roken.

'Ida, maak mijn voorruit schoon,' zegt de bakker als ik weg wil lopen. Ik doe wat hij zegt. Zo snel mogelijk pak ik de spons uit de emmer met sop en begin ik de ruit te poetsen.

'Die vogelpoep, die moet je eraf schrapen,' zegt de bakker. Ik schraap. Door het vegen komen er nieuwe vlekken op de voorruit. Ik pak de emmer met sop weer en maak de ruit opnieuw schoon.

'Wacht,' zegt de bakker als ik richting de toiletten wil lopen. Hij zet de ruitenwissers aan. Er zijn nog twee minuscule vlekken op de ruit. Ik pak een tissue en boen ze weg. Als ik eindelijk richting de wc loop, passeer ik de twee mannen en de vrouw, die alweer naar de auto lopen.

De bakker zelf gaat niet naar de wc. Hij wacht tot ik terug ben, loopt dan richting de struiken en urineert. De straal klinkt klaterend over het terrein van het tankstation.

We rijden verder. Om bij Wrocław te komen, moeten we inderdaad dwars door Poznań heen rijden. Er is geen andere weg. Buiten heeft de duisternis al plaatsgemaakt voor grijs. Een gloed van bleek licht kondigt de zonsopgang aan.

We rijden mijn stad binnen, het eerste tramstation passeren we. Aan beide zijden zien we de eindeloze rijen grijze blokken. Ergens daar slapen mijn ooms en tantes.

'Hier kan je rechts afslaan,' zeg ik. We rijden rechtdoor. Ook volgende kruisingen passeren we. Het centrum, met het huis van oma, ligt al achter ons. Zo ook het huis van papa. Weldra zijn we door de stad heen en dan kom ik in een gebied waar ik nog nooit ben geweest.

Ik wrijf over mijn bovenarm. Het is het litteken van Kees, dat nu, twee jaar later, nog steeds bij vlagen opdringerig jeukt.

'Stop!' De mensen op de achterbank schrikken wakker. Ook ik schrik; het gebod kwam uit mijn mond.

'Nu!' voegt de stem toe, die uit mijn buik lijkt te komen. Onwillig zet de bakker de auto aan de kant. Ik kijk hem strak aan. Iets heeft me overgenomen, opgetild. Zonder in de spiegel te kijken, weet ik precies welke blik ik in mijn ogen heb. Deze blik van koelte en duisternis ken ik maar al te goed.

Ik doe het portier open en stap uit. Met gierende banden scheurt de bakker weg.

Onwennig kijk ik om me heen. Er is een tramhalte, daar loop ik heen. Hopelijk worden de tramkaartjes niet gecontroleerd, zo vroeg op de ochtend.

Licht in mijn hoofd van de slapeloze nacht en de gebeurtenissen die ik niet helemaal kan plaatsen, probeer ik in papa's huis de slaap te vatten. Dat lukt niet. Ik moet bedenken hoe ik weer thuiskom. Alles wat ik mee heb, is tien gulden. Een enkele busreis kost het tienvoudige. Dat bedrag kan ik niet aan papa vragen. Dat is ongeveer zijn maandsalaris. Er is eigenlijk niemand hier aan wie ik dat geld kan vragen. Een klein etmaal na mijn aankomst vraag ik papa of hij me naar het adres wil brengen dat de bakker me gegeven heeft.

'Die man is gestoord,' zeg ik tegen papa als we in de tram zitten.

'De bestuurder?' vraagt papa ongerust.

'Ja, de bestuurder,' zeg ik, 'hij is gek.'

'Rijdt hij gevaarlijk?' vraagt papa geschrokken. Het is niet mijn bedoeling om papa te verontrusten. Een fractie van een seconde kijk ik hem aan. Wat verwacht ik eigenlijk?

'Hij praat raar,' zeg ik alleen maar. Papa ontspant een beetje. Hij vraagt niet door. Zelf vertel ik ook niks meer.

Op het opgegeven adres, een flat in een van de grijze blokken, doet een vrouw de deur open. Er is ook een klein jongetje van ongeveer vier jaar oud. Zij blijken met ons mee te rijden. De vrouw zet thee voor mij en papa. Als de bakker binnenkomt, zie ik papa nerveus worden. Buitenlanders maken hem zenuwachtig, hij is onzeker over zijn taal. Papa staat op en uiterst beleefd schudt hij de hand van de bakker. Nu weet ik zeker dat ik in deze auto ga stappen.

Weer zit ik voorin. Bij het tankstation twijfel ik echter geen seconde: zonder om te kijken loop ik samen met de vrouw en haar zoontje naar de wc.

'Die man is gek,' zeg ik. Via de spiegel kijkt ze me aan.

'Dat weet ik,' zegt ze rustig. Apathisch bijna.

'Waarom... Waarom ga je dan met hem mee?'

'Ik moet. Hij heeft me met een enorme telefoonrekening laten zitten.' Ik wil niet doorvragen.

'Ken je iemand in Nederland?' vraag ik alleen maar. Deze vrouw is nog jong. Misschien begin twintig. Ze maakt een wegwuivend gebaar.

'Ik heb bij hem ingewoond, in dat huis boven de bakkerij,' zegt ze een seconde later, en ze kijkt me aan, peilend hoeveel ik weet. 'Toen ik gillend de bedrijfsruimte in rende, was er niemand die op- of omkeek,' deelt ze me mee.

'Ik was naakt,' voegt ze er even later aan toe, en ze drukt haar zoontje dichter tegen zich aan. 'Ze zijn wel wat gewend, daar,' zegt ze uiteindelijk terwijl ze met het papieren handdoekje haar handen afveegt. Ik denk aan de meisjes die in het klooster logeren.

'Hier heb je in ieder geval mijn telefoonnummer,' zeg ik, voordat we weer naar de auto lopen.

Ze trekt haar kind weer richting de auto. Het jongetje

draalt, wil naar het klimrek dat strategisch naast de McDonald's is opgesteld. Zijn moeder wil niet stoppen, trekt nog een keer aan zijn hand, harder nu. Niet vandaag. Ooit, als de bestemming is bereikt, daar in de speeltuin, zal haar zoontje spelen.

Thuis aangekomen tref ik Elise aan. Ze kwam kijken of ik er was en hoorde van mama dat ik elk moment kon aankomen. Met tegenzin vertel ik hun het voorval met de bakker. Het moet meteen. Als ik eenmaal geslapen heb, zal ik het nooit meer vertellen. Mijn tegenzin komt voort uit het gevoel dat ik iets verkeerd heb gedaan. De blik van mama stelt me niet helemaal gerust.

Elise merkt dat ik me ongemakkelijk voel. Ze pakt mijn hand en zegt stellig: 'Het is genetisch, Ida. Bij de meeste diersoorten zijn de vrouwtjes hoogst kieskeurig in de keuze van hun partners. Meestal worden ze door meerdere mannetjes belaagd, maar laten ze maar één of een paar toe,' legt ze uit. 'Mannetjes daarentegen accepteren vrijwel elke seksuele partner die zich aandient. Het is zelfs bekend dan mannetjes verkeerde objecten benaderen met als doel te copuleren. Bijvoorbeeld mannetjes van de eigen soort, vrouwtjes van de verkeerde soort, opgezette vrouwtjes, delen van opgezette vrouwtjes... Of,' eindigt ze stellig, 'objecten die niet eens op vrouwtjes lijken.'

Ja, denk ik, en ik ga rechtop zitten. Het is genetisch. Ik zoek mama's blik. Ze staart alleen maar voor zich uit. Tijdens Elises verhandeling herschikt ze haar kapsel en wrijft ze over het stukje blote huid tussen haar nek en haar schouder.

'Lul,' zeg ze zacht. Ze staat op, loopt naar buiten en steekt een sigaret op. Daar blijft ze staan, alleen, totdat Elise weer naar huis vertrekt.

Vanavond kijk ik lang in de spiegel voordat ik ga slapen.

Zelfs mijn wijdste T-shirt kan mijn borsten niet meer verbergen. Het duurt niet meer zo lang voordat ik veertien ben. Ik pak mijn dagboek en blijf een tijdlang zitten met het schrift geopend op mijn schoot. Eindelijk pak ik dan mijn pen en schrijf:

Het meisje dat leest XXIV:
Ik heb verleid: nee.
Iemand is door mij verleid: ja.

Dan doe ik mijn schrift weer dicht en ga ik met mijn kleren aan op mijn bed liggen. Ik lig lang te woelen voordat ik in slaap val.

Mama gaat mee als ik het verhaal van de bakker aan de zusters ga vertellen.

De zusters zijn geschokt.

'We gaan alle banden met hem verbreken,' zeggen ze eensgezind.

'En het klooster in Polen? Waar die weeskinderen vandaan komen?' vraagt mama. 'Die ook?'

Zuster Anastasia kijkt ongemakkelijk. 'Dat zal ik ze zeker aanraden,' zegt ze, minder stellig deze keer. 'Voor de rest zullen de betrokkenen zelf een klacht moeten indienen,' zegt Anastasia tot slot. De blik van mama is vol minachting.

'Blegh,' zegt mama als we naar buiten lopen.

'Vieze, vuile bakker,' vul ik haar aan. Het is alsof ik de stank van de honden in zijn bakkerij nog kan ruiken, alsof ik ze weer uit zijn deegbakken zie vreten.

Mama blijft staan. Denkt na.

Als ik enkele weken later langs zijn bakkerij fiets, blijkt deze op last van de Keuringsdienst van Waren gesloten te zijn.

Het doet mama goed.

De maanden gaan voorbij en mama is nog steeds op zoek naar een man. Een nieuwe man. Een nieuwe kandidaat is een kans op iets beters, hogers. Alleen het hoogste zal goed genoeg zijn.

Terecht. Alleen, hier zal ze hem niet vinden. Die belofte zal nooit worden ingelost.

'Mam, ga werken,' zeg ik. Daarmee bedoel ik legaal werk.

'Ik heb al zoveel gewerkt,' zegt ze dan. Ze wil geen metaal bewerken. Dat snap ik.

'Maar dan ben je met mensen die ook werken...' probeer ik soms toch door te gaan. De zaakjes waar de mensen in deze buurt mee bezig zijn, zijn louche. Maar dat vind ik misschien niet eens het ergste.

'Ze zijn zo... dom,' laat ik me een keer ontvallen.

'Hou je mond! Jij hebt geen weet van het echte leven!' schreeuwt mama. 'Denk je echt dat het leven zo blijft? Dat je altijd gewild zal blijven?'

Vol ongeloof staar ik haar aan. Dan besef ik dat ik sinds het incident met de bakker geen van haar mannen meer in ons huis heb gezien.

Vanmiddag naar de berg? schrijft Elise in ons schrift. Het schrift is inmiddels vol geplakt met afbeeldingen van yin en yang. Ook de Dalai Lama en Che Guevara staan erin. Boven aan een van de pagina's staat $E=mc^2$. Bij elke afbeelding en formule staat met dikke letters gekrast: ZHD, Zolang Het Duurt.

Ik knik. Ja, natuurlijk ga ik mee naar de berg. Ik ga altijd mee naar de berg.

I: *Waarom doet het pijn om te denken*?

E: *Dokter, telkens als ik op mijn neus druk, doet het pijn.*

I: *Kan toch niet stoppen met denken*?

E: *Er zijn zat mensen die niet denken.*

Ik kijk om me heen. De pakjes Liga Melk-Aardbei hebben plaatsgemaakt voor Liga Switch. Een van de pakjes ligt op mijn eigen tafeltje te wachten tot de bel gaat. Ik leg mijn pen neer.

E: *Wat doet er pijn?*

I: '...'

E: *D. zit echt naar je te staren.*

I: *D. staart naar alles wat beweegt*, schrijf ik. Dan duw ik geïrriteerd het schrift weg. Want opeens weet ik wat er pijn doet.

Het feit dat ook ik ooit een man zal willen hebben.

2

'Pap, ik ben lid geworden van Greenpeace!' meld ik trots aan de telefoon. Het is inmiddels zes jaar na de val van de muur; telefoons in Polen zijn gemeengoed geworden.

'Greenpeace, die zijn toch van de walvissen?' vraagt papa.

'Ook, ja!' Ik heb het informatiepakket net binnengekregen. Greenpeace is van de walvissen en het gat in de ozonlaag.

'Om welke walvissen gaat het precies?' vraagt papa. 'De gewone vinvis of de blauwe vinvis?'

'Eh... die grote.'

'Is het die walvisvangst bij Japan waar ze tegen zijn? Daar heb je de vinvissen. De Noren jagen op de bultrugwalvissen...' denkt papa hardop. 'En doen ze ook iets voor de dolfijnen?'

'Dolfijnen? Nee, ze zijn meer van de walvissen...' mompel ik.

'Schat, dolfijnen zijn ook walvissen, ze behoren tot de tandwalvissen. Net als orka's,' doceert hij.

'Ah, orka's.' Ik ben opgelucht dat ik iets hoor wat ik kan plaatsen. 'Ze doen zeker iets voor de orka's.' Het informatiepakket moet ik nog maar een keer gaan lezen. 'Hoe is het bij jullie, pap?'

'Nou, ik ben geen miljonair meer...' zegt papa. 'Het nieuwe geld is er.'

Het is 1995. De inflatie is getemperd en de miljoenen moeten weer worden ingeleverd. Tienduizend zloty is nu één zloty geworden. De nieuwe biljetten dragen de afbeeldingen van de Poolse koningen. Mieszko de Eerste, die Polen in 966 heeft gekerstend, staat op het biljet van een tientje; Bolesław Chrobry op het biljet van twintig zloty; Casimir de Grote op het biljet van vijftig. Bij deze koningen voel ik weinig emotie.

En toch. Hetzelfde jaar bezoeken Ewa en ik Kraków. We zijn met Edyta en Jarek, die hun zoon Teodor, die nu tien is, Polen willen laten zien. In de lakenhal op de Hoofdmarkt in Kraków wordt mijn aandacht getrokken door een prachtige houten kist met de afbeeldingen van dezelfde koningen erop. Ik wil hem graag hebben, voor mijn dagboeken en voor de schrijfboeken die ik nog steeds met Elise bijhoud. De kist ziet er statig uit en er hangt een sfeer van onverstoorbaarheid om dit voorwerp heen.

'Wil je hem hebben?' vraagt mama.

Ik kijk haar onderzoekend aan.

'Kan je al je geheimen erin bewaren...' voegt ze er zacht aan toe.

Ze meent het. Ik probeer niet te denken aan de gitzwarte passages in mijn dagboeken – de passages die meestal betrekking op mama hebben. Ik zal die dagboeken wegstoppen in deze kist, met het slot erop. Meestal negeert ze het feit dat ik veel schrijf en lees; dat ze juist dit cadeau voor me wil kopen, raakt me.

Mama rekent af.

'Alsjeblieft lieverd, voor je verjaardag.' Ze geeft de kist aan mij en kust me. Getroffen door haar tederheid dringen de tranen zich op. Ik kijk weg, want ik wil niet dat ze ziet hoezeer ik haar gemist heb.

Er is nog iets anders wat ik voor mijn zestiende verjaardag wil, en dat is Auschwitz bezoeken. In ons gezelschap ben ik de enige met deze wens. Jarek twijfelt nog een beetje, maar blijft uiteindelijk bij Edyta en zijn zoon.

'Oorlog. Misschien moesten we het maar een keertje laten rusten...' zegt hij. 'Het heeft lang genoeg geduurd.' Hij trekt aan de mouw van zijn trui. Het is de eerste keer dat ik deze grote, stugge man zenuwachtig zie.

De Tweede Wereldoorlog is voor Polen geëindigd met een bevrijding door het Rode Leger. Het woord 'bevrijding' wordt door Jarek bijzonder honend uitgesproken.

Zich zeker wanend van de steun van de Russen heeft het verzet, de Armia Krajowa, in de laatste maanden van de oorlog de opstand van Warschau op touw gezet. Het Rode Leger stond inderdaad aan de overkant van de rivier toen de opstand uitbrak, maar het Rode Leger blééf aan de overkant toen de opstand van de onbewapende, uitgehongerde, overwegend jonge mensen door de Duitsers werd neergeslagen. Ruim tweehonderdduizend Polen kwamen om in deze laatste maanden, weken van de oorlog. Pas na afloop van de slachting betrad het Rode Leger Warschau. Ontdaan van de laatste sporen van verzet en van de dragers van een eigen visie op het vormen van een nieuwe onafhankelijke Poolse staat, al dan niet socialistisch, was de bodem een stuk ontvankelijker voor het zaaien van nieuw gedachtegoed.

Het feit dat Polen na de oorlog door de geallieerden onder de invloedssfeer van Stalin werd geplaatst, was volgens Jarek een onnodige verlenging van de oorlog. 'Hemeltergend' is het woord dat hij gebruikt. Hij schudt zijn hoofd en ik weet dat ik niet moet aandringen.

In ons hotel verblijft een Duitssprekend joods echtpaar

van een jaar of vijftig. Ze willen me wel meenemen. Het is niet de bedoeling dat we samen door Auschwitz lopen; ze laten me alleen achter bij de ingang. Hier bekijk ik de plattegrond van de kampen, zowel van Auschwitz als van Birkenau. Nette rijen barakken, geordend in tientallen rijen.

Er is een route die je kunt aanhouden, en ik ben blij dat er een groep bezoekers komt die ik kan volgen: het is geen plek die je alleen wil betreden. De namen, de foto's lijken zich uit de ordelijke rijen los te willen wrikken, los van de muren te willen komen, ze vliegen door de ruimte, hechten zich aan mijn kleren, aan mijn huid, op mijn netvlies.

In de volgende barakken tref ik bergen spullen aan. Voorwerpen die normaal gesproken zo versmolten zijn met je dagelijks doen dat je ze nauwelijks opmerkt. Brillen. Tandenborstels. Bekers. En dan: stapels en stapels menselijk haar. Stof gemaakt van menselijk haar. Protheses. Hoeveel mensen met een prothese ken ik? Hoeveel gehandicapte mensen moet men doden voor een berg protheses? Dat is een som die ik niet kan maken. Mijn buik verkrampt. Het is niet nodig om verder te gaan.

Bij de ingang wacht ik op het echtpaar dat me weer richting Kraków zal brengen.

In de auto terug is het joodse echtpaar aanvankelijk stil.

'Is... zijn jullie familieleden ook omgekomen in Auschwitz?' vraag ik uiteindelijk.

'Nee, mijn familie was op tijd gevlucht,' zegt de man grimmig.

'Zijn vader is in Kielce omgekomen. Na zijn terugkomst,' licht zijn vrouw toe.

'Kielce?' De naam zegt me niks.

'De inwoners van die stad hebben eenenveertig joden vermoord, omdat er zogenaamd een jongetje door de joden ontvoerd zou zijn,' gaat de vrouw door. Ze slikt hoorbaar.

'Dat was in 1946,' vult haar man aan.
De rest van de rit wordt er niet meer gepraat.

Als ik summier mijn indrukken vertel aan mama, Edyta en Jarek, zucht mama alleen maar. 'Mensen en mensachtigen,' zegt ze. 'Overal heb je mensen en mensachtigen.'

Bij mijn opmerkingen over Kielce reageren Edyta en mama verslagen. Jarek daarentegen wordt er weer duidelijk zenuwachtig van. Hij trekt zo hard aan zijn mouw dat Edyta haar hand op de zijne moet leggen om zijn trui te redden.

'Ze moeten het laten rusten,' zegt hij, en hij kijkt nors voor zich uit.

Dan, alsof de gedachte hem opnieuw kwaad maakt: 'Hebben we niet al genoeg geleden?' Zijn vraag klinkt als een rechtvaardiging – maar een rechtvaardiging voor wat?

Maar dan mag ik geen vragen meer stellen van mama.

3

De ochtend erop rijden we weer naar huis. Een andere Pools-Duitse grensovergang deze keer, maar ook hier is de berm overdadig voorzien van kabouters, rieten manden en prostituees. Eensgezind staan ze in de rij, wachtend op klandizie. Deze keer ga ik doelbewust op zoek naar een tuinkabouter speciaal voor Elise. Eentje trekt mijn aandacht te midden van de rood gemutste kaboutermassa: een kabouter verkleed als soldaat. Zijn camouflagepak en helm komen redelijk echt over. In de auto krijg ik al spijt van deze aankoop, want het is de verkeerde kabouter, al weet ik niet precies waar het aan ligt. Aarzelend neemt Elise het cadeau aan.

'Ja, er is iets met deze kabouter,' besluit ze nadat ze hem een tijdlang bestudeerd heeft. 'Het is dat soldatenpak, hè?

Daardoor lijkt deze kabouter geen kabouter meer...'

Deze middag ben ik te laat op de berg. Elise en Pit zijn al vertrokken. In mijn schrijfboeken probeer ik voor Elise op te schrijven wat ik in Auschwitz heb meegemaakt.

De-con-struc-tie:
Een dwang om langer te blijven staan. Ze dwingen je om langer te blijven staan. Hoe lang je er ook staat, zij willen altijd dat je er iets langer blijft.
Uiteindelijk gaan ze met je mee.

Ontevreden met mezelf besluit ik om het schrijven te laten voor wat het is en het bos in te lopen. Verzonken in mijn gedachten loop ik tussen de bomen. Takken zwiepen in mijn gezicht en ik voel schrammen op mijn bovenarmen. Links van me loopt het pad: ik zal niet verdwalen.

Dan hoor ik een paard aankomen, in galop. Het is Pit met Elise. Elise zit voorovergebogen, dicht tegen zijn manen aan, en het lijkt alsof ze iets in zijn oor fluistert. Dan, nog voordat ze uit mijn zicht is, hitst ze Pit op met een tak. Ik spring het pad weer op en ren achter ze aan. Tegen de tijd dat ze bij de manege aankomen, ziet Pit er geagiteerd uit. Zijn neusgaten zijn opengesperd en hij springt op bij iedereen die langsloopt.

'Nee, dat duveltje blijft wel in hem zitten,' hoor ik Elise tevreden constateren als ik haar aantref in gesprek met de stalmeester. 'Het gaat een tijd goed, maar dan doet hij altijd iets onvoorspelbaars...' Ze wijst naar de diepe schram die over haar nek en schouder loopt. 'Ik zou hem nog niet aan anderen toevertrouwen.' De staleigenaar knikt alleen maar en kijkt peinzend om zich heen. De zaken lopen goed en al zijn boxen staan vol.

Bij het weggaan zwaait Elise naar haar paard. 'Dag Pit! Tot over een paar dagen!' Misschien zou het ook wel een week worden, want we hebben het steeds drukker met school en nu komt Elise hier voornamelijk in het weekend.

'Ik zag dat je Pit ophitste aan het einde van het pad...' zeg ik zacht als we de Sint-Pietersberg weer af lopen.

Ze verstrakt een seconde maar herstelt zich snel.

'Het is niet goed als anderen op hem rijden,' zegt ze gedecideerd, en schudt haar staart op en neer. 'Hij is best oud, weet je...' probeert ze nog, maar ze ziet dat ze me niet overtuigt.

'Het is toch beter als een ander misschien ook eens op hem zou mogen rijden?' opper ik voorzichtig. Niet ik, maar een ander meisje dat nu droomde van een paard dat buiten haar bereik lag, zou misschien op Pit kunnen rijden, denk ik bij mezelf. 'Delen is beter...' voeg ik eraan toe, nog zachter.

'Het is niet aan jou om te delen, toch?' zegt ze, en wat ik hoor is: 'Jij hebt toch niets om te delen?' 'Pit is gewoon van mij,' voegt ze eraan toe, en dat is het laatste wat ze erover zegt.

E: *Ga je mee auditie doen voor de schoolmusical?* Elise wijst naar Kruger, de leraar Nederlands die de musical gaat begeleiden.

Ja, knik ik dan maar, want dit voelt zo spannend dat het wel goed moet zijn. Misschien zouden Elise en ik weer iets nieuws krijgen wat we samen konden doen, nu ik niet meer meega naar de berg. In de afgelopen weken hebben Elise en ik elkaar nauwelijks gesproken.

I: *En jij? Wil je ook spelen? Je bent toch een danser?* Want dat is Elise ook, een danser.

E: *Voor een mooie rol wil ik dat best opzij zetten... Ben benieuwd wat voor rol ik ga krijgen. Niet de hoofdrol, nee, want we spelen* The Wizard of Oz *en ik ben zeker geen Dorothy. Voordracht en improvisatie, ik hoop dat daar behoefte aan is.*

Meneer Kruger, die de voorstelling regisseert, is een beroemdheid in Maastricht. Hij staat bekend om zijn controversiële bewerkingen van musicals. Eerder al bewerkte hij *The Wave*, waarbij de hoofdrolspeler zo in zijn rol opging dat hij zijn haar daadwerkelijk afschoor – een incident dat tot veel onrust onder de ouders had geleid en zelfs de plaatselijke pers haalde.

The Wizard of Oz was misschien een iets veiliger keuze. Elise en ik krijgen een derde vriendin zover dat ze samen met ons een stukje *Macbeth* gaat spelen tijdens de auditie. We zijn de drie heksen die Macbeth zijn noodlot voorspiegelen. Meneer Kruger zal het wel waarderen en bovendien, zijn secondant is onze leraar Engels.

'Ah,' zegt meneer Kruger als hij in zijn aantekeningen kijkt, 'het Schotse toneelstuk.' Geamuseerd kijkt hij naar ons drieën. We spelen de sterren van de hemel, vinden we zelf, en vol spanning begeven we ons de volgende middag naar dezelfde aula om de uitslag te horen.

Eerst wordt bekendgemaakt wie Dorothy zal zijn: een onopvallend klein meisje met een ongekend krachtige stem. Meneer Kruger heeft bovendien een romantisch motief aan het verhaal toegevoegd: een jongen uit de zesde zal Dorothy ergens tegen het einde kussen. Als je dit stel op het podium ziet, zie je in één oogopslag hoe briljant meneer Kruger is. Dorothy's nervositeit en de quasi onverschilligheid van de jongen die naast haar staat en bijna een kop groter is: het werkt. Alles eromheen is opsmuk.

Maar dan, dan komen de heksen; ik hoop dat ik een van hen mag zijn. Helaas, ook deze rollen gaan naar anderen. Zo worden alle rollen opgenoemd en uitgedeeld, totdat ik overblijf met twee anderen.

'Jullie worden met zijn drieën het koor,' zegt meneer Kruger, en ik snap dat hij refereert aan het Griekse koor. Het koor als de ideale toeschouwer in het stuk. De voorzichtige, soms een beetje bekrompen tegenhanger van de hoofdrolspeler, de held. Of een koor dat juist de onderliggende filosofische beschouwingen van de schrijver van dit stuk een stem geeft…

'Het koor bestaat uit drie Poolse hoertjes,' onderbreekt Kruger mijn overpeinzing en sluit dan resoluut zijn schrift. Alle rollen zijn verdeeld.

Totaal afwezig feliciteer ik Elise, die weliswaar geen rol heeft gekregen, maar wel een solo mag dansen. De hele weg naar huis denk ik koortsachtig na en probeer ik de visie van meneer Kruger te vatten. De heksen van Macbeth, ze staan voor duisternis, chaos en conflict; was dat zijn inspiratie voor het koor? Maar een hoer… Er zal vast een visie achter schuilen… Ik kom er niet uit, doe zo stil mogelijk de voordeur open en hoop ongemerkt naar binnen te sluipen, maar daar staat mama al. Ze heeft duidelijk op mij gewacht, ze heeft een goede dag.

'En?' vraagt ze vrolijk.

'Ik mag in het koor,' zeg ik ontwijkend. Mama is verbaasd, ze weet dat ik niet kan zingen. 'Koor?' vraagt ze, duidelijk in verwarring gebracht.

'Ja, zo'n achtergrondgroepje dat overal commentaar op levert,' zeg ik zo rustig mogelijk, maar mijn stem werkt niet mee. Misschien was het toch wel niks geworden met die toneelcarrière van me, want de onverschilligheid, het achteloze: het zit er niet in bij mij.

'Een groepje wat?' vraagt mama. Het zou kunnen dat ze daadwerkelijk slechts toelichting wil hebben op mijn summiere mededeling. Voor mij voelt dit echter als een kruisverhoor; de druk wordt me te veel. Twee maanden tot aan de voorstelling, dat kan ik niet aan – ik weet ook wel dat dit niet niks is.

'Een groepje Poolse hoeren,' zeg ik, en ik staar naar de grond.

'Een groepje…' Mama kijkt me aan, niet-begrijpend, en ik leg het uit. 'En wat zei jij toen?' vraagt ze dan.

Nu pas dringt het tot me door: de ramp is veel groter dan gedacht. Ik had in opstand moeten komen en heb dat nagelaten. Sterker, ik voelde niet eens aanvechting om me te verzetten.

'Morgen zeg je maar tegen ze dat je niet meedoet,' zegt mama alleen maar, en ze schudt haar hoofd. Onwrikbaar staat ze daar. Niks zal haar tegenhouden om te voorkomen dat haar dochter een Poolse hoer speelt.

Schoorvoetend sta ik de volgende dag voor Kruger.

'Ik mag geen Poolse hoer spelen van mama,' zeg ik. Kruger kijkt me verbaasd aan.

'Dus ik kan niet meedoen,' verduidelijk ik nu, hopend op een reactie. Misschien heeft hij een oplossing? Deze blijft uit en na een kort ogenblik ga ik zelf maar weg.

Later op de dag, als ik alles net aan Elise heb verteld, komt Kruger naar me toe, met een kort verontschuldigend briefje voor mama in zijn hand.

'Het was niet zo bedoeld, Ida... Ik heb niet zo goed nagedacht,' zegt hij, maar hij heeft het niet echt tegen mij. Hij is met zijn gedachten elders.

'Wat de musical betreft: maak je maar geen zorgen, we maken er gewoon Hongaarse hoertjes van!' zegt hij quasi vrolijk. Dan loopt hij weg. Ik blijf achter, met het briefje in mijn hand, en kijk Kruger na, die me ineens een stuk minder briljant voorkomt. Mijn woede maakt dat al het bloed uit mijn gezicht wegtrekt.

Elise loopt naar me toe. 'Waarom vind je het zo erg, Ida?' vraagt ze. 'Ik bedoel, jij bent toch geen hoer?' vraagt het paardenmeisje, en mijn bloed trekt nog verder weg, weg van mijn hart vandaan.

'Het is opgelost,' zeg ik thuis tegen mama.

'O,' zegt ze alleen maar en kijkt voor zich uit. Ik loop door naar de keuken.

'Heb je een vriendje?' vraagt ze een minuut of twee later. De manier waarop ze 'vriendje' zegt, klinkt niet onschuldig. Het klinkt als een aanklacht.

'Een vriendje?' vraag ik verbaasd. 'Ik?'

'Je bent zo vaak weg.'

'Nee mam, ik heb geen vriend,' zeg ik. Maar het voelt alsof ik de woorden 'Nee mam, ik ben geen hoer' uitspreek.

'De buurman zei het onlangs tegen mij,' zegt mama. Mijn verontwaardiging lijkt haar te amuseren.

Waarom geloof je dat reptiel van hiernaast in plaats van mij, mama? Maar ze blijft me alleen maar aankijken, en er is weer die blik. Ze daagt me uit – daagt me uit tot wat?

Mam, kom gewoon terug.

'Misschien zou dat wel beter zijn. Als je wel een vriend had,' zegt mama met een ijzige kalmte. Nu wordt ook mijn blik koud en kil.

Elises solo bij de musicalpremière blijkt trouwens geniaal. Vanuit de zaal had ik er goed zicht op.

4

De zomer die op het musicalfiasco volgt, is zelfs voor Limburgse begrippen ongekend heet. Ik loop tussen de heuvels door naar Elises huis, met onder mijn arm de nieuwste tuinkabouter. Het is lang geleden dat ik Elise echt heb gesproken. Het gedoe met Pit, het fiasco van de musical en meteen erop onze vakanties: we hebben elkaar nauwelijks gesproken. Deze kabouter is belangrijk. Het is een beeld van een mannetje in pak met een grijs baardje en een brilletje op zijn neus. 'De Zakenman' heet het. Maar eigenlijk lijkt hij meer op Freud. Het was zijn spottende, wijze blik die mij naar mijn vriendschap met Elise deed terugverlangen.

Als ik bij het huis van Elise aankom, blijkt ze niet thuis te zijn. De tranen branden in mijn ogen en ik krijg zin om de tuinkabouter ter plekke kapot te smijten. De kabouters, het schrift, de tijd op de berg: het komt me ineens voor als rituelen uit een leven dat voorbij is. Een leven waarin ik nog geloofde in vriendschappen tussen mensen met en zonder paard.

Met tegenzin onderneem ik de tocht terug. De lucht trilt boven het vergeelde gras.

Op een bankje zitten twee jongens te roken. Ondanks de hitte heeft een van hen een leren jack aan.

'Hé kaboutertje, waar ga je met het meisje heen?' vraagt de een, en de ander lacht.

'Dat weet ik eigenlijk ook niet,' zeg ik naar waarheid.

'Kom dan zitten,' stelt de jongen zonder het leren jack voor en gebaart naar het bankje. Hij draagt een donker T-shirt en ik zie dat zijn bovenarmen bedekt zijn met tatoeages. Hij is niet veel ouder dan ik, zeventien misschien.

'Wil je een haal?' zegt de jongen in de leren jas. Hij houdt een joint voor mijn neus. Ik kijk nog eens richting mijn huis en voel geen haast.

'Waarom niet.'

Het is de eerste keer dat ik wiet rook en de eerste haal valt erg zwaar. Na de derde word ik meters de lucht in geslingerd en val ik vervolgens weer omlaag. Vrijwel meteen komt mijn maag in opstand.

'O, shit,' zegt de jongen zonder jack alleen maar als ik achter het bankje moet overgeven. 'Kom maar mee...' En hij dirigeert me weg van de mooiste huizen die hier aan de voet van de Sint-Pieter liggen, richting mijn eigen wijk. Halverwege komen we bij een rij kleine huisjes; het pad aan de achterkant van de huizen is schemerig en koel. Via de achteringang gaan we een van de huizen binnen en hij gebaart dat ik stil moet zijn. Blijkbaar is er niemand thuis, want hij neemt me mee naar zijn kamer en legt me op zijn bed.

Ook zijn kamer is koel. Hij geeft me water en langzaamaan staat de kamer weer stil. Ik blijf op zijn bed liggen. Bewegen durf ik niet en ik wil al helemaal niet mijn ogen opendoen.

'Wil je nog meer water?' vraagt hij. Ik schud van nee. Hij zet muziek aan en mijn hoofd ontploft weer.

'Uit...' kreun ik zachtjes. De jongen buigt naar me toe om het te kunnen verstaan.

De deur zwaait open. In de deuropening staat een vrouw met een kapsel dat ik alleen ken uit Amerikaanse series uit de jaren vijftig.

'Brian! Wat... wat heeft dit te betekenen?' stamelt ze als ze me op het bed ziet liggen.

De jongen die Brian blijkt te heten, schrikt en friemelt aan zijn neuspiercing.

'Dat is een vriendin... Ze is onwel geworden.' Zijn moeder kijkt onderzoekend naar mijn bleke gezicht. 'Flauwgevallen,' liegt Brian erbij.

'Ah, zo,' zegt ze alleen maar. Het is overduidelijk dat flauwvallen mijn aanwezigheid in het bed van haar zoon niet rechtvaardigt.

'Eet ze mee?' vraagt ze en strijkt haar onberispelijke rok glad. Ze heeft er duidelijk niet op gerekend.

'Nee, nee, dank u, ik moet echt naar huis...' zeg ik, en ik probeer overeind te komen.

'Ik breng je wel,' zegt Brian als hij even later achter mij de trap af loopt. Achter op zijn fiets zittend, moet ik me goed vasthouden wil ik er niet af glijden, zo slap voel ik me nog.

'Hé, wie ben jij?' vraagt mama vriendelijk als ze de deur opendoet. Ze heeft een strandjurk aan en draagt een grote zonnebril; zo te zien zat ze te zonnen in de achtertuin. Mama negeert mijn nee-geschud, nodigt Brian uit om binnen te komen en biedt hem een biertje aan. Voor ik er erg in heb, vertelt hij het hele verhaal van de joint aan mama.

'Nou, nou, Ida, heb je weer wat geleerd...' lacht mama als ze hoort hoe ziek ik werd van een enkel trekje. Mijn gezicht is nog steeds bleek en ik lach niet mee.

'Ik ga boven liggen,' zeg ik na een halfuur of zo, want Brian zit volgens mij wel lekker; hij maakt geen aanstalten om op te staan van onze bank.

Pas een tijd later hoor ik Brian weggaan. Mama zwaait hem hartelijk uit. De ontspannen manier waarop ze mijn jeugdige onbezonnenheid opvat, stemt me blij, zo beroerd als ik me voel. Ik val in slaap.

Pas de volgende ochtend loop ik de trap af en ik tref mama aan op de bank. Ze heeft haar zonnejurk nog aan. Onbeweeglijk staart ze voor zich uit.

'Mam, gaat alles goed?' vraag ik bezorgd. Ze blijft onbeweeglijk zitten. Als ze eindelijk haar hoofd naar me toe draait, lijkt ze me nog steeds niet te zien.

'Mijn dochter is aan de drugs,' zegt ze, ogenschijnlijk tegen niemand in het bijzonder. 'Aan de drugs...' herhaalt ze.

Dan volgt er weer de stilte. Na een ogenblik dat oneindig lijkt te duren ga ik de tuindeur opendoen. Ondanks het vroege uur brandt de zon fel op mijn huid.

Het wordt een benauwde dag vandaag.

'Je bent je tuinkabouter vergeten.' Brian staat voor mijn deur, met een brede grijns op zijn gezicht. Ik stap naar buiten, want ik wil niet dat mama hem hier ziet.

'Waar is-ie dan?' vraag ik ongeduldig. Eigenlijk wil ik dat hij weer weggaat. Hij herinnert me te veel aan het voorval van de dag ervoor.

'Ik heb hem niet mee. Je mag hem komen ophalen...' zegt hij plagerig. In zijn blik zie ik dat hij meer van me wil; het is een blik die ik steeds vaker in de ogen van jongens en mannen aantref. Hetgeen ik niet als een compliment beschouw. 'Mannetjes accepteren vrijwel elke seksuele partner die zich aandient. Het is zelfs bekend dan mannetjes verkeerde objecten benaderen met als doel te copuleren. Bijvoorbeeld mannetjes van de eigen soort, vrouwtjes van de verkeerde soort, opgezette vrouwtjes, delen van opgezette vrouwtjes... Of,' hoor ik de vertrouwde stem van Elise, 'objecten die niet eens op vrouwtjes lijken.'

Ineens is het extreem belangrijk dat ik de kabouter terugkrijg. Er zijn niet zoveel mensen zoals Elise, en zeker niet in de vrouwelijke variant.

Deze keer rij ik met Brian mee op mijn eigen fiets.

Deze keer gaan we gewoon door zijn voordeur naar binnen. In de huiskamer treffen we zijn moeder aan. Brian schrikt: het is duidelijk dat hij hier niet op gerekend heeft.

'Ga zitten,' zegt zijn moeder alleen maar. Het is duidelijk niet de bedoeling dat ik weer op Brians kamer terechtkom. Om me heen is ze verwoed bezig alles in het huis netjes te rangschikken. Twee keer veegt ze de tafel schoon in de vijf minuten dat ik in de kamer zit.

'Wil je wat drinken?' vraagt ze dan.

'Water alstublieft.' Het is het enige drankje dat ik kan bedenken dat de tafel niet vies kan maken. Als ik het glas water aanneem, zie ik druppels langs het glas glijden. Ik besluit om het glas tegen mijn schoot aan te houden. Brians moeder gaat zelf niet zitten. Ze herschikt een stapel kranten die al kaarsrecht liggen en zet de bloemen in de vaas wat rechter.

Dan komt Brian weer naar beneden, met mijn kabouter.

'Sorry, ik dacht dat ze langer weg zou zijn,' verontschuldigt Brian zich als we weer buiten staan.

'Wat vindt je moeder eigenlijk van je tatoeages en je piercing?'

'Daar heeft ze nooit iets over gezegd,' zegt Brian schouderophalend.

Zijn moeder fascineert me. Er woont een vleesgeworden 'Inspekcja', vierentwintig uur per dag, in zijn huis.

Als Brian genoegen met een platonisch verbond kan nemen, zou dit best wel eens het begin van een mooie vriendschap kunnen zijn... Met de bebrilde kabouter onder mijn arm fiets ik naar huis.

In de laatste weken van de zomer komt Brian vaak langs, en zelfs als de school weer begint is hij bij ons huis niet weg te slaan. Zijn middelbare school heeft hij vorig jaar afgemaakt, maar hij heeft voorlopig geen verdere plannen, dit tot totale ontzetting van zijn moeder. Dus zit hij vaak bij ons, kletsend met mama. Deze jongen met zijn piercings en zijn tatoeages is een absoluut rustpunt in ons huis. Echt diepgaande gesprekken hebben we niet; hij is er gewoon en dat is goed.

Elise zit nu in een andere klas en ik heb nog maar zelden lessen met haar samen. Het enige wat me nog aan haar herinnert is de tuinkabouter die me doordringend van achter zijn brilletje aankijkt, elke keer als ik erlangs loop op de overloop. Hem wegdoen kan ik niet.

De herfst is bijna voorbij als Elise weer voor mijn deur staat. Zo te zien heeft ze een hele tijd gehuild.

'Pit moet dood,' zegt ze.

'Pit?' De prachtige zwarte hengst, het paard dat alleen zij, Elise, heeft bedwongen?

'Wat is er gebeurd?'

'Hij heeft een ontsteking in zijn buik... Medicijnen zijn te duur... Niemand kan op hem rijden, behalve ik...' Ze moet weer huilen, stopt dan even en zegt: 'Hij levert niks meer op. Vanmiddag gaat hij naar het slachthuis.'

'Ik wil erheen...' zegt ze door haar tranen heen. We fietsen zo hard als we kunnen, want het slachthuis ligt buiten de stad.

We zijn op tijd. Pit wordt net voor het slachthuis uitgeladen; hij verzet zich hevig, zijn opengesperde neusgaten heft hij hoog in de lucht. Hij ruikt het. De mannen roepen er een derde helper bij, maar zelfs dan krijgen ze Pit niet uit de wagen.

'Laat hem met rust!' schreeuwt Elise, en ze loopt zelf naar Pit toe. Even lijkt het alsof ze op hem gaat springen en weg gaat galopperen; iets in zijn vermoeide lichaam houdt haar echter tegen.

'Kom maar schat, kom maar,' zegt ze, en hij volgt haar. Gedwee loopt hij nu het noodlot tegemoet.

Ze leidt hem de grote hal binnen en ik loop erachteraan.

'Wil je erbij zijn?' vraagt de slager vriendelijk. Het is niet de eerste keer dat hij een meisje ziet dat wanhoopt om haar paard.

Elise knikt en ik blijf naast haar staan.

De slager kijkt ons een ogenblik aan en sluit vervolgens de grote schuifdeur achter ons. Dan laadt hij het schietmasker en plaatst het op Pit. Elise staat naast hem en aait over zijn flank. Zonder ons te waarschuwen drukt hij de pin in en schiet hij door Pit zijn hoofd. Pit zakt door zijn benen en ligt nu op de grond.

De slager bukt zich en doet het halster af. Hij overhandigt het aan Elise. 'Jullie kunnen gaan, het is klaar,' zegt hij. Hij pakt de ketting die klaarligt op de vloer en maakt hem vast aan de achterbenen van Pit.

'Ik blijf,' zegt Elise en ik hou mijn adem in. De slager raakt in de war. Zulke meisjes kent hij niet.

'Kom, geen geintjes, meiden…' zegt hij vastbesloten. 'Dit is niet iets wat je wil zien.'

'Ik blijf,' zegt Elise nogmaals. De slager haalt zijn schouders op en begint het paard omhoog te takelen. Stadsmeisjes…

Langzaam lopen we achter hem aan naar de tweede ruimte. Er staat al een hulpslager klaar; met één beweging snijdt hij de halsslagader van Pit door. Het leegbloeden duurt niet lang, een paar minuten maar. Een weeïge geur stijgt op. Dan maken ze ook zijn voorste benen vast en takelen ze het paard recht.

'Wij gaan zijn hoofd eraf halen,' waarschuwt de slager. Elise geeft geen reactie. Met een verrassend gemak scheiden ze het hoofd van zijn lijf. Nu is het geen Pit meer.

Het paard wordt op de rug op een soort brancard gelegd, zodat de slachters er makkelijk bij kunnen. Een van hen hakt met een bijl in op de pezen aan beide achterbenen. Nu gaat er wel een schok door Elise heen, maar ze herpakt zich snel. Met een scherp mes maken de slagers een sneetje in de voorbenen en de achterbenen. Met twee haken maken ze de voorbenen aan de achterbenen vast. Nu trekken ze de benen naar elkaar toe, zodat ze vrije ruimte hebben bij de boeg en bij de achterhand en zodat er spanning op het vel staat.

'Ze gaan hem villen,' zeg ik, maar ik kan Elise niet meer beschermen. Ze staat daar, met haar ogen dicht, maar ik sper die van mij open en probeer elk detail in mijn geheugen op te slaan. Elise gaat ernaar vragen, later.

De luchtpijp en de slokdarm van het paard worden vrijgemaakt. Secuur wordt de huid aan beide kanten gescheiden van de rest. Zo komen ze uit bij de buik, en uiteindelijk bij de benen. Dan werken ze in de omgekeerde richting vanaf de billen van het paard.

Het vel bij de buik geeft niet makkelijk mee. De twee slagers zetten veel kracht om de huid los te rukken. Elise blijft onbewogen staan.

Het paard wordt opnieuw omhooggetakeld, aan de achterbenen en datgene wat er nog van zijn voorbenen over is. Het vel wordt er definitief af getakeld. De slagers pakken resoluut de voorbenen vast, trekken kundig het vel los en gooien het in een grote blauwe bak.

Schijnbaar uit het niets slaat de oudere slager hard in op

het bekken van het paard. Elise doet haar ogen open, maar ziet volgens mij nog niets. Vanuit de opening die hij zo gecreëerd heeft, snijdt de slager de buikwand door. De ingewanden komen naar buiten. De dikke darm van het paard is een flink stuk dikker dan mijn armen, misschien zelfs zo dik als mijn been...

De ingewanden hangen blijkbaar losjes in de buik, want met een snee of twee laat alles los; het valt in de blauwe container.

Voor ik het doorheb, is het karkas in twee holle helften gesneden. Beide stukken worden aan een haak ophangen en naar de koelcel vervoerd. Het hadden ook twee stukken koe kunnen zijn. Denk ik. Die heb ik alleen op televisie gezien.

Ik wijs naar de bak waar de ingewanden in zijn gevallen. 'Wordt dat nog ergens voor gebruikt?' vraag ik aan de slager. Ook dat zal Elise willen weten.

'Hondenvoer,' zegt de slager. 'Wangspier, longen en hart worden hondenvoer. Mager vlees, hè. Honden worden zo dik tegenwoordig...' vervolgt hij.

'Hé meisje,' zegt hij, en hij kijkt Elise doordringend aan. 'Weet je wel zeker dat dit jouw paard was?'

Elise kijkt op en het lijkt alsof ze ontwaakt. Ze kijkt naar de slager en naar de vloer die vol ligt met bloed, dan naar de slang die al klaarligt om de grond schoon te spoelen. Ze zegt nog steeds niks.

'Ja, het paard was van haar,' zeg ik.

'Alles wordt hondenvoer dus?' stel ik nog een laatste vraag.

'Nou, nee, het slachtafval verwerken ze tot diermeel en dierlijk vet.'

'Voor consumptie?' vraag ik door.

'Nee, dat wordt verbrand. Om energie mee op te wekken.'

Een beeld van een enorme oven met Pit erin doemt op

voor mijn geestesoog. Het zuur komt uit mijn maag omhoog en ik trek Elise naar buiten. We lopen dwars over de vloer die nog maar gedeeltelijk schoongespoten is. Volgens mij wordt deze vloer trouwens nooit echt schoon.

E: *Hondenvoer, hè? Dat is de reden dat hij dood moest? Voor een paar kilo hondenvoer?*

I: *Nee, eerder de 'opportunity cost', denk ik…*

E:?

I: *Pit laten leven was duurder dan hem laten sterven. Los van zijn bestemming tot hondenvoer…*

E: *Is dat het enige wat telt? De kosten volgens Homo economicus?*

I: *Daar lijkt het op, ja.*

E: *Armoede is machteloosheid.*

Eerst moet ik bijna lachen als ik dit lees, want wat weet Elise nu van armoede af? Het meisje met het grote huis. Het meisje met het paard. Maar ik schud die gedachte snel van me af. Want ze heeft natuurlijk gelijk. Armoede ís machteloosheid. Een reeks tragedies die voorkomen had kunnen worden met een grotere of kleinere kapitaalinjectie. Je kind verliezen aan een ziekte waar een vaccin van een paar dollar tegen bestaat. Niet naar school gaan, omdat je de bus niet kan betalen. Of je geliefde paard verwerkt zien worden tot hondenvoer, omdat je niet de dierenarts kan betalen…

E: *Jij zorgt er wel voor dat het gaat veranderen?*

I: *De wereld?*

E: *De absurditeit… Het onrecht…*

I: *Ja. Dat doe ik.*

Ik lieg niet eens, want dit is het enige in mijn leven wat ik zeker weet.

5

Het meisje dat leest.

Ze gaat de wereld redden, ja
De wereld is niet te redden, nee.

Weifelend zit ik met mijn schrijfblok op mijn bed met het schrift waarin ik ooit was begonnen te schrijven. Ik wil de gedichten vertalen naar het Nederlands. De laatste tijd schrijf ik juist uitsluitend in het Nederlands. Moest ik alles terug naar het Pools overzetten, of juist al de Poolse teksten naar het Nederlands?

'Ik heb nu zó'n vervelend huis...' hoor ik Cheyenne in de woonkamer tegen mama klagen, '... met echt zo'n kakmadam. Ik moet alles perfect recht neerleggen, het is algauw niet goed.' De groeven in haar gezicht zijn zichtbaar verdiept in de vijf jaar dat we haar kennen.

'O ja, dat ken ik...' zegt mama, maar ze is er met haar hoofd maar half bij. Mama werkt nu bij een bonbonmaker. Ze hoeft niet meer bij mensen te poetsen. De nieuwe baan doet haar goed: ze heeft al een tijd geen buien meer gehad waarbij ze dagenlang afwezig voor zich uit staart.

'Dan legt madammeke ook nog eens elke keer een gulden neer op de een of andere rare plek. Ergens onder het bed. Of in een hoekje. Kijken of ik het meeneem,' zucht Cheyenne.

'Volgende keer moet je er maar een gulden bij leggen,' lacht mama, terwijl ze zichzelf in de spiegel bekijkt. Ze maakt zich klaar om uit te gaan. Ze gaat iets drinken met Edyta, die weer een jaar van haar opleiding heeft afgerond. Aandachtig maakt ze zich op, zo mooi mogelijk wil ze zijn.

Ergens daar loopt hij rond.

'Wat zei de huisarts?' vraagt Edyta als ze binnenkomt om mama op te halen.

'O, het was niks. Opgezwollen melkklieren,' antwoordt mama luchtig, terwijl ze lippenstift op doet. Edyta kijkt mama onderzoekend aan.

'Ewa, misschien moet je toch maar even in het ziekenhuis langskomen. Mammografie laten uitvoeren. Voor de zekerheid.'

Mama wuift haar advies weg.

'Kan ik meteen ook laten zien waar de afdeling Radiologie is,' zegt Edyta. Haar droom komt steeds dichterbij; twee jaar moet ze nog maar. Ik ben blij dat mama de laatste tijd weer vaker met Edyta optrekt. Edyta komt telkens aan met nieuwe cursussen voor mama en mama denkt er nu zelfs over om een managementopleiding te gaan doen. Haar taal is nog niet helemaal goed, maar met haar aanstekelijke lach en daadkracht krijgt ze steeds meer coördinerende taken toegeschoven bij de bonbonmaker. Ze doet nu ook de inkoop.

Er zit vooruitgang in.

Het is een week later dat ik uit school kom en mama met rode ogen op de bank aantref.

'Ik heb kanker,' zegt ze.

Ik leg haar in bed, ga naast haar liggen en sla mijn armen om haar heen. Zij huilt en ik huil en voor even is het goed. Goed omdat er niks gezegd wordt.

Mama hoeft maar heel kort in het ziekenhuis te liggen. Twee dagen. Dan is haar linkerborst afgezet en komt ze weer thuis. Pas bij de laatste chemo valt haar haar uit. Het is de advocate, onze oude buurvrouw, die mama op de stoel in de keuken zet en de rest van het haar afscheert. Op haar gladgeschoren hoofd zet ik haar nieuwe pruik. De pruik is niet eens verschrikkelijk lelijk. Mama had al kort haar, dit model lijkt erop. Wel is de pruik erg warm. Ze krijgt ook een borstprothese. Haar borstprothese is op maat gemaakt, maar trekt door het gewicht telkens haar kleren scheef. Hij lijkt veel zwaarder dan de echte borst. Met haar nieuwe haar en nieuwe borst gaat mama weer op de bank zitten. Zelfs op een zonnige dag als vandaag wil ze binnen blijven. Ik zou willen dat ze iets tegen me zei, maar ze rookt alleen maar. Ze rookt meer dan ooit.

6

Het behang dat eens zo nieuw en wit was, is nu gelig. De vloerbedekking is hier en daar afgesleten en op de bank zitten verschillende schroeiplekken. De meeste bevinden zich rechts van de plek waar mama altijd zit. Steeds minder vaak zet ik de deur open. Een geurkaars of een wierookstokje aansteken doe ik ook niet meer, die zijn hier net zo zinloos als deodorant bij zweet dat al verzuurd is.

Soms kom ik bij mama zitten om televisie te kijken; meestal houd ik het niet zo lang vol. Zij kijkt alleen nog naar spelshows, een hele film is te veel gevraagd, ze raakt de draad kwijt of valt in slaap. Brian vergezelt haar bij het televisiekijken. Hij zit altijd in dezelfde stoel, links van mama.

'Waar ga je heen?' vraagt hij als ik de deur uit wil lopen. Ik verstijf, want dit gebeurt iets te vaak de laatste tijd. Het gevoel dat ik uitleg schuldig ben aan hem begint me steeds meer dwars te zitten.

'Nergens heen...' probeer ik zijn vraag te ontwijken. Ik zie nog net hoe mama haar wenkbrauw veelbetekenend omhoogtrekt. Ik loop de deur uit; het kost me alle beheersing die ik heb om niet te laten merken hoe woedend ik ben. Trouwens, ik gá ook nergens heen, dat wil zeggen, ik ga gewoon naar Elise. Bij stilzwijgende afspraak treffen we elkaar vooral bij haar thuis. Zij hoeft me niet uit te leggen waarom ze niet graag bij ons thuis komt, ik ben er zelf ook niet graag meer. De ziekte van mama is niet iets waar we veel over praten. Wel overhandigde ze me na een van haar zeldzame visites een gedicht van Dylan Thomas, een tekst die vrijwel meteen in mijn geheugen gegrift staat:

Do not go gentle into that good night,
Old age should burn and rave at close of day;
Rage, rage against the dying of the light.

Though wise men at their end know dark is right,
Because their words had forked no lightning they
Do not go gentle into that good night…

(Ga in die goede nacht niet al te licht.
De oude dag moet laaien en weerstaan;
Raas, raas tegen het sterven van het licht.

De wijze, die eens voor het duister zwicht,
Omdat zijn woord geen bliksemschicht kon slaan,
Gaat in die goede nacht niet al te licht.
(Vertaling Paul Claes)

Sindsdien denk ik elke keer, als ik langs mama loop: ga tekeer, mama, ga toch tekeer. Raas tegen het sterven van het licht.

'Ik kan een bed voor haar regelen? Dat ze beneden kan slapen?' biedt de advocate aan tijdens een van haar bezoeken. Ik zit op de leuning van de bank, zoals altijd wanneer ik bel. Mama zit er apathisch bij en lijkt pas bij het aanklikken van Brians aansteker te ontwaken en onze aanwezigheid op te merken.

'Nee, doe dat alstublieft niet… Ze moet in haar eigen bed, ze moet naar boven,' zeg ik, en de advocate begrijpt mij.

'Brian!' roept mama dan uit, lichtelijk opgetogen, 'ze heeft de verkeerde keuze gemaakt!' Ze wijst naar de kandidate van de zoveelste televisieshow. 'Ja. Stom,' grinnikt Brian mee en fixeert zijn blik weer op het scherm. Zo zal hij blijven zitten, totdat het laat genoeg is om naar huis te gaan.

Als ik naar mama en Brian kijk, weet ik dat Elise niet alleen wegblijft omdat ze slecht tegen de neerslachtige stemming van mama kan. Het is Brian die ze niet zo goed verdraagt.

'Die jongen is er altijd, Ida!' sprak ze me laatst nog verwijtend toe. 'Wat moet je met hem?'

Ondanks onze gereserveerde houding ten opzichte van Brian gaan we wel eens met zijn drieën uit, Elise, Brian en ik. Zo ook vanavond. Elise draagt geen paardenstaart meer, maar heeft haar haar korter geknipt. Niet echt kort, maar zo dat ze het los kan dragen. Ze heeft het ook paars geverfd. Ik heb hetzelfde gedaan met een pluk van mijn haar. Bij Elise staat het prachtig, het verdiept haar glans en geeft haar een mysterieuze gloed. Het effect op mijn blonde haar is verschrikkelijk: bij elke aanraking met water wordt de pluk doffer en doffer, tot hij een grauwe, pigmentloze kleur aanneemt.

We gaan naar de lievelingskroeg van Brian; hier wordt veel Biohazard en Rage Against the Machine gedraaid. De agressieve, beschuldigende toon spreekt me aan, meer dan eerst, toen ik het af en toe bij Brian hoorde. Elise vindt deze kroeg maar niks. Het publiek hier bestaat voornamelijk uit jongens met lang, ongewassen haar die allemaal een andere variant op hetzelfde zwarte shirt lijken te dragen; de meisjes dragen een piercing in de wenkbrauw, lip of tong. Hier kan Brian trots zijn nieuwste tatoeages laten zien. Een gedeelte van de vaste bezoekers is ouder, veertig, vijftig misschien, en houdt zich min of meer aan dezelfde kledingcode. De meeste mensen komen hier omdat ze zich buiten de maatschappij willen plaatsen. Of omdat ze buiten de maatschappij zijn geplaatst.

'Ida, we hebben iets voor je meegenomen,' zegt Elise. Ze deelt een samenzweerderig lachje met Brian en overhandigt een kartonnen doosje aan mij. Nieuwsgierig pak ik het aan.

'Voor je verjaardag!' roept ze er vrolijk bij. Nog niet zo lang geleden ben ik zeventien geworden, de gedachte om het te vieren was eigenlijk niet bij me opgekomen. Dat Elise en Brian me nu een cadeau geven, ontroert me.

Voorzichtig maak ik het doosje open. Er zit een beestje in: een ratje. 'Voor jou,' zegt Brian, en ik geef hem een zoen op zijn wang. Brian omarmt me, langer dan noodzakelijk, waarop Elise me betekenisvol aankijkt. Ik negeer haar en focus me op de inhoud van het doosje. Het beestje kijkt me vanuit zijn behuizing verschrikt aan. Voorzichtig pak ik hem of haar op. Het beestje is erg jong en lijkt zich voor altijd aan de mouw van mijn shirt vast te willen klampen. Van weglopen lijkt geen sprake. 'Hoe ga je hem noemen?' vraagt Elise. Een nieuw nummer galmt uit de speakers. 'Heideroosje!' roep ik uit en Brian moet hard lachen. Elise zet nieuwe biertjes neer en we proosten op de uitbreiding van ons gezelschap. Ik laat mijn vingers door het vachtje van Heideroosje glijden en zink weg in de zachte leuning van de bank.

7

'Hoe is het met de walvissen?' vraagt papa als ik hem weer spreek.

Het lijkt me nog steeds geweldig om erop uit te trekken en de enorme walvisschepen te bestrijden met mijn lans, maar eerlijk gezegd is Greenpeace een beetje op de achtergrond geraakt.

'Ik ben nog steeds vegetariër!' meld ik evengoed – trots, omdat ik er zelf niet zo zeker van was of ik het vol ging houden.

'Geen zorgen, dat gaat heus nog wel een keer over,' plaagt mijn vader me, maar ik lach niet mee. Hij was er toen niet bij, met Pit.

Naar mama vraagt hij nooit. Ik ben daar wel blij om.

'Hoe is het met je vriendjes?' vraagt papa dan. Gevoelig punt. Veel is er niet echt aan de orde. Elise heeft gelijk, waar ik ook heen ga, Brian gaat zowat altijd mee, en dat helpt niet. Onhandig lach ik papa's vraag weg.

'Ah, Ida, ik weet niet wat je daar allemaal uitspookt,' zegt papa. 'Maar onthoud één ding: als je het goed wil hebben met een man, moet je daar zelf voor zorgen.' Hij zwijgt even en vervolgt dan: 'Je moet echt helder vertellen wat je wil. Je moet het s-p-e-l-l-e-n. Eerlijk, mannen hebben geen idee.'

Ik luister.

'En dat geldt voor elk aspect van het samenzijn,' voegt hij eraan toe. Nu bloos ik.

'Heb je de laatste *De Wetenschap en het Leven* ontvangen?' verandert papa wijselijk van onderwerp. Ja, die heb ik al binnen. Het is een populairwetenschappelijk blad dat papa altijd leest. Bij elk bezoek aan Polen nam ik de gelezen exemplaren mee. Inmiddels heb ik een eigen abonnement van papa gekregen. Dankzij de munthervorming van de zloty kan papa het zich nu veroorloven om me dergelijke cadeaus te geven. Als ik papa spreek, nemen we soms de artikelen door. Het is geen stof die ik tijdens natuurkunde op school krijg.

'Die kwantumdeeltjes, pap, dat is toch waanzinnig?' Mijn opwinding is oprecht. 'Ze gedragen zich anders als je ernaar kijkt!' Er zijn ook niet zoveel mensen met wie ik dit kan bespreken. Papa. Elise. 'En hoe weten ze dan hoe die deeltjes zich gedragen als niemand naar ze kijkt?' ga ik door. Papa lacht.

Die nacht droom ik dat ik met dolfijnen zwem. Niet aan de oppervlakte van het water, maar diep in de zee. Ik zwem tussen twee dolfijnen in en ze nemen me mee, steeds dieper het water in. Het is diep, maar licht. De dolfijnen zijn nu heel dicht bij me, draaien om me heen, veroorzaken een draaikolk. Het is verrukkelijk en ook verontrustend. Ik laat me meevoeren, steeds dieper en dieper. Ik denk dat ik niet meer aankan, maar net als ik me los wil wrikken en hun omhelzing steeds sterker wordt, als ik vergeefs zoek naar iets wat ik kan grijpen om het draaien te stoppen, spuiten de dolfijnen omhoog. Met een ongekende kracht word ik de oceaan uit gespuwd. Ik doe mijn ogen open en merk dat het vochtig is tussen mijn benen.

Karim ontmoet ik in de stadsbibliotheek. Nog steeds kom ik hier graag. Het is de enige plek waar ik me niet bekeken voel, waar ik lucht krijg. Hij viel me al snel op, want ook hij komt hier vaak, altijd alleen. En net als ik zit hij vaak in de koffiehoek te lezen.

'Mag ik het lezen als jij hem uit hebt?' vraagt hij op een dag. Hij wijst naar mijn boek.

'Ja, is goed. Er zal toch niks nieuws in staan...' antwoord ik, en mijn wangen kleuren rood. Het boek in mijn hand is het zoveelste boek over het verdrag van Jalta. Ik was nog steeds op zoek naar een uitleg waarom de geallieerden Polen na de Tweede Wereldoorlog onder het bewind van Stalin hadden geplaatst. Tot nu toe was ik niet verder gekomen dan de ontdekking dat Roosevelt Polen heeft ingeruild voor Stalins toezegging aan de oprichting van de Verenigde Naties mee te werken. En voor zijn steun in de oorlog tegen Japan. Het verdrag van Jalta is het onderwerp waar we vanmiddag over praten, in de koffiehoek. We raken er niet over uitgepraat, niet na een uur, niet na twee uur. Lang nadat de ergste verontwaardiging over de Jaltatoestanden uit mijn stem is weggeëbd, luister ik naar zijn visie op hoe de Sovjet-Unie de loop van de geschiedenis van Europa en de rest van de wereld heeft bepaald. Ik knik, antwoord en vraag alsof mijn leven ervan afhangt.

Ondertussen neem ik de jongen met wie ik zit te praten op. De mengeling van verlegenheid en terughoudendheid met woede die van hem uitgaat intrigeert me, zorgt ervoor dat ik meer wil weten.

'Hoe heet je?' vraag ik als we bijna weggaan.

Hij aarzelt, alsof hij erover na moet denken, en zegt dan: 'Karim.'

'Waar kom jij vandaan?'

'Iran.'

'En hoe kom je hier? In Nederland?' vraag ik door.

'Dat doet er niet toe...' Hij schudt zijn hoofd. 'En jij? Hoe kom jij hier? Je lijkt zo... misplaatst!' Karim lijkt blij dat hij het goede woord gevonden heeft.

Bij de derde ontmoeting ga ik mee naar zijn huis. Hij blijkt maar een paar straten bij me vandaan te wonen. Zelfs Elise weet niets van mijn nieuwe vriendschap; ik wil het met niemand delen, erover praten zou het alleen maar bezoedelen. Eenmaal in zijn huis maakt Karim zoete thee voor mij. Zijn huis is een kleine, lege studio. Een kleine boekenkast. Een televisie. De ruimte lijkt voornamelijk gevuld door zijn bed. We zitten op zijn kleed en ik ga op in de rust en de stilte van zijn huis. Geen harde muziek. Geen televisie die aanstaat. We drinken de thee op, meer thee dan nodig is om onze dorst te lessen.

Pas als ik wegga, zoent hij me in zijn kleine hal. Het zoenen gaat goed. Al snel gaat er een heftige siddering door zijn lichaam, en hij duwt me weg. Ik denk dat ik weet wat er gebeurd is, maar wat ik moet doen weet ik niet. Helemaal klaar ben ik hiervoor echter niet.

'Tot morgen,' zeg ik.

'Tot morgen,' zegt de jongen die niet zijn echte naam vertelt.

We zien elkaar regelmatig in de dagen en weken erna. Het voelt vreemd om mijn huis te verlaten, met Brian er nog in. Vaak zit hij daar, naast mama in de huiskamer, maar commentaar krijg ik niet meer. Mama vraagt zelden waarheen ik ga en met wie. Haar blik laat de televisie hoogstens los om haar asbak op te zoeken en Brian lijkt moeiteloos te passen in dit decor. Karim en ik spreken alleen af bij hem thuis. Ondanks het feit dat niemand, mama niet en Brian ook niet, aan me vraagt waar ik precies heen ga en met wie, ervaar ik tijdens mijn wandeling naar Karim altijd een bepaalde nervositeit. Een overstekende voetganger, een auto die de hoek passeert: er is weinig voor nodig om me op te laten schrikken. Zo moet een schichtig mens zich voelen, besef ik, en ik erken deze schaamte, dat gevoel van gêne dat me nooit overvalt als ik bij Brian op bezoek ga.

Ik heb heel sterk het gevoel dat als ik mijn tijd met Karim niet kwijt wil raken, ik dit met niemand moet delen, zelfs niet met Elise. Eerst is er nog zoveel dat ik over hem wil weten. Over zijn land van herkomst, Iran, zegt Karim dat het letterlijk het 'land van de Ariërs' betekent.

Op een kaart in zijn atlas wijst hij de Kaukasus aan. 'Kijk Ida, zie je dit gebergte?' vraagt hij. 'Let maar op, als ze in Amerikaanse films naar blanken verwijzen, hebben ze het nog steeds over een *Caucasian.*'

Dat is inderdaad zo. Maar hoe de nazi's ooit van Karim een blonde Duitser hebben willen maken, zal ik nooit begrijpen.

Karim heeft twee diepe littekens over zijn linkerzij lopen. De randen van zijn littekens zijn rafelig, de wonden zijn nooit gehecht. Misschien dat ik ooit zijn echte naam hoor. Misschien dat ik ooit zijn land bezoek.

Van zijn land ken ik alleen Teheran. En ook de plek Isfahan, uit het gedicht over de Tuinman en de Dood. Op de kaart in zijn atlas zoek ik iets anders. Twee keer is Karim nu naast me in slaap gevallen en telkens zegt hij hetzelfde woord in zijn slaap: 'Karbala.' Het is nog te vroeg om ernaar te vragen.

Karim neemt de atlas uit mijn hand en legt me voorzichtig neer. Hij doet mijn T-shirt uit, wrijft met zijn hand over de zachte stof van mijn bh. Zijn opwinding is hij nog steeds niet de baas: nog voordat hij de kans krijgt mijn broek, laat staan mijn slipje omlaag te trekken, gaat de siddering weer door zijn lichaam heen en laat hij zich in mijn armen vallen. Uiteindelijk zal ik wel wennen, denk ik, als ik zijn haren streel.

Na een gelukzalige tel, of een gelukzalig kwartier, of een uur, open ik mijn ogen – en ik word getroffen. Hij kijkt me aan, misschien al een hele tijd. Hij kijkt me aan van onder zijn toegeknepen ogen; door zijn dikke wimpers heen kan ik nog net in zijn ogen kijken. Zijn blik is totaal anders dan de uitdrukking in mijn eigen ogen als ik in de spiegel kijk. Waar ik mijn lichaam als een verzameling welvingen zie, die in niets lijkt op de foto's in de tijdschriften – ik zie iemand die afwijkt – kijkt hij me aan met de blik van een man die de mooiste vrouw aanschouwt.

Hij legt zijn hoofd op mijn buik en blijft nog een hele tijd zo liggen, totdat ik naar huis moet. Loom wrijft hij over mijn buik, heupen, benen. Op mijn beurt streel ik zijn hoofd, zijn haar.

In me vindt een verschuiving plaats; de deeltjes spinnen, tollen.

Vandaag heeft Karim me mooi gemaakt.

Die avond, als ik Karims huis verlaat, merk ik dat er iemand staat aan de overkant van de straat. Het is Sandra, mijn buurmeisje. Ze staat er niet zomaar, ze wacht. Een onaangenaam gevoel overvalt me; het is nooit meer goed gekomen tussen ons na het heitje voor een karweitje-incident. Ik recht mijn rug en kijk haar strak aan. Ik dwing mijn lichaam in een houding die moet uitstralen dat hier niks verkeerd gebeurt.

Het bijzondere aan een rechte rug is, dat het werkt. Er zijn oorlogen mee gewonnen. Voorwaarde is echter dat je rug helemaal, honderd procent, recht moet zijn. Het komt op millimeters aan.

Het lukt me niet.

Triomfantelijk kijkt Sandra me aan en zet het op een lopen. Ze rent richting onze straat. Ook ik loop erheen, met zware stappen maar vol berusting. Minuten later dan zij bereik ik mijn straat. Het is een warme avond, de plastic stoeltjes staan buiten, Sandra staat er middenin. Hoewel ik weet dat er iets komen gaat, kies ik ervoor om niet te wijken, niet verder dan nodig langs ze heen te lopen. Ze laten me. Het is pas op het moment dat ik de sleutel in het slot van mijn deur steek, dat het groepje jongeren dat zich om Sandra heen heeft verzameld roept: 'Poolse hoerrrr!'

Alles heeft een prijs.

De volgende dag al sta ik weer voor zijn deur. Mijn dromen zijn alles wat ik nog heb en vandaag is het de beurt aan de droom over de dolfijnen. Toegeven aan de meute staat gelijk aan een niet recht gehouden rug.

Eenmaal in het huis van Karim leg ik mijn handen op zijn rug en trek hem naar me toe. Even zijn we alleen, de buitenwereld is er niet. Het is zijn vraag die mijn concentratie verbreekt.

'Heb je het aan je moeder verteld, van ons?'

'Mama? Nee.' Ze vroeg er niet naar, en had ze het wel gevraagd, dan had ik gezwegen. 'Hoezo?' vraag ik. Hij heeft mama nog nooit gezien.

'Laatst zag ik haar, samen met jou. Jullie stonden bij de supermarkt.'

Meteen weet ik wanneer het moet zijn geweest. Ook zie ik wat hij gezien heeft. Een vrouw met een lege blik in haar ogen, met een doos aardbeien krampachtig tegen zich aan. Daar leeft ze op, sigaretten en aardbeien. Als ik haar zachtjes tegen haar schouder duw om haar te manen dat we verder moeten, reageert ze boos, met het wegtrekken van haar schouder en een 'laat me met rust'.

'Ik ben bang voor die vrouw,' zegt Karim.

Vol ongeloof kijk ik hem aan. Hij lijkt serieus. Zonder dat er een bewuste gedachte aan voorafgaat, verliest mijn omhelzing haar kracht.

Weer is alles verschoven. Ik laat hem alleen op zijn kleedje achter.

8

'Zin om uit te gaan? Vanavond?'

'Moet ik langskomen?'

'Nee. Ik zie je wel in de stad.'

Dezelfde avond nog zit ik met Brian in onze stamkroeg. De muziek uit de boxen klinkt harder dan ooit. Brian heeft nog net de glazen op de tafel kunnen zetten als ik hem vol op zijn mond zoen.

Hij is te verbaasd om adequaat te reageren.

'Ida, wat...' Pas als ik buiten sta merk ik dat Brian achter me aan is gelopen.

'Ik wil niet naar huis,' zeg ik alleen maar, zonder hem aan te kijken. Ik leun tegen de muur en staar naar mijn schoenen.

'Kom bij mij... Ik ben alleen thuis dit weekend.' Ik knik.

Het is alsof ik voor het eerst bij hem thuis kom. De kleren die door zijn huis verspreid liggen en de vieze borden en glazen die her en der in de huiskamer staan, raken me. In dit huis hoort geen troep. Bijna krijg ik medelijden met zijn moeder, misschien wel met het huis zelf.

'Wil je Safari?' vraagt Brian. Ik kijk hem verbaasd aan. 'Is voor een feestje morgen,' zegt hij, verontschuldigend. Hij lijkt bijna verlegen, weet niet zo goed wat hij met me aan moet. Alsof ik elk moment weg kan lopen. Hij schenkt twee glazen in, doet er jus d'orange bij en geeft mij het volste glas. Zijn hand trilt. Ineens komt het besef dat ik hem waarschijnlijk al talloze keren heb afgewezen, zonder het te weten. Het zou beter zijn om weg te gaan. In plaats daarvan aanvaard ik het glas en neem een flinke slok. En nog een.

Brian neemt me mee naar zijn kamer. Ik blijf bij de deur staan, wacht tot Brian muziek aan heeft gezet. Eenmaal op zijn eigen terrein herpakt hij zich; zijn bewegingen zijn zekerder nu.

Hij zoent me op mijn mond. Eerst zacht, dan krachtiger als hij merkt dat ik me niet terugtrek. Hij leidt me naar zijn bed waar hij me ooit, bij onze eerste ontmoeting, al eens op heeft gelegd.

'Ida,' begint hij. 'Ida, ik heb dit altijd gewild, weet je?' zegt hij. Hij duwt mijn T-shirt omhoog en zoekt met zijn handen, terwijl hij me nog steeds zoent. Er zit geen loomheid in zijn gebaren, en ik, ik voel geen enkele opwinding. Die is weg, spoorloos verdwenen. Brian kleedt me uit in een paar minuten, nee, seconden – zoveel haast, geen opening laat hij voor mij om weg te gaan.

Zijn huid is ruwer dan die andere huid, minder warm ook. Ik sluit mijn ogen en laat hem begaan. Ik ben er niet, ik voel niets. De tranen verrassen mij, ik merk ze pas op als ik ze proef. Ik draai mijn hoofd opzij, misschien ook mijn schouder, wil mijn verdriet verbergen. Brian interpreteert het anders; hij draait me op mijn buik en komt achterlangs binnen. Het voelt niet goed, maar ik laat niks merken, blij als ik ben dat ik ongemerkt kan huilen.

'Ida, ik hou van jou...' fluistert Brian. Hij heeft me nog

steeds van achter vast, is nog steeds in mij, maar het is klaar. Ik zwijg, er is niks wat ik wil zeggen. Hij draait me weer naar zich toe en ziet mijn betraande gezicht.

'Gaat het?' vraagt hij geschrokken.

'Vrouwen,' zeg ik schouderophalend met een glimlachje.

'Nee, geen dolfijnen,' zeg ik de volgende dag tegen Elise aan de telefoon.

'Het wordt beter na de twaalfde keer,' zegt Elise overtuigd. Zij is verder met dit soort dingen en kan het weten. Ik denk na. Het kan wel kloppen, van die twaalfde keer.

'Maar twaalf keer, dan is het niet meer vrijblijvend...' denk ik nu hardop. Elise mompelt iets bevestigends. Van de andere kant: misschien is het nooit vrijblijvend geweest...

Ik schud mijn hoofd. Het zal nooit tot de twaalfde keer komen.

Dan hoor ik de zware voetstappen van mama die de trap af komt.

'Waar was je?' vraagt ze als ze weer op de bank zit.

'Bij Elise, dat weet je toch?'

'Wie was het deze keer?' vraagt ze me alleen maar.

De haat die ik voel is zo sterk dat ik weg moet lopen, wil ik het niet uitschreeuwen.

Achter me hoor ik hoe ze naar de keuken sloft om haar medicijnen te pakken.

Ze slikt medicijnen tegen zowel de depressie als de duizend verschijnselen die met de kanker samengaan. De medicijnen maken haar suf, laten haar opzwellen. Er zit niks bij dat haar laat leven.

Op de bank ligt ze meer dan dat ze zit.

Als Brian later op die dag binnenkomt, lijkt hij van de sfeer geen last te hebben. Hij gaat op de bank zitten, zelfde plek als altijd. Een visioen overvalt me: Brian die niet langer bij ons op de bank zit, maar op de eerstvolgende dag dat de zon schijnt onze televisie naar buiten tilt en daar, met een biertje in zijn hand, gezellig een voetbalwedstijd kijkt. Als hij mij naar de keuken volgt en me vast wil pakken, schud ik mijn hoofd.

'Het gaat niet werken, Brian.'

Gekwetst blijft hij me aankijken. Zijn aanwezigheid is ineens ondragelijk.

'Ga weg,' zeg ik. 'Nu.' Mijn blik is duister en kil.

Hij draait zich om en stormt het huis uit.

'Komt Brian niet meer?' vraagt mama na een week of twee.

'Nee, hij komt niet meer.'

'Wat heb je hem aangedaan?'

Er is werkelijk niks meer wat ze kan zeggen zonder dat ze me van slag maakt. We zwijgen of schreeuwen, tussenin is er niks.

Ik ontloop mama zoveel als ik kan.

Alleen de avonden brengen we met zijn tweeën door, als haar medicijnen hun versuffende werk doen en mama niks meer zegt. Zij kijkt naar haar programma's en ik zit erbij met een boek of schrift. Zelfs op de avonden dat het nog lang licht blijft buiten, zitten we binnen.

Wat haar vriendinnen betreft, heeft mama de laatste tijd een sterke voorkeur ontwikkeld voor Cheyenne. Edyta en de advocate zitten te vol met plannen voor hun eigen leven, of te vol met het leven zelf. Cheyenne praat nooit over een baan die ze zou willen hebben of over een opleiding die ze zou willen volgen. Ze kijkt ook nooit afkeurend naar mama's sigaretten, maar rookt met haar mee. Haar gesprekken gaan over zaken als het wel of niet krijgen van een nieuwe wasmachine via de sociale dienst.

'Ewa, lees je dit even voor mij?' vraagt Cheyenne aan mama. Het is de brief die uitsluitsel moet geven over de beslissing.

'Het is gelukt, Cheyenne! Je krijgt vijfhonderd gulden voor een nieuwe wasmachine!' zegt mama blij en geeft haar de brief terug. Cheyenne pakt de brief aan en kijkt er met niet-begrijpende ogen naar. 'Krijg ik vijfhonderd gulden? Want ik moet ook nog kleren voor de kleintjes kopen. En misschien weer eens naar de kapper...' Dromerig kijkt ze voor zich uit.

Voorzichtig pak ik de brief uit haar handen. 'Het is *maximaal* vijfhonderd gulden,' zeg ik, 'en je moet de kosten daadwerkelijk gemaakt hebben.' Cheyenne kijkt ons geschrokken aan. Was het echt de bedoeling dat ze alleen een wasmachine kocht?

'Ida, schei toch uit.' zegt mama. 'Maak je geen zorgen, Cheyenne, je kan dit bedrag ook gewoon als voorschot halen en dan kan je ermee doen wat je wil.' Ze kijkt me minachtend aan. Jij snapt er niks van, zegt haar blik.

'Maar dan moet ze daarna alsnog de bon laten zien,' probeer ik voet bij stuk te houden. Cheyenne zou niet de eerste zijn met schulden bij de Sociale Dienst, naast de 'normale' schulden bij de Wehkamp waar de halve straat mee te maken heeft. Cheyenne lijkt me niet meer te horen en kijkt gelukzalig naar de brief in haar hand.

Amper twee weken later worden we opgeschrikt. We horen luid gebonk en de achterdeur wordt opengesmeten. Het is Cheyennes vriend, de vader van haar eerste kind, die de woonkamer komt binnengestormd.

'Waar is ze?' roept hij dreigend, 'waar is godverdomme dat kankerwijf?' We schudden ons hoofd, we weten het niet. Hij staart ons aan met opengesperde ogen; zijn pupillen zijn onnatuurlijk groot. Dan is hij weg, zo snel als hij gekomen is. Mama en ik kijken elkaar vol ongeloof aan: was dat nou een pistool in zijn hand?

Kort hierop verhuist Cheyenne, aan geen mens vertelt ze waar naartoe.

De avonden worden nog monotoner, zonder Brian en zonder Cheyenne die onaangekondigd binnenvalt. Mama lijkt vergroeid met de bank. Vaak gaat ze niet eens meer naar boven om in haar bed te slapen.

'Ida, dat bed, dat kan ik nog steeds regelen,' oppert de advocate als ze weer eens langskomt. We staan in de keuken, waar ik de afwas doe.

'Ja, misschien moet dat maar...' geef ik toe, en ik voel hoe de kracht uit mijn schouders vloeit. Ik leun tegen de zijkant van het aanrecht en het water van mijn natte handen druppelt op de grond. Ik doe het kastje onder de wasbak open om een dweil te pakken en de vloer te vegen, maar eenmaal op mijn hurken kom ik niet meer omhoog. Ik ga op mijn knieën zitten en huil.

'Het is goed, Ida. Het is gewoon makkelijker zo...' troost de advocate mij. Zacht trekt ze me omhoog en tegen zich aan. 'Het is beter zo,' neemt ze uiteindelijk het besluit voor mij.

Als mama 's avonds in haar nieuwe bed is weggedoezeld en de televisie eindelijk uit kan, ga ik zitten aan de tafel waar alleen ik nog aan zit, en ik schrijf. Soms schrijf ik hier een brief aan papa, of een kaart aan mijn neef Andrzej. Vanavond lijkt de stilte extra geladen. Een tijdlang kijk ik naar Heideroosje, die over de tafel dribbelt op zoek naar stukjes brood of andere kruimels. Uiteindelijk geeft ook zij het op en kruipt ze in mijn zak, waar ze zich oprolt en in slaap valt. De stilte wordt alleen nog verstoord door het zware, onregelmatige ademhalen van mama.

Als vanzelf vormen de woorden zich op het papier:

Eens zat ik in een stoel gebogen
in een kamer waar een walvis sliep.
En niets hielp, ze werd niet wakker,
zo genadig was haar vriend, O. Xazepam.

Ze gaf nog geregeld haar concerten,
maar, helaas, de zaal was leeg.
Wie luistert graag naar de onafgemaakte klanken
van een toch niet echte vis?

En ze miste, o, ze miste,
wat verging ze van de pijn.
Niet eens weten wat er scheelde,
wat ontkende ze haar kwijn.

Ze gelooft niet in rivieren,
met daarachter de oceaan,
mocht die er zijn, waarom dan,
kwam die niet, zei haar traan.

Liefste walvis, zei ik teder,
je moet echt in de rivier.
In het nat zijn is jouw wens,
über-drijfveer van de walvispens.

De walvis kijkt afkeurend,
slechts voor een tel haar ooglid heffend.
'Mijn grootste vijand, dat is wel land,
en jouw zee bedekt slechts zand.'

Dit gedicht stuur ik in voor een Vlaamse gedichtenwedstrijd. Ik win; de prijs bedraagt vijftig gulden. Zowel over het geld als het gedicht vertel ik niks aan mama.

Het gedicht verstop ik tussen mijn dagboeken en andere papieren in de kist met de Poolse koningen erop. De beschrijving hoe ik mijn prijs kan innen, gooi ik weg. Hier hoef ik geen geld voor te hebben.

Slechts één keer ga ik weg in deze periode, en dat is om het gouden huwelijk van mijn grootouders te vieren. Edyta en Jarek nemen tijdelijk de zorg voor mama over.

Ik ben bijna klaar om met gepakte tassen de deur uit te gaan als de bel gaat. Een harde, schelle bel. Ik verwacht onze vrienden, maar het is Brian. Hij ziet er moe uit.

'Ida...' begint hij, en hij doet een stap naar voren. 'Ida, ik... Wat heb ik verkeerd gedaan?' Zijn pijn is niet om aan te zien.

'Als je niks van me hoeft, waarom kwam je dan naar me toe?' Zijn ogen worden rood. Mijn wangen gloeien. Ik schaam me, ik zou willen dat ik er voor hem kon zijn.

'Misschien... zouden we weer vrienden kunnen zijn?' Ik hoor het mezelf zeggen en ik haat mezelf.

'Vrienden?' Opeens staat hij heel dichtbij en pakt mijn beide handen. 'Vrienden?'

Hij kijkt me aan zonder mijn blik los te laten.

'Ik dacht, als ik nou lang genoeg wacht, dan wil ze me. Ik was gelukkig, die nacht. Ik was gelukkig de dag erna...'

Ik zwijg.

'Stelde het voor jou iets voor?' Dan ineens wordt hij woedend. 'Wie ben jij!?' schreeuwt hij en duwt me hard van zich af.

Ik weet zeker dat dit gesprek heel goed te volgen is in de woonkamer, ook al is de deur dicht. Mijn zwijgen maakt hem nog woedender. Mama komt in de deuropening staan en neemt Brian en mij in zich op. Haar houding verraadt... wat? Geen bezorgdheid, wel iets van afkeuring...

'Je bent erger dan je moeder, Ida!' schreeuwt Brian. Dan ineens is het alsof ik weer adem krijg. Het medelijden dat ik met hem had, is weg.

'Ga weg, Brian,' zeg ik rustig. Ik wil me omdraaien, maar om de kamer in te lopen, zou ik langs mama moeten. Zij kijkt bijna geamuseerd; ik vat het op als vreugde om het onvermogen van haar dochter.

Edyta en Jarek komen binnen. Jarek is degene die me

wegbrengt naar het busstation; Edyta zal op deze eerste avond dat ik weg ben voor mama koken. Zwijgend pak ik mijn tassen op, en zonder Brian of mama aan te kijken loop ik het huis uit.

We lopen naar de auto van Jarek.

'Gedoe met vriendjes?' vraagt hij.

'Fijn dat jullie voor mama willen zorgen,' zeg ik alleen maar.

'Geen probleem.'

'Hoe gaat het met je, Ida?' waagt hij toch nog een poging als we in de auto zitten.

Ik zwijg. Terwijl dit is wat ik het liefst wil, deze vraag.

'Ik wou dat ik kon zeggen dat het ooit beter wordt,' zegt Jarek weer een tijd later. Ik weet niet of hij het over Brian heeft of over het leven in zijn geheel. Ik knik.

Hoe zou zijn leven met Edyta eruitzien? Ze lijken me geen koppel voor wie liefde een issue is – niet de romantische liefde in ieder geval. Wat hen bindt is Teodor, het kind dat moet blijven leven. Het beste koppel dat ik ken, met een schoon huis waar het lekker ruikt, en zonder ruzie. Geen ruzie waar ik bij was in ieder geval, en dat is goed genoeg. Misschien is een gezamenlijke liefde voor een ander wel de succesformule voor een langdurig, succesvol verbond. Of de gezamenlijk gevoelde verlatenheid, denk ik, en de herinnering aan zoete thee doemt weer op.

Eén seconde schenkt dit inzicht voldoening. Er is zoveel dat ik niet weet over geluk.

'Je bent geen kind meer. Met het echte leven komen de verantwoordelijkheden,' gaat Jarek dan verder. Er gaat een steek door mijn hart, al weet ik dat Jarek dit niet zegt om mij te kwetsen. Het zijn maar een paar dagen dat ik weg zal zijn. Ik heb spijt dat ik ze gevraagd heb om voor mama te zorgen.

'De grootste verantwoordelijkheid is die voor je eigen leven,' zegt hij dan. Verbaasd kijk ik naar hem op.

'Je moet je eigen leven leiden. Anders kun je niemand gelukkig maken,' gaat Jarek door. 'En anders kan niemand ook jou gelukkig maken.' Deze keer kijkt hij even opzij, om te kijken of ik het wel goed gehoord heb.

'Maar… hoe weet je dan wat je wil?'

Jarek lacht. 'Dat kan inderdaad een tijdje duren, voordat je daar helemaal uit bent. Maar vaak weet je wel wat je níét wil. Begin daarmee,' eindigt hij serieus. Ik knik. We rijden onze straat uit, passeren het huis van Brian, rijden de wijk uit en laten uiteindelijk Maastricht achter ons.

Het inladen van de bagage in de bus gaat een stuk minder chaotisch in z'n werk dan in voorgaande jaren. Mensen nemen veel minder mee. Het is niet langer noodzakelijk voedsel of andere waren van het ene land naar het andere te verslepen. Ook is de stoel naast me leeg, het summum van luxe in de wereld van het reizen met de bus. De bus is gevuld met jongeren en vrouwen. De mannen van middelbare leeftijd hebben bijna allemaal een auto. Waarschijnlijk geldt dat ook voor steeds meer vrouwen, maar willen die de lange autorit niet alleen met de kinderen maken. Voor de rest zie ik vooral ouderen.

Bij de grensovergang lijkt de gretigheid waarmee wordt aangevallen op Poolse snacks, schnitzels en koteletjes eveneens afgenomen. Het bijzondere is ervan af.

'Wat wordt het, juffrouw?' vraagt de dame achter de kassa. Ik ben de eerste in de rij.

'Hebben jullie ook bigos zonder vlees?' vraag ik.

'Zuurkool bedoel je?'

'Nou, nee…' mompel ik. Geen zuurkool. Bigos. Onmogelijk natuurlijk, goede bigos bestaat minstens voor de helft uit varkensvlees en spekjes. Bij echt goede bigos is het zoeken naar zuurkool, zei opa altijd.

'Tomatensoep, zit daar vlees in?' probeer ik dan maar.

Ze trekt haar wenkbrauw op. Tuurlijk zit er vlees in, het

wordt getrokken van een groot bot, dat weet ik wel. Iemand duwt in mijn rug, er wordt gekucht.

'Salade?'

'Ja, salade hebben we zeker. Met kip of ham?' vraagt ze. Haar stem klinkt vrolijker, ze denkt bijna van me af te zijn.

Ik laat mijn stem dalen, in de hoop dat de omstanders me niet kunnen horen.

'Is er ook iets zonder vlees?'

Even kijkt ze me niet-begrijpend aan. Over mensen als mij heeft ze wel eens gehoord, zie ik in haar blik, maar ik ben de eerste die ze in het echt tegenkomt.

'Ja, ja, we hebben iets!' zegt ze na een korte denkpauze. 'Het ontbijtmenu. Brood met kaas en roerei.'

'Die neem ik!' zeg ik opgelucht. Roerei als avondeten wordt het dus. De mensen achter mij ontspannen zich. Ik schuif naar het einde van de balie, waar mijn dienblad al gevuld wordt. Twee sneetjes brood, twee plakjes kaas, een blokje boter in zilverfolie. Als laatste komt het bord met roerei. Roerei dat je tussen de royale hoeveelheden meegebakken spek en ham vandaan moet vissen. Ik ga zitten op een hoge kruk bij de bar en een voor een schuif ik de stukjes vlees opzij.

Weten wat je wél wil, is minstens net zo belangrijk als weten wat je níét wil, besluit ik als ik uiteindelijk het nog bijna volle bord weg moet schuiven. Nog steeds hongerig zoek ik in mijn tas en vind een sinaasappel. Ik ruik eraan en besef dat het lang geleden is dat ik droomde van de landen waar deze vruchten groeiden. Dat ik er zo van overtuigd was dat de wereld aan mijn voeten lag.

In Poznań aangekomen leg ik het ene bliksembezoek na het andere af.

'Thee, lekker.'

'Dank je, ik zal het water aan mama geven.' In elk huis is er wel iemand net in een van de vele sanatoria van Polen geweest, die allemaal voorzien zijn van waterbronnen met een geneeskrachtige werking. Het water is steevast verpakt in een blauw plastic flesje in de vorm van Moeder Maria.

'Nee, ze doet het goed, ze is aan het herstellen,' zeg ik telkens tegen een andere groep ernstig kijkende familieleden en kennissen.

'Ja, ik moet jullie ook de groeten doen van mama.'

'Zeker, ik zal de groeten aan mama doorgeven.'

'Nee, dank je, geen honger, net gegeten.'

'Mijn bus? Die vertrekt overmorgen.'

'Nee, kan niet langer blijven. Ik moet naar school, en mama...'

'Wat? Nee, dank je, ik hoef niks...'

'Of ik nog een keer langskom? Nou, mijn bus...'

'Thee, ja, thee lust ik nog wel.'

'Ja, ik doe haar de groeten.'

'Ja, misschien een stukje kwarktaart, echt een héél klein stukje.'

'Nee, ze heeft nog steeds geen vriend, nee.'

'Ja, ik doe haar de groeten.'

'Ja, thee... of nee, doe eigenlijk maar koffie.' Ik onderdruk een geeuw.

'Nee, dank je, heb net een stuk gehad.'

'Dapper? Ze laat het over zich heen komen, ja...'

'Wat? O, soep... Ik heb al soep gehad...'

'Zeker, de gezondheidszorg is erg goed in Nederland...'

'Het was een groot bord soep, ik hoef echt niks...'

'Op school gaat het goed, dank je.'

'Vriendje? Nee, ik heb geen vriendje.'

Dat is dag één van mijn bezoek en ik heb nog iets meer dan een etmaal te gaan. Morgen zal in het teken staan van de gouden bruiloft van mijn grootouders. Uitgeput kom ik bij papa aan, met in mijn hand een halve kwarktaart.

'Het gaat goed met iedereen,' zeg ik nog voordat hij iets

kan vragen. Met een diepe zucht ga ik zitten. We zitten in de keuken, zoals altijd. Hier lijkt de tijd stil te staan. Het versleten zeil op de vloer ken ik nog erg goed uit mijn kindertijd, de streepjes bij de deurpost zijn de stille getuigen van mijn groei, althans, tot mijn achtste levensjaar. De kolenkachel is net gestookt door papa; ik ga er met mijn rug tegenaan zitten. Lekker. Het is vooral zalig dat papa me niks vraagt en niks te eten geeft. Ik weet hier de weg, als ik iets wil, pak ik het zelf wel, of vraag ik wel om een bordje van de bietensoep waarvan de geur de hele keuken vult. De soep is speciaal voor mij, vermoed ik; het is een van de weinige soepen die papa zonder vlees kan maken. Hij is de enige die ik openlijk over mijn voornemen om vleesloos door het leven te gaan heb verteld, en hij maakt er geen probleem van. Echt serieus nemen doet hij het evenmin.

Mijn aandacht wordt getrokken door de stapel boeken op de keukentafel. Deze verlaten meestal nooit zijn kamer.

'Ik ga verhuizen,' zegt papa als hij mijn blik volgt.

'Verhuizen?' Hij knikt. Op zijn leeftijd de keuken en de badkamer met huisgenoten delen, dat gaf geen pas. Huizen delen, dat deden alleen nog bejaarde mensen en studenten die in een andere stad studeerden.

Het zou beter zijn als hij hier bleef.

'Fijn...' mompel ik. Zonder het te vragen kan ik raden waarheen hij gaat verhuizen: naar een van de woningen in de grijze flatgebouwen om het centrum heen. Misschien in de buurt van mama's huis, dat verhuurd wordt. Waarschijnlijk komt hij in een klein flatje terecht, met één, hoogstens twee slaapkamers.

'Opa en oma zijn morgen vijftig jaar getrouwd...' zeg ik uiteindelijk maar, omdat het me blijft verbazen. Dat uitgerekend dát niet verandert...

'Tjee, Ida, je kan aan alles wennen in het leven. Zelfs aan een wrat op je bips raken mensen soms gehecht,' beantwoordt papa laconiek mijn onuitgesproken vraag.

'Is dat het? Gewenning?'

'Dat, en de schijn ophouden.'

'Wat zou er moeten gebeuren om ze uit elkaar te krijgen?'

'Meer dan je denkt...' zegt papa ernstig. Dan kijkt hij me onderzoekend aan.

'Van de andere kant is het ook weer zo dat zelfs de sterkste liefde niet tegen alles bestemd is, kleintje,' zegt hij weemoedig, en hij aait me over mijn hoofd.

'Jij en mama?' Die zachtheid in zijn stem, als ik denk dat hij over mama praat, zorgt ervoor dat ik nog steeds niet snap waarom hij is weggegaan.

'Soms gebeuren er dingen. Dingen die mensen veranderen...' begint papa. Ik hou mijn adem in, bang om het moment te verstoren. Hij verzinkt in zijn gedachten.

'Wat is er gebeurd?' probeer ik, maar terwijl ik de vraag stel, voel ik dat ik niks meer ga horen vandaag.

'Mama is erg ziek...' probeer ik op mijn beurt het onbespreekbare op tafel te leggen.

'Het was toch goed gegaan? Met de operatie en zo?' vraagt papa bezorgd. Ik knik, maar ik wil juist vertellen dat er ook iets anders met mama aan de hand is. De depressies. Het gevoel dat ze ergens anders is. De momenten waarop ze me lijkt te haten. De momenten dat ik haar haat.

Ik kijk naar papa, probeer te peilen wat hij met die wetenschap zou doen.

'Moet ik je helpen met inpakken? Ben hier nou toch...' zeg ik maar en neem een stapeltje in mijn handen van de boeken die op de keukentafel liggen.

Bovenop ligt een verschoten boek. *De rebellie* heet het. 'Reymont?' vraag ik verbaasd. Van dit boek heb ik nog nooit gehoord. Eigenlijk was ik de laatste jaren de interesse voor de Poolse literatuur grotendeels verloren; ik lees nu voornamelijk Amerikaanse schrijvers, en veel Engelse.

'Waar gaat het over?'

Papa kijkt me geamuseerd aan.

'Het gaat over een opstand van dieren die hun boerderij overnemen, met als doel "gelijkheid" in te voeren. Een revolte die eindigt in een bloedige mengeling van onderdrukking en terreur.'

'Maar...' Ik sla het boek open. *Eerste druk 1924* staat er op de binnenkant van de kaft. 'Maar Orwell, *Animal Farm*, wanneer is dat dan verschenen?'

'Ongeveer twintig jaar later.'

'Kende Orwell dit boek?'

'Weten we niet. De Sovjets kenden in ieder geval Reymont én Orwell. Beide boeken werden na de Tweede Wereldoorlog aan onze kant van de muur in de ban gedaan,' voegt hij er na een korte pauze aan toe.

Even houd ik het boek in mijn hand. Nou ja, Reymont heeft tenminste nog een Nobelprijs gekregen, troost ik mezelf.

'Mag ik...' wil ik aan papa vragen, maar als ik me omdraai staat hij al klaar met een plastic tasje.

'Neem maar mee.'

De viering van de gouden bruiloft vindt plaats in het huis van opa en oma. Oom Grzesiek en tante Monika zijn er al, hun kinderen ook. Net zoals Andrzej, die nog steeds bij mijn oma woont. Andere neven en nichten, oom Adam, verre ooms en tantes die ik vroeger al maar een keer per jaar zag. Maar ook buren, oud-collega's, vrienden en vriendinnen. Nergens is er nog een lege stoel te vinden en de keukenramen staan wagenwijd open om de rook naar buiten te laten; in de rest van het huis wordt er niet meer gerookt.

Ik loop meteen naar de kamer van Andrzej en hoop dat ik zo een verdere rondgang langs familieleden kan vermijden, uitgeput als ik nog ben van de vragen de dag ervoor.

Voordat ik de kamer kan bereiken word ik echter onderschept door een oudtante. Een zus van mijn oma, herinner ik me vaag. Een verschrompeld besje, met witte plukken haar die niet meer in het gareel te houden zijn.

'Ewa? Ben jij het?' zegt ze als ze zich naar me toe buigt. Een oudere meneer naast haar, waarschijnlijk mijn oudoom, kijkt ook naar mij.

'Nee, Elenora, het is haar dochter... Ida.. Kijk, zij is blond, en Ewa was donker.'

'O ja, Ida, ja...'

'We denken nog vaak aan haar, het arme kind...' knikt mijn oudtante.

'Mama leeft nog,' zeg ik. Het klinkt scherper dan ik wil.

'Ja, tragisch, ja... Laat me je eens bekijken, kind... Geen kind meer...' Ze kijkt dwingend in mijn ogen. 'Lang, net als je moeder...' stelt ze vast, en inwendig moet ik toch een beetje lachen: in Nederland zou niemand me lang noemen. 'Goed bedeeld ook...' zegt ze als ze naar mijn borsten kijkt.

Een ongemakkelijk gevoel bekruipt me en ik voel de kille blik in mijn ogen sluipen.

'Ja... net je moeder.' Ze kijkt me nog iets langer aan, alsof ze iets zoekt in mijn blik – wat, dat weet ik niet.

'Maar dat blonde haar heb je beslist van je opa,' besluit ze triomfantelijk. 'Hij was de enige in de hele familie die blond was.'

Opeens sta ik op scherp. Mijn opa? Dat is dan niet de opa die in dit huis woont, hem ken ik niet anders dan met zwart golvend haar, zoals op het portret van een jongeman in uniform die achter mijn oudtante aan de muur hangt. Zijn haar mag dan wel minder geworden zijn met de tijd, maar het is nog steeds zo donker als de nacht. De blonde opa, dat moet wel de vader van papa zijn. Een zeldzame opwinding maakt zich van me meester.

'Mijn opa? Die is toch kort na de oorlog overleden?' Ik

heb zelfs nog nooit een foto van hem of mijn oma gezien.

'Op het huwelijk van je ouders was hij natuurlijk niet meer blond, maar gewoon kaal,' gaat mijn oudtante onverstoorbaar verder. 'Tragisch, hoe het leven gaat, tragisch...' zegt ze, en ze schudt haar hoofd.

'Het huwelijk van mijn ouders? Wanneer is opa overleden dan?' vraag ik, maar Elenora schudt alleen haar hoofd.

Voordat ik de kans krijg om door te vragen, hoor ik de stem van tante Monika.

'Ida, is zwart nog steeds zo in de mode in Nederland?' vraagt ze. Het moet nonchalant klinken, maar ze staat op scherp.

Ze is gekleed in een onberispelijk pakje, lichtbeige van kleur. Werkelijk, hoe iemand dat langer dan een uur aan kan hebben, is me een raadsel. Ze laat haar blik langs mijn zwarte spijkerbroek en blouse glijden. Het valt me nu pas op hoe gekreukt mijn blouse eigenlijk is en dat er ook allemaal pluisjes op mijn zwarte broek zitten. Het leek nog zo'n comfortabele keuze, een paar uur geleden. Mijn wangen kleuren rood. Ik kijk naar Elenora, maar die lijkt alweer ontwaakt uit de droom die zich lang geleden afspeelde.

Oma komt bij ons staan. 'Ida, lieverd, ben je er eindelijk? Wat lijkt ze veel op Ewa, hè? Ze doet het ook al net zo goed op school...'

Ze duwt me in de richting van Elenora. 'Ida is zo lief... Zorgt voor haar zieke moeder... Het is niet makkelijk, niet makkelijk.' Oma schudt haar hoofd en knijpt me in mijn schouder.

Even voel ik me een lappenpop. Een lappenpop die lief is, het goed doet op school en goed voor haar zieke moeder zorgt.

'Ai, ai,' zucht Elenora mee. 'Tragisch, inderdaad...'

'Ida, ik heb een verrassing voor je, lieverd,' zegt oma dan, en ze trekt me mee naar de overvolle keuken.

'Vleespastei, je lievelingsgerecht!' zegt oma als ze me de keuken in duwt.

'Ik heb net gegeten...' sputter ik tegen.

'Hoezo gegeten? Je ging toch naar een feest?'

Oma heeft al een flinke plak van de vleespastei gesneden en geeft die op een bordje aan mij. De structuur is perfect: de binnenkant oogt zacht en smeuïg, de korst knapperig. Oma weet hoe je vleespastei moet maken.

Oudtante Elenora staart nog steeds naar mij, op zoek naar dat ene ontbrekende stukje dat me volledig tot Ewa maakt. Oma staat naast me vol verwachting te kijken tot ik de hap in mijn mond stop. Monika verzamelt ondertussen bordjes, bestek en kopjes om ze weer naar de woonkamer te brengen. Ook zij lijkt me onderzoekend aan te kijken.

Ik neem een hap. De bekende smaak vult mijn mond. Zacht en kleverig, vol van smaak. Ik proef de pepers.

Mijn maag krimpt samen.

'Excuseer,' zeg ik nog voordat ik de eerste hap doorgeslikt heb, en ik baan me een weg door mijn familieleden heen. Ik loop richting de badkamer, vurig hopend dat die vrij is. Hier spuug ik de klonter vleespastei weer uit.

Op de terugreis stopt de bus traditiegetrouw bij de kraampjes voor de grensovergang. Met tegenzin koop ik sigaretten voor mama. Naast tuinkabouters zijn er nu ook gipsen herten, eekhoorns en honden te koop. Er zijn zelfs joekels van olifanten, dinosaurussen en paarden. Bij de tuinkabouters blijf ik lang staan. Ook deze collectie is behoorlijk uitgebreid. Kabouters met blote billen. Kabouters in een sm-pakje. Kabouters die andere kabouters berijden. Een oudere kabouter die zijn jasje opent en zijn kabouterbuikje en kaboutergenitaliën toont. Dan valt mijn blik op een kabouter die boven zijn hoofd een bijl houdt en met een opengesperde schreeuwmond ten strijde trekt. Het lijkt me dat deze psychokabouter wel bij Elise in de smaak gaat vallen. En anders hou ik hem wel zelf.

Als ik in Maastricht arriveer, is Edyta met Jarek meegekomen om me op te halen. Edyta's gezicht oogt vermoeid.

'Ida, kom eerst maar met ons mee naar huis,' zegt ze. Ik wil niet, maar ik ga.

Eenmaal in haar huis zegt ze: 'Je moeder is in een psychose geraakt.'

'Een psychose?' vraag ik.

'Ze heeft brand gesticht,' licht Jarek toe.

'Waar?'

'In jullie huis.' Is het huis weg? Mijn hersenen spannen zich in. Er komt niks uit.

'Ze heeft verschillende spullen in brand gestoken. In jullie tuin,' gaat ze verder.

'Wanneer dan?'

'Twee dagen geleden. Ewa is opgenomen.'

Vroeg of laat moet ik toch naar huis terug, besef ik, weggezakt in de zachte kussens van hun bank. Ik ga meteen.

Het huis oogt leeg. De leren klok is weg en de spiegel ook. De keukendoeken en de sprei die op de bank lag ontbreken. In de tuin is veel van het verbrande spul al weggehaald, haastig in vuilniszakken geduwd en bij elkaar gezet. Er steken dingen uit de zakken die niet wilden branden: borden, bestek. Ik zie resten van foto's. Een dekbed.

Dan snap ik het. Alle spullen die gesneuveld zijn, komen uit Polen. Allemaal een herinnering, allemaal een reden tot haat.

Binnen ga ik op de bank zitten en blijf daar totdat de schemering invalt. Uiteindelijk ga ik naar mijn bed, waar geen dekens meer op liggen. Ik pak een oude slaapzak uit de kast. Van een paar truien maak ik een kussen. Als ik eenmaal lig, wordt mijn hoofd zwaar en loom. 'Mijn schrijfboeken!' schiet er dan door me heen. De dagboeken en schriften die ik in de kist met de Poolse koningen bewaar...

Ik klik het licht aan en maak mijn klerenkast open. De onderste plank van mijn kast is leeg. Ik ren de trap af en ga naar buiten, waar ik de vuilniszakken opzijzet. De kist staat er. Ondersteboven, de bodem is weggeslagen. Leeg. Ik pak de zakken met de foto's en de papieren en trek ze naar binnen.

Van mijn dagboeken en de schriften die ik met Elise schreef zijn alleen nog de harde kaften over.

9

Op de gesloten afdeling van Vijverdal zit mama in één groep met een vrouw die dwangmatig water drinkt. Dwangmatig water drinken, daar kun je dood aan gaan. Er is nog een andere vrouw, groot en fors. Brede schouders, haar haar vast in een knot. Telkens als er iemand binnenkomt, achtervolgt ze die persoon met snelle korte stapjes – ook mij. Haar gezicht heeft geen uitdrukking. Deze vrouw is gek.

Mama lijkt ook gek. Als ze me ziet heeft haar blik geen uitdrukking. Het is de eerste keer dat ik fysiek in één ruimte met haar ben sinds het incident. Hiervoor hebben we alleen telefonisch contact gehad.

'Heb je mijn geld?' vraagt ze alleen maar. Mama telt het geld na dat ik voor haar gepind heb. Dan stopt ze het geld in haar bh en zakt weer in. Haar doffe blik is op een punt vóór haar gericht. Zo zit ze dan, minutenlang, misschien wel uren achter elkaar. Dit zou waanzin kunnen zijn.

Als ze een grote verpleger onze kant op ziet komen, schiet ze overeind, staat op en snelt naar hem toe.

'Ik mag vandaag toch nog vier sigaretten?' hoor ik mama aan de verpleger vragen.

‘Ewa, kom op. Je weet heel goed dat het er twee zijn,’ antwoordt de verpleger met de rust die is voorbehouden aan mensen met zijn imposante postuur.

‘Je telt het over een halve dag, John… Ik heb het over de hele dag. Ik was vanochtend weg, toch? Je weet dat ik bij dagtherapie niet mag roken?’ onderhandelt mama verder. John schudt zijn hoofd.

‘Vijf sigaretten per dag, en ik heb er maar één gehad vandaag. Het zou niet moeten uitmaken dat ik er niet de hele dag was,’ houdt mama voet bij stuk. Haar gezicht is bleek, ze draagt geen spoor van make-up en haar voeten zijn bloot onder haar blauwe ziekenhuishemd. Toch weerhoudt het haar er niet van om haar hoofd schuin te houden, zoals ze vroeger deed, bij de slager of bij de ambtenaren die iets voor haar moesten regelen. Ze laat de blik van John niet los.

Er verschijnt een bijna onzichtbaar lachje om Johns lippen. Hij zucht en overhandigt mama de sigaretten. Tevreden pakt ze het bijna lege pakje, telt de sigaretten en gaat weer naast me zitten. Dan verzinkt ze weer in haar toestand, een toestand waaruit ík haar niet kan wekken, en staart weer voor zich uit.

Er zit systeem in haar waanzin.

‘Het herstel van je moeder behoeft een gevoelig evenwicht,’ zegt de behandelend arts. ‘Wat ze nodig heeft is stabiliteit en gedegen ondersteuning.’

Ik kijk hem blanco aan.

‘Kritiek, vijandigheid en emotionele uitbarstingen kunnen een terugval uitlokken,’ vervolgt de arts.

Elise en haar moeder zeggen dat de waanzin niet door mij komt. Ik denk aan de kwantumdeeltjes en weet wel beter.

Geen kisten meer met Poolse koningen erop.

De volgende dag ga ik langs mijn gebruikelijke route naar school. Langs de achterkant van het complex, de kant van mijn huis. Dat mag eigenlijk niet: de hoofdingang is voor leerlingen, deze zijingang voor leraren. Het is mijn geheime sluiproute; meestal kom ik hier niemand tegen. Vandaag loop ik recht in de armen van mijn geschiedenisleraar.

'Ida! Wat moet dit voorstellen?' schreeuwt hij in mijn gezicht. Hij houdt een papieren vodje omhoog. Het is een opstel over de Koreaanse oorlog. Het cijfer is een één.

Misschien heeft hij nog nooit een meisje zo zien huilen, want zonder omhaal dirigeert hij me het gebouw in. In een nis niet ver van de lerarenkamer vertel ik over de kanker, de depressies, de brand en Vijverdal.

'Hoe kan ik je helpen?' vraagt mijn leraar. Ik weifel.

'Ik wil weg uit mijn huis,' zeg ik. Misschien wil ik niet alleen weg voor mezelf. Misschien wil ik wel weg voor mama's bestwil.

IV

Voor het ochtendgloren

1

Het duurt een paar maanden en vergt een gang langs verschillende instanties voordat mijn wens wordt vervuld. Ik wil geen woongroep of begeleid wonen. Gewoon een kamer wil ik, een paar straten van mama vandaan. Van de gemeente krijg ik een uitkering, zevenhonderd gulden per maand. Dat was nog best wel snel geregeld. Een kamer vinden is moeilijker. Maastricht is een studentenstad, het is ondertussen zomer en de kamers zijn gewild.

'Is het geen probleem dat ik al een uitkering krijg terwijl ik nog geen adres heb?' vraag ik mijn contactpersoon nogmaals aan de telefoon. De tweede maand is om en ik heb nog steeds geen kamer.

'Nee Ida, maak je geen zorgen. Je hebt het al moeilijk genoeg. Gebruik het geld om je kamer in te richten.' Of om schoolboeken te kopen, denk ik. Mijn laatste schooljaar dient zich aan.

Uiteindelijk vind ik een kamer, via een particuliere makelaar. Van de extra uitkering betaal ik de huur, de borg en een maand extra huur als betaling voor de bemiddeling. Twaalfhonderd gulden in totaal.

'Ida, hoe gaat het met je?' vraagt papa bezorgd aan de telefoon.

'Het gaat,' antwoord ik, en dat is niet eens zo heel erg gelogen. 's Nachts is er wel de eenzaamheid en de wanhoop. En de twijfel, en het schuldgevoel. Overdag daarentegen ben ik vooral zeventien. Een zeventienjarige met een eigen kamer. Papa weet dat ik verhuis, dat het niet goed tussen mij en mama gaat, maar niet dat ze een psychose heeft gehad en brand heeft gesticht. Niemand in Polen weet ervan. De kanker met de depressies is erg genoeg. Er is echter een bepaalde verbittering in mijn stem als ik over mama praat, en papa merkt dat op.

'Weet je, Ida...' begint papa. Het is duidelijk dat wat hij gaat zeggen hem inspanning kost. 'Je moeder... weet je... De allereerste keer dat ze naar Hongarije ging, ze ging alleen, weet je dat ze toen bij terugkomst werd beroofd?' Ik adem nog steeds niet. Papa vertelt me nooit wat over mama. 'Ze had in Hongarije alles verkocht, goed verdiend, weer ingekocht om in Polen te verkopen... Maar bij terugkomst werd ze op het station beroofd.

Ik had haar moeten ophalen, maar dat wilde ze niet. Die treinen kwamen en gingen erg onregelmatig, met soms wel een dag speling, dat vond ze zonde...'

Hij pauzeert even. 'In ieder geval, door die beroving was ze niet alleen al het geld kwijt, maar ook alle spullen die ze gekocht had om weer in Polen te verkopen. Ze heeft het tegen niemand gezegd... Ook ik kwam er alleen maar bij toeval achter toen iemand geld voor haar kwam brengen. Want zij is onmiddellijk weer haar vrienden af gegaan, iedereen die niet al de eerste tocht naar Hongarije had gefinancierd, en heeft ze om een lening gevraagd.' Hij zwijgt weer en ik houd nog steeds mijn adem in, bang om zijn verhaal te onderbreken.

'Dezelfde week is ze nog teruggegaan. Nieuwe spullen heen, nieuwe spullen terug. Met die tweede tocht heeft ze alles terug kunnen betalen. Zestien keer heeft ze deze reis gemaakt. Ook dat is je moeder, Ida,' eindigt hij, en ik hoor dat hij klaar is met zijn verhaal.

Een grote hap lucht vult mijn longen, maar voordat ik kan vragen waarom hij dan bij haar wegging, wat er voorgevallen is tussen hen, die ene keer in Hongarije, of misschien al eerder, veel eerder, wat maakte dat ze niet langer samen dansten, beëindigt papa het gesprek.

'Zorg goed voor jezelf, Ida.'

Mijn kamer is niet in de buurt van mama of mijn school, maar aan de andere kant van de stad. Het grote huis bewoon ik met zeven andere studenten. Het mooie is dat ik hier weer vrienden op bezoek krijg, meer dan alleen Elise, hier in de kamer die mijn vrienden liefdevol 'de garage' gedoopt hebben. De muren zijn rafelig. Ik wit de kamer, maar verder kom ik niet. Een tweedehands bed met een stalen frame, een stalen bureau en een stellingkast. In vrolijke dozen bewaar ik mijn kleren. Voor het raam hangt een gerafelde, kleurrijke doek.

Ik vind het fantastisch.

Elke dag na school ga ik bij mama langs. Ik doe wat boodschappen, kook, soms doe ik haar was. Het gaat me makkelijk af, ik weet dat ik daarna weg kan. Het gaat de laatste tijd beter met mama, lichamelijk en ook psychisch; ze doet nu vaak zelf de boodschappen en gaat af en toe zelfs de stad in. Ze heeft weer veel behoefte aan gezelschap, meer dan ik haar kan of wil bieden. Ik ben net achttien, zit in mijn examenjaar. Ze voelt mijn ongedurigheid, mijn verlangen om weg te gaan.

Als ik tegen mijn oom Adam aan de telefoon klaag dat we lekkage hebben gehad en dat er nu een lelijke bruine vlek op de muur in de woonkamer zit, biedt hij aan om naar Nederland te komen. Beetje klussen bij mama en misschien een beetje werken elders, wat geld verdienen.

Adam houdt woord en komt. 'En Ida, heb je nog nieuws?' vraagt hij als ik hem zie. 'Heb je je al ingeschreven voor Harvard?' Mama schrikt, ze houdt er niet van als ik over het buitenland praat, of zelfs maar over studeren in het algemeen.

'Nee, nee, ik ga nergens heen...' zeg ik geruststellend en

met pijn in mijn hart. 'Nou ja, Amsterdam, maar dat is maar twee uur met de trein.' Mama ontspant zich een beetje, aan het idee van Amsterdam is ze al een beetje gewend.

'Wałęsa komt naar Maastricht. Hij komt spreken op de economische faculteit. Wil je mee?' vraag ik dan aan mijn oom.

'Ik ga wel mee,' zegt mama tot mijn verbazing. Ik kijk haar onderzoekend aan. Het zou vervelend zijn als ze een scène trapt. Wałęsa was tenslotte tot voor kort de president van Polen. De oprichter van Solidarność, leider van de vreedzame stakingen bij de scheepswerf waar hij als elektromonteur werkte. Winnaar van de Nobelprijs voor de Vrede, die door zijn vrouw opgehaald moest worden, omdat hij zelf het land niet uit mocht. *Time*'s 'Man of the Year' in 1981. Foto's van hem, strijdend vóór op een tank, stonden voor altijd in mijn geheugen gegrift.

Als president was hij, tja, wellicht minder geslaagd. Er waren in ieder geval genoeg aanknopingspunten voor een aanval van woede. Of hoon. Of voor wat mama dan ook in petto had. Ik probeer blij te zijn dat ze überhaupt het huis verlaat, maar dat lukt maar matig.

Een paar dagen later gaan we evengoed met zijn drieën naar de bijeenkomst toe. De zaal waar Wałęsa zijn opwachting gaat maken, zit vol studenten. Het eerste gedeelte van de avond gaat op aan een samenvatting van Wałęsa's heldendaden, maar dan gaat het publiek los.

'Waarom heeft u abortus in Polen verboden?' vraagt een meisje op de eerste rij.

'Luister. Op mijn leeftijd is er van de mannelijke bezigheden alleen nog het scheren overgebleven. Ik moet niet over dit soort zaken nadenken. Laat die maar aan de Heilige Vader over,' zegt Wałęsa.

'Hierin kies ik zo veel mogelijk de lijn zoals voorgeschreven door de paus,' luidt de vertaling.

'Waarom zijn vrijwel alle sociale voorzieningen voor de ouderen afgeschaft?' vraagt een oudere, geëmotioneerde Poolse meneer in een wijde trui.

'Luister. Alle plussen hebben hun negatieve en hun positieve kanten. Ik ben gevraagd om van een aquarium vissoep te maken. Je kunt niet van me vergen dat ik de vissoep weer in een aquarium verander,' zegt Wałęsa.

'De maatregelen waaraan u refereert, horen bij de overgang van een centraal geleide economie naar een markteconomie. Hierbij past een sober pakket aan voorzieningen,' luidt de vertaling.

'Goh. Als hij deze vertaler van het Pools naar het Pools had gehad, was hij misschien nog president geweest,' merkt mama droog op. Mijn oom en andere Poolse omstanders lachen hardop.

'Elke keer als ik geld naar mijn familie in Polen stuur, komt het niet aan. Hoe zit het met het toezicht op onze banken?' vraagt een Poolse dame op leeftijd op de eerste rij. Ze stelt de vraag in het Pools en wacht op de vertaling. Het antwoord van Wałęsa is er eerder:

'Luister. Voordat ik aan de macht kwam, werden er vliegtuigen gekaapt, zo graag wilden mensen uit Polen vertrekken. En toen ik eenmaal aan de macht was, deed niemand dat nog.'

'Er is veel veranderd in het land. Niet alles kan zo snel verbeterd worden als we wensen,' luidt de vertaling, en het laatste gedeelte klinkt meer als een vraag. Het publiek begint onrustig te worden, niet iedereen volgt het nog.

Ik sta op en zeg in het Nederlands: 'Waarom zou je een vliegtuig kapen als de grenzen eenmaal open zijn? Die vrouw vraagt gewoon waar haar geld blijft!' De vertaler aarzelt, dus ik vertaal de vraag zelf in het Pools. Er klinkt gemurmel.

'Ah, Polka!' Op het gezicht van Wałęsa verschijnt een brede lach. 'Luister. Het is gewoon een feit dat met het kapitalisme ook de bandieten op ons af zijn gekomen. Geef me een bijl – ik bén een bijl, ik zal er altijd achteraan gaan!' Zijn gezicht loopt rood aan.

Dit blijft onvertaald.

'Zegt u nu dat het vroeger beter was?' Mijn stem trilt, ik klink verontwaardigd.

'Luister. Vroeger was je buurman arm. We weten allemaal dat een arme buurman je niet zal aanvallen.' Wałęsa staat nu en zijn gezicht is paars.

De microfoon wordt uit mijn handen gepakt. Mama kijkt naar de verslagenheid op mijn gezicht en zit onbedaarlijk te lachen, oom Adam doet met haar mee. De aanwezige Polen schudden mistroostig hun hoofd, de Nederlanders lijken in verwarring gebracht.

De bijeenkomst loopt op haar einde. Bij de afsluiting zegt Wałęsa: 'Bedankt voor de uitnodiging. Ik zal vereerd zijn om nog eens terug te mogen keren. Zodat ik mijn communistische landgenote tenminste van haar overtuigingen af kan helpen.'

Het duurt even voordat ik doorheb dat hij mij bedoelt. Mijn hoofd wordt rood en ik wil het liefst onder mijn stoel verdwijnen. Mama daarentegen moet er zo hard om lachen dat de tranen over haar wangen lopen.

'Kom, Ida,' zegt ze, en ze sleept me richting Wałęsa. Mama staat erop dat we met zijn drieën op de foto gaan.

Een dag later bel ik papa op; ik ben nog niet bekomen van de ervaring. Papa vindt het voorval tot mijn verbazing al net zo grappig als mama.

'Weet je wat hij heeft verkondigd bij zijn aantreden?' zegt papa. 'In de nieuwe regering zal een rechterbeen zijn. Er zal een linkerbeen zijn. En ik, ik zal in het midden staan.' Hij moet er zelf heel hard om lachen.

Ik kan het nog steeds niet, erom lachen. Wałęsa heeft de Nobelprijs voor de Vrede gewonnen!

'Ach Ida, hij was écht een held,' probeert papa me toch

te troosten, als hij merkt dat ik werkelijk aangedaan ben. 'Zonder hem was het allemaal niet zo snel gegaan. En het was zeker niet zo vreedzaam gegaan. Maar macht doet rare dingen met mensen,' zegt hij serieus. 'Misschien voelt hij ook dat zijn verhaal voorbij is. Het is niet voor niks dat ze geen film maken over wat Luke Skywalker doet *nadat* hij de Ster des Doods heeft vernietigd.'

Ja, denk ik, dat kan. Dat je eerst één helder doel hebt, één vijand, en dat je vervolgens bedolven wordt onder de werkelijkheid, waar de kleine keuzes heersen en er geen ruimte meer is voor grote daden. En als er niets meer is om voor te strijden, komt de waanzin.

Ik schud mijn hoofd; straks ga ik de hele wereld nog interpreteren in termen van gekte.

'Weet je trouwens dat hij een nieuw bedrijf is begonnen?' zegt papa dan.

'Wie, Wałęsa?' vraag ik. Dat is snel.

'Ja, samen met generaal Jaruzelski.' Met zijn gezworen vijand van weleer? Ik snap er niks meer van.

'Het heet General-Electrics,' zegt papa, en hij buldert door de telefoon.

2

Er wordt hard op mijn deur geklopt. Ik lig in bed in mijn gehuurde kamer en het geklop haalt me uit een diepe slaap. Het is Rik, een van mijn nieuwe huisgenoten.

'Je hebt bezoek!' buldert hij door de deur heen. Ik knipper met mijn ogen. Het is mijn laatste vrije dag van de herfstvakantie en ik hoopte dat ik eindelijk bij kon slapen.

Mijn nieuwe huisgenoten zijn erg gezellig. Van zondag op maandag gaan ze naar Vlaamse disco's. Donderdag is de vaste uitgaansavond van mijn huisgenoten en van andere studenten in de stad. Op vrijdag en zaterdag ga ik vaak uit met mijn klasgenoten. In combinatie met school, oppasbaantjes en de vele bezoeken aan mama blijft er niet veel tijd voor slapen over; vandaag had zo'n zeldzame uitslaapochtend moeten zijn.

Zeer tegen mijn zin in schiet ik mijn verschoten trui aan met de diepe zakken en mijn capuchon; de trui die ik alleen nog in het weekend thuis draag, aangezien ik de Biohazard-kroeg niet meer bezoek. Ik haal Heideroosje uit haar hok en samen gaan we naar de keuken, waar een lange, serieuze man op me wacht. Hij blijkt afkomstig van de Sociale Dienst.

Van de Sociale Dienst krijg ik inderdaad de laatste tijd lange lijsten met vragen over de samenstelling van mijn huishouden. Met hoeveel mensen woon ik? Wie koopt er wat voor het huishouden? Twee van mijn huisgenoten zijn ook vegetariër, met hen kook ik vaak om de beurt. 'Hoe precies moet ik dit invullen?' vroeg ik destijds aan mijn contactpersoon, een nieuwe stagiaire, 'wc-papier en wasmiddel kopen we samen, moet ik dat aangeven?'

'Zo specifiek hoef je niet te zijn,' verzekerde het meisje me. Ze klonk alsof ze maar een paar jaar ouder was dan ik. Ik deed wat ze zei en vulde in dat ik alles zelf kocht. Ze heeft me niks verteld over deze man, die onaangekondigd in mijn keuken staat en kritisch om zich heen kijkt.

'Welk deel van het huishouden wordt er samen gerund?' vraagt hij. Hij loopt door het huis en kijkt ongegeneerd om zich heen. Ik vertel over het wc-papier en het wasmiddel. De sociaal rechercheur wil de badkamer en de wc zien. Officieel mag ik dat weigeren, vermoed ik; toch voelt dat niet als een echte mogelijkheid. Weigeren voelt als bekennen.

De sociaal rechercheur stapt de badkamer binnen en trekt een van de kastjes open. Een stapel maandverband en tampons valt eruit. Verschillende kleuren pakjes liggen door elkaar heen op de vloer. Hij kijkt om zich heen, en zonder het op te ruimen loopt hij de badkamer weer uit.

'Waar slaap je?' We lopen naar mijn kamer. Ook hier kijkt de sociaal rechercheur nauwkeurig om zich heen. Zijn blik blijft hangen op een stel enorme sloffen bij de bank. Die zijn van Rik, die hier de avond ervoor televisie heeft gekeken.

'Heb je een relatie?' vraagt hij.

Of ik met iemand seks heb? Of iemand mij huishoudgeld verschaft? Wat?

'Nee,' zeg ik, 'ik heb geen relatie.'

'Mevrouw Sjm... Tjja... Tsjaik...' probeert de rechercheur mijn naam uit te spreken. Ik help hem niet.

'Mevrouw,' gaat hij verder, 'dit formulier moet u geheel naar waarheid invullen.'

De sociaal rechercheur overhandigt me hetzelfde formulier dat ik een paar weken ervoor kreeg. Ik concludeer dat ik nu wel een specificatie zal moeten opgeven van de huishoudkosten die we in het studentenhuis samen delen. Ook moet ik een verklaring tekenen dat ik geen relatie heb.

'Als u het niet doet, raakt u uw uitkering kwijt,' besluit de sociaal rechercheur zijn bezoek.

Een tijdlang blijf ik daar zo staan, met het formulier in mijn hand. Het liefst zou ik het vodje ritueel verbranden.

Misschien draait armoede wel om waardigheid.

Sinds ik mijn uitkering kwijt ben, werk ik minimaal dertig uur per week in de kroeg. Even, heel even, hoop ik met schrijven mijn geld te verdienen, weer aan een schrijfwedstrijd mee te doen, maar de gedachte is net zo snel weg als ze opgekomen is. De reden is simpel. Sinds het incident met de brandstichting heb ik niks meer geschreven. Het vermogen om met twee of drie zinnen grip te krijgen op de chaos en de pijn, is weg. Samen met de geschreven pagina's zijn ook de nog te schrijven teksten in rook opgegaan.

Het werken in de kroeg levert wel genoeg op om van rond te komen. Ook zou ik graag een computer hebben, voor zo meteen, als ik studeer.

Van een van de vaste cafébezoekers hoor ik dat er meer dan vijfhonderd sociale rechercheurs in Nederland werkzaam zijn.

'Samen jagen ze op een krappe driehonderd miljoen gulden per jaar...' zegt hij verbolgen. 'Weet je wat ze moeten aanpakken? Faillissementsfraude!' voegt hij er bitter aan toe. Hij neemt nog een slok van zijn bier.

'Faillissementsfraude. Daarmee lopen we bijna twee miljard per jaar mis. *Twee miljard* gulden!' vervolgt hij. Hij knikt vol ongeloof, alsof hij het zelf voor het eerst hoort.

'En hoeveel mensen denk je dat *daarmee* bezig zijn, Ida?' vraagt hij en hij steekt dreigend zijn vinger op. Ik weet het niet, ben wel benieuwd.

'Veertig maar!' zegt hij triomfantelijk. De andere mannen aan de bar knikken instemmend.

De uren in de kroeg zijn onregelmatig. Elke keer als ik door de kroegbaas gebeld word dat ik moet komen, sprint ik erheen. Ik ben blij dat Adam er is, het geeft me flexibiliteit. Mama's huis is ook weer opgeknapt. Adam heeft geschilderd en houdt de boel netjes. Netter dan ik het deed. De kroeg waar ik werk ligt aan het Vrijthof, in het centrum van Maastricht, een beetje chique plek.

De kroegbaas mag graag vertellen hoe hij op zoek gaat naar de meest onbekende wijnen, waar hij zo weinig mogelijk voor wenst te betalen. De ober die deze wijnen dan weer voor de hoogste prijs weet te slijten, mag de helft van de fooienpot houden. Zijn laatste aanwinst is de 'Château Milton Rothschild' waarvan de naam expres lijkt op Château Mouton Rothschild, een van de duurste wijnen ter wereld. Alleen de naam vertoont gelijkenis, want zelfs een ongeoefende wijndrinker als ikzelf proeft de te bittere nasmaak meteen na de eerste slok.

Op een dag komt meneer Kruger deze kroeg binnen, zo te zien met een goede kameraad. De vriend ziet eruit als iemand in goeden doen.

'Ah, Ida!' roept hij uit als hij me ziet. Kruger geeft geen les aan de bovenbouw; de laatste keer dat ik oog in oog met hem heb gestaan, was naar aanleiding van het toneel-incident, twee jaar geleden alweer.

'Ida, zeg, wat is jullie beste wijntje?' vraagt Kruger joviaal. Hij maakt het gebaar van een bourgondiër. Aan zijn kleur te zien, zou het niet de eerste alcoholische versnapering van de avond zijn. Ik kijk hem aan. Ik betwijfel of hij werkelijk verstand heeft van wijn.

'Kijk, Ida hier is een perfect voorbeeld van wat we net bespraken,' zegt Kruger dan zonder mijn antwoord af te wachten tegen zijn vriend. 'De jeugd gaat liever werken dan kennis vergaren... Elk vrij uurtje verkopen ze zichzelf, alles voor de *buck*, ze geven zich vrijwillig over aan de slavernij. Geen ontzag voor hun huiswerk, geen werkethiek... Ida, hoeveel uur werk jij per maand?'

Ik vermoed dat ik hier meer uren sta dan hij voor de klas. Wijselijk onderdruk ik mijn neiging om hard tegen zijn scheen te schoppen. Ondertussen kijkt zijn kompaan iets langer naar mij dan ik nodig vind.

'Kruger, Kruger, dat weten we toch allang... Waar ik werkelijk benieuwd naar ben, juffrouw...' – de aanspreekvorm klinkt eerder verlekkerd dan hoffelijk, zijn ogen dwalen vrijelijk over mijn lichaam – '...is dat wijntje.' En ze barsten beiden in lachen uit.

'Ah. Tuurlijk,' zeg ik, en lach mijn liefste lach. 'Er is wel één wijn...' begin ik – laat mijn stem dalen tot een gefluister en de beide heren buigen zich gretig naar me toe – '... één wijn... maar die bewaren we uitsluitend voor speciale gasten...' Bijna onzichtbaar gebaar ik naar de kroegbaas, die klaar is met zijn werk en met een biertje aan de bar zit. 'En ook al zou ik hem mogen verkopen, dan nog: hij is nogal prijzig...' zeg ik met een tragikomische zucht.

'Ida, Ida!' Kruger spreidt nu zijn armen in een gebaar van grote inleving. 'We komen toch niet onvoorbereid hierheen?' zegt hij theatraal. Even twijfel ik. Want het zal toch niet zo zijn dat ík ontmaskerd word, zo meteen? Maar dan zie ik hoe Krugers metgezel in de bak met de zoute pinda's graait en een handvol nootjes in zijn mond stopt. Al snel volgt een tweede graai.

'Ik ben zo terug!' roep ik vrolijk en begeef me naar de bar.

'Hoeveel voor het châteautje?' vraag ik aan mijn kroegbaas. Hij schudt zijn hoofd met duidelijk zichtbaar ongeloof, wat me niet slecht uitkomt.

'Vijftig gulden! Zie er maar vijftig gulden voor te krijgen!' zegt hij opgewonden. Ik knik, loop naar achteren en wikkel de fles in een van de witte linnen servetten die we nauwelijks gebruiken. Met een glimlach die alleen bedoeld is voor tafel zeven loop ik ernaartoe.

'Kijkt u eens?' Ik ga dichterbij staan dan strikt noodzakelijk en houd de fles tussen hen in. Aandachtig bestuderen ze met zijn tweeën de fles. 'O, maar Ida, dit is toch niet... Het zal toch niet... Hoeveel kost deze wijn dan?'

'Wat denkt u?' vraag ik plagerig. Van onder mijn wimpers kijk ik ze aan.

'Zal wel niet onder de honderd gulden liggen,' zegt Kruger, en hij slikt hoorbaar. Was het de echte wijn geweest, dan lag de prijs rond de duizend gulden, maar ik knik goedkeurend.

'Dat valt wel mee, dat valt wel mee...' lach ik zijn zorgen weg, en dan breng ik hun het goede nieuws: 'Vijfentachtig gulden maar!' In mijn andere hand heb ik al twee wijnglazen, de grote kelken. Die zet ik neer.

'O, Ida, wat een traktatie!' roept Krugers metgezel uit en wrijft in zijn benige handen. Een rilling loopt over mijn rug. Toch ontkurk ik vakkundig de fles, mezelf gelukkig prijzend dat ik het kelnersmes inmiddels probleemloos kan hanteren. Ik breek nooit meer halverwege de kurk af. Meneer Kruger mag voorproeven. Hij snuift, laat de wijn in zijn mond rollen. Dan doet hij zijn ogen dicht en blijft hij een seconde onbeweeglijk zitten in een houding tussen opperste concentratie en absolute ontspanning. Even denk ik dat hij de wijn uit gaat spugen.

'Het is heerlijk, Ida!' roept hij dan opgetogen, en ik twijfel er niet aan dat hij de waarheid spreekt. Ik lach met hem mee, opgelucht.

'Vijfentachtig gulden,' zeg ik tegen mijn collega's als meneer Kruger en zijn vriend twee flessen Château Milton Rothschild later vertrokken zijn.

'Ongelófelijk... wat een knuppels...' zegt mijn baas.

De helft van de fooienpot, precies genoeg voor de *Oxford English Dictionary*.

'Mam, papa komt naar Nederland voor mijn diploma-uitreiking,' vertel ik verbaasd en opgetogen.

'Je vader? Naar Nederland?' Mama klinkt alsof ze het nieuws niet helemaal kan bevatten.

Papa zei altijd dat hij me best wilde komen opzoeken als ik een eigen plek had, en die heb ik inmiddels. En er is een gelegenheid: de diploma-uitreiking. Ik heb tegen alle verwachtingen in mijn examens gehaald, al was het met de hakken over de sloot.

Het is de eerste keer dat papa naar Nederland komt. Eenmaal in mijn studentenhuis, kijkt hij nieuwsgierig rond.

'Is deze kamer helemaal voor jou?' vraagt hij als hij mijn 'garage' ziet. Hij is duidelijk onder de indruk.

'Ja...' zeg ik, en ik schaam me opeens voor zoveel luxe. De weinige studenten in Polen die op kamers wonen, delen een kamer met een paar anderen.

‘En de overheid betaalt hiervoor?’ vraagt papa door.

‘Eerst wel, maar nu werk ik zelf,’ antwoord ik. Ik hoop niet dat hij vraagt waarom ik geen uitkering meer krijg. Het feit dat ik zelf mijn inkomenszekerheid heb weggegooid, zou moeilijk uit te leggen zijn aan papa. Dat soort frivoliteiten kan men zich alleen veroorloven in een land waar het uiteindelijk toch altijd wel goed komt met onderdak en eten.

‘Hoeveel werk je dan?’ vraagt papa door.

‘Twintig, dertig uur in de week...’ zeg ik. Papa blijft om zich heen kijken. In zijn blik zie ik de vraag, de verwondering. Kan je in dit land met een simpel kroegbaantje van twintig uur in de week een volledig zelfstandig bestaan opbouwen? Hij is zelf leraar, al bijna dertig jaar, en kan nauwelijks rondkomen van zijn salaris. Als het al lukt om een bepaalde mate van financiële zekerheid te creëren, dan komt er een staat van beleg of de zoveelste devaluatie van de zloty. Of een economische shocktherapie, wat nooit goed uitpakt voor leraren.

Dan pakt papa zijn grote, zware tassen uit. Hij blijft een kleine week, maar heeft bijna tien pakken macaroni meegenomen en vier broden. Verder veel beleg, kaas, vlees en worstjes. Hij heeft zelfs de uien en knoflook meegenomen voor de pasta die hij later in de week zal maken.

‘Misschien een beetje overdreven... Ik wist niet wat ik moest verwachten,’ zegt hij verontschuldigend en zucht.

Ik kijk naar al het eten dat voor me uitgestald is. Volgens mij weet jij precies wat je kunt verwachten, papa.

Tijdens de examenplechtigheid worden prijzen uitgereikt, voor de beste resultaten in natuurkunde, wiskunde en geschiedenis. Telkens als mijn naam niet genoemd wordt, verkrampt papa’s gezicht van teleurstelling, een fractie van een seconde maar.

Zwijgend bewegen we met de massa mee naar de barbecue. Hier zal papa zo meteen mama zien. Het is de eerste keer in elf jaar dat mijn ouders en ik in een en dezelfde ruimte zijn. Ik sta naast papa; verschillende leraren komen hem en mij feliciteren. Dan komt mama met Adam aangelopen. In haar hand heeft ze een kartonnen bordje met daarop een dikke braadworst. Ze heeft te veel saus genomen en te veel mosterd.

Papa heeft zijn rug gestrekt, zijn schouders gerecht.

'Ewa...' Dit is het begin van een ingestudeerde toespraak. Mama wil met haar vrije hand papa naar zich toe trekken om hem een zoen op zijn wang te geven, op zijn Nederlands. Papa duwt haar hand weg en gaat weer rechtop staan. Mama kijkt hem een lange tel aan en neemt dan een onmogelijk grote hap van haar braadworst.

'Ewa,' vervolgt hij, 'voor één ding...' – hij steekt nog net niet zijn vinger in de lucht – '... voor één ding wil ik je bedanken', en hij kijkt haar aan. Mama kauwt. In haar ogen heeft ze een doffe blik. Uit haar mond druipt het sap van de worst, en waarschijnlijk ook een mengsel van de mosterd en barbecuesaus.

'Eén ding...' – pauze – '... en dat is onze dochter.' Nu steekt hij wel zijn vinger in de lucht.

Het mag niet baten. Terwijl mama's mond nog lang niet leeg is, neemt ze nog een absurd grote hap van de worst.

Papa geeft het op, draait zich om en loopt weg. Er rest mij niets anders dan achter papa aan te gaan en dit feest te verlaten.

Dezelfde avond heb ik een borrel in mijn studentenhuis. Omdat papa bij me logeert, heb ik mama niet gevraagd. Oom Adam is er wel. Ik drink veel, meer dan ik gewend ben en ik ga in mijn eentje in de donkere, lange hal van het studentenhuis zitten. Adam komt me gezelschap houden.

'Waarom...' – begin ik – '... als ze elkaar zo haten... Waarom dan een kind?'

‘Het is niet altijd zo geweest, Ida,’ zegt Adam. ‘Het was eigenlijk een droomkoppel…’ Hij zucht.

Ik haal mijn schouders op.

‘Weet je, ik was erbij toen je vader zijn huwelijksaanzoek deed. Ik moest gitaar spelen.’ Adam leeft op. Vertwijfeld kijk ik tussen mijn tranen door naar Adam. Het enige verhaal dat ik ken over Adam en mijn ouders is dat hij, Adam, de ene auto die opa ooit gehad heeft, een Syrena’tje, tijdens de bruiloft van mijn ouders total loss heeft gereden tegen de trap van de kerk. Voor de rest was Adam destijds te jong om echt met mijn ouders op te trekken.

‘Een romanticus, die vader van je… Hij maakte een kampvuur, bij die velden tegen het bos aan, je weet wel, niet ver van de plek waar hij nu nog dat stukje grond heeft. Ze bakten worstjes. Toen moest ik hun liedje spelen.’ Hij stopt even, neemt een trekje van zijn sigaret. ‘Het was dat zigeunerlied, weet je nog, over een ongelukkige liefde. Maar als je het hoort, dan moet je wel van iemand houden… Ongeacht de prijs.’

Hij stopt weer en ik bedenk dat ik Adam nog nooit met een vrouw heb gezien.

‘Toen wees hij haar de hemel. De Grote Beer, dat is het steelpannetje, weet je?’ Ik hou op met snikken en luister. ‘… En toen zei hij dat als je de Grote Beer met vijf lengtes zou verleggen, dat je dan bij de Kleine Beer uitkomt. En dat de alfaster van de Kleine Beer de Polaris is. Onze Poolster.

Toen vroeg Anton aan Ewa of zij zijn Poolster wilde zijn… Want de Poolster was de ster waar alle andere sterren omheen draaien. Dat was zij voor hem dus…’

Adam zucht nog maar eens een keer. Alsof het vertellen van dit verhaal hem ernaar doet verlangen om zelf lief te hebben.

‘En toen?’ vraag ik, want ik wil meer horen.

‘Toen? Toen pakte je vader zijn gitaar terug en mocht

het kleine broertje oprotten!' lacht Adam. Hij pakt mijn hand en trekt me weer het feestgedruis in.

3

Ik ben al ruim een week niet bij mama geweest, nu papa op bezoek was en ze mijn oom in de buurt heeft om voor haar te zorgen. Erg fijn dat zij niet alleen is, dat ik niet voortdurend de zorg voor mama heb en dat ik soms een paar dagen weg kan blijven. Fijn ook, dat ik straks niet om de drie dagen terug hoef te komen uit Amsterdam.

Maar als ik bij mama kom, slaapt Adam in het ziekenhuisbed dat in de woonkamer staat en voor mama bedoeld was. De vuilnisbak in de keuken is omringd door lege drankflessen.

'Adam moet terug,' zeg ik tegen mama. Zij knikt.

Ik boek twee plekken in de eerstvolgende bus naar Polen en blijf bij mama totdat we vertrekken. Ik heb het woord van Adam dat hij nuchter blijft totdat we in Polen zijn. Voor de zekerheid houd ik hem zelf nauwkeurig in de gaten. Nuchter stapt hij samen met mij de bus in. We zitten naast elkaar.

Bij de stop in Düsseldorf valt hij bij het uitstappen uit de bus. Hij kan niet meer rechtop staan en lalt.

'Mevrouw, dit kán toch niet!' spreekt de buschauffeur me aan. De rest van de passagiers kijkt naar mij. De buschauffeur overhandigt ons de koffers en wijst naar de treinen. Zo goed en zo kwaad als het gaat sleep ik Adam en de tassen het treinstation van Düsseldorf in.

Twee kaartjes richting Poznań voor de eerstvolgende trein kosten driehonderd gulden. Samen met de buskaartjes heb ik daar drie weken voor gewerkt.

Uiteindelijk lukt het me om Adam bij het huis van oma af te leveren. Het huis dat afgelopen jaar volledig is opgeslokt door een modern handelscentrum, Poznańs Koopman. De eigenaar van het vier verdiepingen tellende gebouw wilde zijn vastgoed niet verkopen. Poznańs Koopman is om het gebouw van mijn oma gedrapeerd. De eigenaar heeft geëist dat de gevel van het herenhuis waarin zich oma's appartement bevindt in dezelfde kleuren werd geschilderd als het handelscentrum, maar tot een verder compromis is het niet gekomen.

Andrzej heeft een nieuwe computer gekregen en laat me een paar spellen zien. Graag zou ik hem verslaan, maar ik ben te moe.

Op zoek naar rust, en misschien ook oma en mijn tante ontwijkend, die nog steeds niet de hele waarheid weten over mama – niemand is hier op de hoogte van mama's psychoses, en dat wil ik graag zo houden – kom ik in de kamer van opa terecht.

In zijn kamer lijkt de tijd stil te staan. Alleen de televisie staat zachtjes aan.

'Het is nog niet weg,' zegt opa als ik binnenkom.

'Wat?' vraag ik, maar hij lijkt me niet echt op te merken.

'Het komt terug en is vermomd als vrijheid,' gaat opa door. 'Vrijheid van de massa? Dat is de vrijheid van het dier!' zegt opa geagiteerd. Hij wijst naar het scherm. Een vrouw staat in een string met een massageband om haar imposante billen. De massageband gaat aan en de billen schudden verwoed op en neer.

'Dat is alles wat we bereikt hebben. De vrijheid om het perverse na te streven!' zegt opa met ongekende walging.

'Het komt terug,' voegt hij toe, 'het ís al terug.'

De vrouw op de televisie legt de band om haar bovenarmen en zet de machine weer aan.

Hij valt stil.

Ik sluit mijn ogen en kan niet precies vertellen of ik

slaap. Flarden van de afgelopen vierentwintig uur trekken aan me voorbij; chaotisch tuimelen ze over elkaar heen. Uiteindelijk eindig ik in de treincoupe; ik zie hoe de trein zich haast over bergpassages en door uitgestrekte velden. Mijn bagage bestaat uit weinig meer dan een lichte tas en ik ben alleen.

In een van de chique drogisterijen in de buurt koop ik een potje oogcrème tegen de enorme wallen die ik meen ontdekt te hebben. Als ik het opsmeer, voor de spiegel in de gang van oma's huis, komt tante Monika binnen.

'Ida, ik moet met je praten.' Uitgeblust kijk ik haar aan. Ik ben moe, heel erg moe.

'Ik hoor dat je je ouderlijk huis uit bent gegaan.' Ik wend mijn blik af – ze weten dat ik iets verberg – en staar naar de pot crème die voor me staat. Volgens de instructie op de verpakking moet ik de crème aanbrengen op mijn jukbeenderen. Niet direct op de huid onder de ogen dus.

'Dat is niet zo netjes,' vervolgt Monika. Ik zeg niks.

'Je moeder in de steek laten,' verduidelijkt Monika.

Als je de crème op het bot aanbrengt en niet direct onder de ogen, komt het vanzelf waar het nodig is en doet het zijn werk, belooft het potje.

'Je moeder is ziek, Ida!' Monika's stem klinkt scheller. 'Iemand moet voor haar zorgen!'

Met korte, drukkende bewegingen verdeel ik de crème over de huid onder mijn ogen. Hiervoor gebruik ik mijn ringvinger, want die is het zwakst en kan de minste schade aan de delicate huid rondom de ogen aanrichten.

Monika houdt het niet meer en pakt het potje van me af.

'Kind, wat ben je aan het doen? Dit is voor vrouwen van rond de veertig!' roept ze verontwaardigd als ze het etiket heeft gelezen.

'Ik wil van die wallen af,' zeg ik, en ik wijs naar de donkere kringen onder mijn ogen.

'Je hebt geen wallen,' zegt Monika gedecideerd. 'Dit hier maakt je huid alleen maar kapot!' Ze schreeuwt; volgens mij is het de eerste keer dat ik haar ooit heb horen schreeuwen.

Kan wel zo zijn, maar ik ben vastbesloten om alles op alles te zetten om mijn jeugd terug te krijgen. Ik wil het potje uit haar handen terugpakken. Ze trekt haar hand weg.

'Geef terug,' zeg ik. Mijn stem slaat over.

'Doe niet zo stom,' zegt mijn tante. Dan komt oma naast ons staan.

'Kijk nou wat voor rotzooi Ida op haar gezicht smeert,' zegt Monika. 'Dat is toch niks voor een meid van achttien!' Tante Monika zoekt een medestander.

'O, maar Ida heeft deze crème voor haar moeder gekocht,' zegt oma met een lieve lach. 'Toch, Ida?'

Lief, zorgt voor haar moeder, doet het goed op school. Het is bijna of ik de vleespastei weer in mijn mond proef.

'Nee, dat heb ik niet,' zeg ik ijzig.

'Ida zal het aan haar moeder geven,' zegt oma tegen Monika, met nog steeds de lieve lach op haar gezicht.

'Nee, dat doe ik niet!' Ik gris het potje uit Monika's hand. Oma steekt haar hand uit en voor ik besef wat er gebeurt, gooi ik het potje tegen de spiegel. Grote scherven vallen op de vloer. De restanten van de gebroken spiegel, die nog aan de muur hangt, vertekenen oma's lach tot een grimas.

'Voor één keer, voor één keer, vertel toch verdomme één keer de waarheid!!' schreeuw ik zo hard als ik kan. 'Vertel het gewoon zoals het is... Al die leugens, dat heeft ons meer ellende gebracht dan het leven zelf...' De tranen rollen over mijn wangen.

Ik moet weg uit dit huis. Het moet, het moet.

Hoe krijg ik ze ooit uitgelegd dat je soms weg moet om te kunnen blijven?

Op de laatste dag dat ik in Poznań ben, kom ik terug om afscheid te nemen van oma. Ik voel me schuldig over de ruzie.

Als ik in de portiek stap, ruik ik de lucht van urine en alcohol. Het blijkt opa te zijn. Dit ken ik alleen uit verhalen.

'Opa, ik ben het!' Ik probeer hem wakker te schudden. Zijn reactie is miniem.

Opa is kleiner dan ik, maar wel een stuk zwaarder. Ik sleep hem hardhandig de trap op. Mijn boosheid laait op. Woedend ben ik op opa, die zijn zoon in zijn val meesleept. Woedend op oma en haar kunstmatige wereld.

Na twee trappen moet ik rusten. Ik zet mijn half bewusteloze opa tegen de muur; met mijn heup zet ik hem vast, zodat hij niet tegen de grond valt. Hij brabbelt. Ook begint hij me te betasten. Het is niet eens zozeer walging die ik voel. Deze dronken tor, die misschien dementeert, wekt eerder irritatie. En vooral angst, angst voor buren die opeens het trappenhuis binnenstappen.

Dan, als hij mijn gezicht naar zich toe trekt en me tracht te zoenen, zegt hij: 'Ewa? Ewita?'

Ik laat hem los.

Hij ligt op de grond en kijkt verdwaasd om zich heen.

4

Terug in Nederland voel ik me nergens meer op mijn plek. Ben ik bij mama, dan heb ik het benauwd en wil ik weg. Ben ik in mijn eigen kamer, dan voel ik me opgejaagd, alsof ik niet echt op de plek ben waar ik hoor.

Maar ongeacht waar ik ben, is er één droom die steeds terugkomt. We vieren met zijn allen kerst, zo'n kerst van lang geleden toen ons gezin nog bij elkaar was. Het is een levensechte droom waarin ik het linnen laken van de tafel, hard van de stijfsel, duidelijk onder mijn vingers kan voelen en waarin ik het eten kan ruiken. De paddenstoelen. De zuurkool. De vis en de barszcz. Oma en opa, tante Monika met oom Grzesiek. Oom Adam, die als altijd door de hele kamer zwerft, zonder een vaste plek. Andrzej en tante Maria. Iedereen zingt; ja ook mama. Iedereen behalve ik.

Dan valt een van de kaarsen om, en dan nog een; mijn familie schrikt, een voor een gaan ze doeken halen, de kraan gaat aan, een emmer wordt gevuld. Dan vat ook het laken vlam. Ik sta daar, alleen, naar het vuur te kijken dat steeds meer verzwelgt: de tafel, de stoel van opa, onze kerstboom... Het enige wat onaangetast blijft, ben ik zelf. Gebiologeerd staar ik ernaar, zie ik hoe alles tot as vergaat; pas als alles weg is, word ik wakker.

Nog voor mijn vertrek van Maastricht naar Amsterdam komt er voor mij een pakketje uit Polen. Het is een boek. Het is verpakt in het bruine pakpapier dat opa altijd gebruikt om zijn boeken te kaften en ik wil het al bijna ongeopend opzijleggen als het vrouwelijke handschrift me opvalt.

De afzender is oma. Ik trek het bruine pakpapier opzij. Het boek heet *De geknechte geest* van Czesław Miłosz. Het is een dun boekje en de kaft is beschadigd; dit boek is al meer dan eens gelezen. Vrijwel meteen begin ik te lezen. Het is een roman, of eigenlijk zijn het meer essays, over vier intellectuelen, Alfa, Bèta, Gamma en Delta, die zich moesten handhaven in de nieuwe werkelijkheid in het Polen van na de Tweede Wereldoorlog. Een wereld waar je juist niet datgene kon doen waar deze intellectuelen zo goed in waren: creëren, uitdagen, in twijfel trekken. Elk van hen heeft een eigen modus gevonden, een eigen wereld geboetseerd – een eigen werkelijkheid binnen de werkelijkheid van een totalitair regime. Ik bel papa op.

‘Papa?’

‘Ja?’

‘Ik heb een boek gekregen... *De geknechte geest.*’

Papa zwijgt.

‘Ik heb het van oma gekregen... Denk je dat ze het met opzet aan me heeft gegeven? Om me iets duidelijk te maken?’

‘Ik weet het niet, Ida. Oma koopt volgens mij nog steeds alle boeken van Nobelprijswinnaars alleen maar omdat het Nobelprijswinnaars zijn.’

‘Dit boek, papa...’ Het is moeilijk om mijn ontroering onder woorden te brengen. ‘Het gaat over keuzes. Keuzes die we allemaal moeten maken...’

‘Ida, ik ken het boek.’ Papa’s toon is opeens scherp. Zijn scherpte verbaast mij. Het komt vaker voor dat papa niet in wil gaan op mijn vragen, zeker niet als ze betrekking op mama hebben. Maar vragen over een boek? Deze keer deins ik niet terug. Ik word er gek van dat elke keer als ik iets wil weten, ik afgekapt word.

‘Miłosz zegt dat we op moeilijke momenten niet naar onze rede moeten luisteren. Omdat je verstand alles goed kan praten. Het zijn degenen met de zwakste maag die het sterkste morele kompas hebben. Een maag kan immers maar zoveel hebben...’

‘Ida, ik kén dit boek.’

Onverstoorbaar ga ik door. ‘Daarom zijn de werkelijkheden die je voor jezelf schept, maar beperkt houdbaar. Toch, papa? Dat is toch de reden dat een schijnwerkelijkheid zo vaak in een zelfverkozen dood eindigt?’

Ik weet niet waarom ik door blijf praten, het voelt alsof ik iets belangrijks ontdekt heb. ‘Is er wel een waarheid die erger is dan een zelfverkozen schijnwerkelijkheid?’ vraag ik me hardop af.

‘Ida, je moeder...’

‘Mama?’ vraag ik verbaasd. De schijnwerkelijkheid waar

ik naar verwijs was overduidelijk die van oma. Papa valt stil.

'Papa, wanneer is je vader precies overleden?' vraag ik impulsief. Ik hoor hoe papa's adem stokt.

Een minieme stilte. 'Details,' voegt hij er moeizaam aan toe, 'details zijn niet belangrijk, Ida…'

Het duurt even voordat ik de heftige emotie in mezelf kan plaatsen. Woede.

'Niet belangrijk genoeg om ze te vertellen,' zeg ik scherp.

'Laat het rusten, Ida.'

'Het gaat om míjn opa.'

Weer stilte.

'Laat maar,' beëindig ik zelf het gesprek. Misschien als ik in de keuken van papa zat… Een steek gaat door mijn hart als ik besef dat de keuken van papa weg is. Het versleten zeil zal inmiddels vervangen zijn. Zijn moderne flat heeft geen kolenkachels. Met dat besef lijkt de kans dat ik ooit nog grip zal hebben op de gebeurtenissen van toen – er moet iets gebeurd zijn, iets waardoor ik het allemaal ga begrijpen – kleiner dan ooit.

Bij De Slegte vind ik een Nederlandse vertaling van *De geknechte geest*, en ik geef het boek aan Elise. Ze doet er een week over om het uit te lezen. Ook haar heeft het boek aangegrepen. Toch is het voor haar anders; zij ziet niet in elk van de personages een splinter van haar oom, een schaduw van de buurman of de gebroken rug van een van de schrijvers die ze meent te kennen.

'Die Bèta-figuur, die doet niet aan schijnwerkelijkheid, toch?' luidt haar commentaar.

Bèta staat in het boek voor Tadeusz Borowski, een van de Poolse politieke gevangenen in Auschwitz. Een van de duizenden die gedwongen de weg hebben geplaveid voor de massavernietiging van de joden. Andere gevangenen deden dat door als testobject voor het massavernietigingssysteem te dienen. Borowski deed het door het systeem op gang te brengen. Een van de taken van Borowski was het uitladen van de transporten. Een transport stond voor een trein, volgepakt met joden, die bij aankomst uitgeladen diende te worden. Borowski schrijft hierover, realistisch. Een realisme dat weinig overlaat voor heldendom onder de gevangenen. Hij koketteert zelfs met de momenten van genot die hij ervaart als hij gekleed in een zijden hemd, een hemd dat afkomstig is van een van de transporten, kauwend op een stuk brood, met een eigenlijk al te volle maag, onder een boom uitrust, terwijl de dodenmarsen langs hem heen trekken.

Het is echter een andere scène die nooit meer mijn hoofd verlaat. Een passage waarin Borowski het uitladen van de net aangekomen treinen beschrijft. De sterke gevangenen worden hier gescheiden van de zwakke. De zwakken, dat zijn de ouderen, de gehandicapten, de uitgehongerden. De zwakken, dat zijn ook de moeders met een jong kind.

> 'Daar loopt een vrouw met vlugge pas, ze haast zich bijna onmerkbaar, maar toch koortsachtig. Een klein kind van een paar jaar met de bolle blozende wangetjes van een cherubijntje holt achter haar aan, het kan haar niet bijhouden, het strekt de armpjes uit en huilt:
> "Mama! mama!"
> "Vrouw, neem dat kind op je arm!"
> "Meneer, meneer, dat is mijn kind niet, het is niet van mij!" krijst de vrouw hysterisch en zij vlucht met de handen voor het gezicht. Zij wil zich verbergen, zij wil zijn onder degenen die niet met de auto gaan, maar te voet, die zullen leven. Zij is jong, gezond en mooi, zij wil leven.
> Maar het kind rent achter haar aan, luidkeels jammerend: "Mama, mama, loop niet weg!"

Dan komt Andrej op haar af, de zeeman uit Sebastopol. Zijn ogen staan troebel van de wodka en de hitte. Hij grijpt haar, slaat haar neer met één forse slag, terwijl zij valt pakt hij haar bij de haren en sleurt haar weer overeind. Zijn gezicht is vertrokken van woede.
"Wat jij, joodse hoer! Van je kind wil je vluchten! Ik zal je leren!"
Hij grijpt haar bij het middel, zijn hand knijpt haar keel dicht die wilde schreeuwen, en met een zwaai gooit hij haar op de auto, als een zware zak graan.
"Daar! En dat mee! Teef!" Hij werpt het kind voor haar voeten.
"*Gut gemacht*, zo moeten ontaarde moeders gestraft worden," zegt de ss'er die bij de auto staat.'

De letters dansen voor mijn ogen, vervagen, maar ik ben dapper, sper mijn ogen open en lees. Ik moet dit weten, anders zal ik het nooit begrijpen. De vrouw die voor haar kind wegrent komt binnen, nestelt zich in mijn geest, bezet mijn maag en ik weet dat ze me nooit meer zal verlaten. Misschien is ze er altijd al geweest. Slechts de geografische ligging dan wel het tijdsgewricht waarin ik leef, belet mij haar te ontmoeten. Haar te zijn.

'Misschien is er wel een werkelijkheid erger dan een schijnwerkelijkheid,' beantwoord ik mijn eigen vraag, en Elise knikt. Een werkelijkheid waarin verloochening vermomd gaat als redding.

'Hij heeft zelfmoord gepleegd, weet je?' zeg ik tegen Elise. 'Borowski is naar Amerika geëmigreerd. Daar heeft hij uiteindelijk zijn hoofd in de oven gestopt en het gas aangezet.' Dit als antwoord op de tweede vraag die ik had: of het dan niet tegen beter weten in toch loont om de werkelijkheid aan de wereld te tonen, ongeacht de prijs.

'Denk je dat als hij niet de waarheid had getoond, hij

dan gelukkiger had geleefd?' vraagt Elise op haar beurt aan mij, en ik moet even bekomen van het feit dat ze het woord 'gelukkiger' gebruikt.

'Nee, ik denk het niet.'

'Denk je dat de wereld hier iets aan heeft, aan deze verhalen?' vraagt ze verder. 'Op naar de waarheid...' citeert Elise zelf zachtjes het motto uit het eerste schrift dat we samen volschreven.

'En daar voorbij...' voeg ik er fluisterend aan toe – hetgeen het geheel zo pathetisch maakt dat we in de lach schieten. Even zijn we weer veertien, zo lang geleden is het nog niet.

'Toch denk ik dat het moet,' zeg ik een tijd later ernstig.

'Want?'

'Voor de wereld is het belangrijk ter lering ende vermaak,' zeg ik quasi luchtig. Er komt echter een brok in mijn keel, en zoals het een goede vriendin betaamt laat Elise het niet passeren.

'Waarom is het belangrijk voor jou?'

'Voor mij is het of deze pijn, de pijn van de wetenschap dat het leven ongekend wreed kan zijn... of het leven in een wereld waarin iedereen, vooral je naasten, voor altijd vreemdelingen blijven.'

Naast Auschwitz en de bezetting wordt ook het stalinisme in dit boek beschreven, alsook de volksverhuizingen waarin bijna twee miljoen Polen naar Siberië zijn verbannen. Het verhaal van oma's moeder? Eigenlijk wordt in dit boek alles beschreven. Alles wat niet bestaat.

Ik moet oma spreken. Zodra Elise weg is, pak ik de telefoon. Heel even twijfel ik, dan draai ik het nummer van het huis van oma.

'Hallo?,' hoor ik een stem aan de andere kant van de lijn.

'Andrzej? Met Ida...' zeg ik, en meteen heb ik spijt, want ik weet niet precies wat ik wil vragen. Ik zucht alleen maar.

'Wat is er, Ida?' vraagt Andrzej. Dat is het gekke met Andrzej: met hem praat ik nooit, niet echt, en toch begrijpen we elkaar altijd meteen.

'Ik wilde iets vragen over oma...' Deze keer is het Andrzej die een diepe zucht slaakt. Zijn halve leven is onze oma zijn tweede moeder geweest.

'Heb jij wel eens met haar gepraat... over vroeger?' Met schrik bedenk ik dat er veel 'vroeger' is bij ons, en snel licht ik mijn vraag toe: 'Ik bedoel, toen zij zelf nog jong was? Onze leeftijd, en jonger?'

'Zij heeft er nooit over gepraat, nee...' zegt Andrzej. Ik hoor aan zijn stem dat er meer is. 'Maar zij en opa maakten wel eens ruzie...' zegt hij weifelend. Ik knik alleen maar aan mijn kant van de telefoon; opa en oma maken nog steeds veel ruzie, ruzies waarvan ze denken dat niemand het meekrijgt. De ruzies hebben de laatste jaren aan felheid ingeboet. Het is de eindeloze herhaling die ze schrijnend maakt.

'Eén ruzie weet ik nog heel goed, want ik was nog jong... Opa verweet oma dat ze de dochter van een paardenslager was. Dat was volgens mij niet zo heel chic... En toen zei hij dat het haar goed van pas kwam, want toen ze een keer, het moet tegen het einde van de oorlog zijn geweest, over straat liep en er een paard voor haar ogen dood neerviel, wist ze meteen welke stukken ze eruit moest snijden... Hij was erbij, hij zag ook hoe anderen de hersenen van dat paard zó uit zijn kop aten. Hij heeft oma toen naar huis gebracht, want zij had dat vlees dan wel, maar kon bijna niet meer lopen. Als het aan haar had gelegen, was ze zo naast dat paard gaan liggen, was ze samen met hem doodgegaan... Maar opa bracht haar dus naar huis, en ze heeft het gered.' Andrzej zwijgt. 'En daar maakten ze dus ruzie over, toen,' maakt hij een poos later zijn relaas af.

Even vallen we allebei stil, beiden verwonderd over deze singulariteit in het menselijk bestaan, beginpunten die tot het hoogste of het laagste kunnen leiden, of alles tegelijkertijd en het liefst door elkaar heen.

'Meer weet ik ook niet,' zegt Andrzej dan verontschuldigend, en ik glimlach, want ik weet dat hij geen prater is. Hij vraagt of ik oma nog wil spreken. Ik zeg nee.

Oma komt zelf op bezoek, bij mama, een maand of wat later. Het ruikt goed in mama's huis, voor het eerst sinds lange tijd. Het is gelucht en het ruikt naar eten.

'Ida!' zegt oma verrukt als ik binnenkom, 'je hebt vast honger!' Alsof ik weer uit een ander land kom, niet alleen maar uit een andere stad.

Oma staat in de keuken. Haar handen werken vlug, vullen kommetjes en bakjes. De tafel in de woonkamer staat helemaal vol met eten, het lijkt wel kerst. Met de gedekte tafel lijkt het huis van mama bijna normaal. Gewoon, een huis met een dochter en een moeder die hun dag doornemen of hun kledingkeuze bespreken. Voordat we gaan eten, vouwt oma haar handen en ik kijk toe hoe ze zachtjes haar gebed opzegt. Waarschijnlijk zou ik de woorden nog kennen, als ik mijn best zou doen. Sinds ik het boek heb gelezen dat ze me toegestuurd heeft, ben ik veel milder over haar vroomheid. Wie de duivel heeft gezien, heeft geen reden om aan het bestaan van God te twijfelen.

Rustig schept ze de verschillende gerechten op haar bord. De vleespastei die ze nog in Polen heeft klaargemaakt, de ham waar ze altijd zo nauwgezet jacht op maakt. Ze eet bedachtzaam, met kleine hapjes; het is moeilijk te zeggen of ze het eten proeft of keurt. Naast haar zit mama, voor één keer eet ze niet op de bank. Haar bord is volgeladen, ze eet met grote happen. Geen woord zegt ze, terwijl 'lekker' voldoende was geweest.

Oma en haar dochter zitten naast elkaar, en bij deze aanblik vraag ik me af waarom de haat altijd de vrouwen treft en nooit de man. Mijn eigen haat is uitsluitend voor mama bestemd, niet voor papa. Terwijl mama er in ieder geval wás. Papa is er niet. Het is uiterst zelden dat hij uit zichzelf belt of schrijft. Blijkbaar is niet al te veel schade aanrichten voldoende voor goed vaderschap.

Oma is tevreden dat haar Ewa eet. Ik ben tevreden dat mama met ons aan tafel zit. En zelfs mama zelf lijkt tevreden.

Ik smeer een sneetje Pools brood met echte boter en bestrooi het met zout. De meeste Nederlanders vinden Pools brood niet lekker, het is steviger en taaier dan ze gewend zijn; ze denken vaak dat het al oud is. Het brood is heerlijk. Ik kauw er zo lang mogelijk op voordat ik het doorslik.

'Ida, waarom eet je niets?' vraagt oma. Mama kijkt geïnteresseerd op, benieuwd hoe ik dit ga oplossen. Een sneetje brood is niet voldoende om oma af te leiden. Het moment is daar dat ik niet anders kan dan vertellen wat ik de afgelopen jaren voor oma heb weten te verbergen.

'Oma... Ik eet geen vlees...' zeg ik. 'Ik ben al twee jaar vegetariër,' maak ik mijn zin af, en ik wacht gespannen tot de bliksem inslaat. Oma kijkt me radeloos, verslagen aan, zoekt in mijn ogen naar een verklaring. Mijn gêne is groter dan op het moment dat ik haar spiegel brak.

Dan, ineens, klaart haar gezicht op en heft ze haar handen ten hemel.

'Gelukkig! Alsof ik het wist!' – en ze stormt terug de keuken in en komt met een andere schotel aangesneld.

'Kijk, Ida, kijk, ik heb gelukkig ook kip gemaakt.'

5

Mijn nieuwe kamer in Amsterdam, de enige kamer die ik kon vinden, is in een huis waar momenteel een muizenplaag heerst. Het schijnt normaal voor Amsterdam te zijn en ik kan me eroverheen zetten. Alleen durf ik Heideroosje er niet mee naartoe te nemen. Heideroosje is een vrouwtjesrat en ik krijg allerlei visioenen van grote, vieze ratten die haar gaan opzoeken. Aangezien Elise ook uit Maastricht gaat vertrekken, ze wil zo snel mogelijk op reis, kan ze de zorg voor Heideroosje niet van me overnemen. De enige andere kandidaat, Brian, heb ik bijna een jaar niet gesproken.

Peinzend sta ik voor het raam bij mama, bij wie ik de laatste dagen voor mijn vertrek naar Amsterdam doorbreng. Mijn wijsvinger volgt de druppels regen die langs het raam omlaag glijden. De deur naast ons zwaait open en Demi stapt naar buiten. Twaalf is hij en nog steeds schuchter. Zijn schouders hangen, zijn gezicht is nauwelijks zichtbaar onder de capuchon van zijn zwarte sweater. Ik kijk naar zijn iele lichaam, zijn breekbare schouders.

De laatste jaren heb ik geen woord meer met hem gewisseld, eigenlijk ook niet meer aan hem gedacht, laat staan dat ik iets aan hem heb gegeven. Nerveus spreek ik hem aan, in de verwachting dat hij mijn aanbod van de hand zal wijzen.

'Dag Demi,' zeg ik onwennig, 'hoe gaat het?' Demi haalt zijn schouders op.

Toch lichten zijn ogen op als ik Heideroosje uit mijn zak haal. Volgens mij heeft hij of zijn zusje nog nooit een huisdier gehad. Misschien dat hij en Heideroosje vrienden worden. Even later haal ik de kooi op en de rest van de spullen die ik nog over heb en loop ik achterom naar het huis van de buren. Demi staat er al, met zijn vader. Een tel lang lijkt hij op het jongetje van vroeger. Plechtig overhandig ik hem de kooi. Demi's vader komt erbij staan, doet het deurtje open en probeert Heideroosje te pakken. Zo uit het niets, ze heeft het echt nooit eerder gedaan, mij of iemand anders bijten, valt Heideroosje zijn hand aan. 'Godverdomme, kankerbeest!' roept hij, en hij slaat de kooi uit Demi's handen. Geschrokken buk ik en kijk ik of Heideroosje niets mankeert, maar zij schudt zichzelf alleen maar uit en schiet dan door het open deurtje naar buiten. Voor ik het doorheb, rent ze weg en verdwijnt ze in het hoge gras. Samen met Demi kijk ik haar na. Het is onmogelijk om haar nog te vinden. Zou ze het redden daarbuiten?

Demi's ogen lijken vol te lopen. Hij kijkt naar de grond. 'Kankerbeest!' herhaalt Demi's vader nog maar eens, lachend als een boer die kiespijn heeft. Demi's gezicht verwringt, hij bukt, pakt een steen en gooit hem in het gras. Dan nog een, en nog een. Zijn vader doet mee en ze lachen. Ik schrik als ik het gezicht van mijn buurjongen zie. Demi, de tovenaarsleerling, is weg. Er was meer nodig, veel meer, en ik was zo bezig met mijn eigen leven dat ik hem vergat. Dat ik de belofte aan Elise dat ik op zou treden tegen absurditeit en onrecht, vergat.

Nog eenmaal kijk ik naar het hoge gras. Het is niet langer Heideroosje waar ik bezorgd om ben. Maar het is te laat.

V

Komurasaki

'Jullie uitdaging is om met de Theorie van Alles te komen,' zegt de docent bij het introductiecollege van mijn studie. Achter hem op het scherm staat de Vitruviusman van Leonardo da Vinci. 'Alles houdt verband met alles, ga het maar zoeken!' voegt hij er enthousiast aan toe. Ik blijf nog een tijdlang naar de tekening staren. Deze Vitruviusman is omringd door tal van afbeeldingen. Het begint met de sterrenstelsels en zoomt verder in op de aarde, de ecosystemen, de mens, de cel, atomen, elektronen en andere deeltjes, en dan is de kring weer rond en kom je weer uit bij het sterrenstelsel. Het allergrootste lijkt moeiteloos over te gaan in het allerkleinste, alsof...

En dan moeten we echt het lokaal uit.

Buiten stuur ik een sms naar Elise: *Eerste huiswerkopdracht: bedenk een Theorie van Alles!* Enthousiast huppel ik met mijn medestudenten naar de dichtstbijzijnde kroeg, waar ook Elise een tijdje later aansluit.

'Ik verander van richting! Ik kom bij jullie!' roept ze uit als ik haar zie. Elise heeft meteen voor biologie gekozen.

'Hoe kan een mens zichzelf nou serieus nemen als je eenmaal een cel hebt bestudeerd?' vraag ik, zomaar, want dat kan in deze kroeg.

We zitten met zo'n zes à zeven man en menen te weten hoe de wereld in elkaar steekt. Wat heet: we weten ook hoe het morgen anders moet. Natuurkundigen, biologen en filosofen, het liefst studeerden we alles door elkaar heen. Bijna ieder van ons heeft de ambitie om te promoveren, ons leven te wijden aan het stellen en beantwoorden van onmogelijke vragen. Vandaag, in deze eerste maanden van mijn studie, duizelig van de colleges, van het les krijgen van mensen die werkelijk van hun vakgebied houden, denk ik ook dat een groot deel van mijn leven zich hier gaat afspelen, op de universiteit. Waar mensen zijn met een voorliefde voor gekmakende vragen – een paar mensen maar, dat is genoeg; mensen die het aandurven te leven zonder ooit een echt antwoord te krijgen, maar die de overtuiging met me delen dat door de poging alleen al je als mens een andere dimensie betreedt. En vooral dat de zoete waanzin die erbij hoort best gedeeld kan worden.

'Ida...' zegt Elise als ze om zich heen kijkt, 'volgens mij is dit een kroeg voor economen...' De bar is inderdaad bezet door jongens en een paar meisjes met kleren die een stuk netter zijn dan de onze, veel polo's vooral.

'Heb je iets tegen economen, Ida?' vraagt een studiegenoot, zeventien nog maar en stellig geniaal. Elise rolt met haar ogen, want ze weet wat er komen gaat.

'Weet je wat het is? Een deel van de mensen woont op een eiland...' begin ik, en Elise staat op om nieuwe biertjes te halen; ze weet dat ze de tijd heeft. 'Een eiland waar mensen in huizen wonen die ze bezitten. Mensen die boodschappen doen bij de Albert Heijn in plaats van de Aldi. Mensen die sokken kopen bij de Hema, of nog duurder. Mensen die er niet over hoeven na te denken hoe ze hun studieboeken betalen. Die vakanties als een jaarlijks terugkerend evenement beschouwen. Dat is het eiland in Nederland.'

'Heb je iets tegen mensen die geld hebben?' vraagt een van de meisjes verbaasd.

Ik negeer haar. 'Als je vervolgens naar de wereld kijkt, is Nederland op zichzelf al een eiland. Met het verschil dat de mensen buiten het eiland niet naar de Aldi kunnen als ze minder geld hebben. Ze gaan gewoon dood.' Ik kijk recht in de ogen van het meisje dat me onderbrak. Ze schuift ongemakkelijk op haar stoel heen en weer en ik besef dat ik zelfs hier te ver kan gaan. Toch ga ik verder.

'Nee, ik heb niks tegen mensen met geld. Wel tegen de vanzelfsprekendheid waarmee ze het ondergaan. In Nederland wonen best veel mensen op het eiland, wereldwijd niet zoveel. Verreweg de meeste mensen die wél op het eiland wonen, voelen echter geen enkele behoefte om iets aan deze tweedeling te doen... Sterker nog, het in stand houden van het eiland, het bevoorraden van de Albert Heijn en de Aldi met duizenden uiteenlopende producten tegen onlogisch lage prijzen, vereist dat we een groot deel van de mensen buiten het eiland houden. Mensen die op het eiland wonen, werken namelijk niet voor vijftig dollar per maand.'

'En dat komt door de economen?' vraagt het meisje in kwestie sceptisch.

'Wel voor een deel, doordat ze te vaak geen onderscheid maken tussen de economische modellen en de werkelijkheid,' zeg ik stellig. 'Omdat ze uitgaan van een eendimensionale waarheid. De waarde van alles wordt in geld uitgedrukt waarmee je een stuk van ons buiten beschouwing laat...' voeg ik er zacht aan toe. 'Dieren hebben een prijs. Een mensenleven heeft een prijs. Zelfs liefde en vriendschap ontkomen er niet aan...' Elise is inmiddels weer aangeschoven en haar gezicht betrekt bij de laatste zinnen.

'Wat is het alternatief dan, Ida? De wereld overlaten aan linkse bevlogen types?' werpt de geniale jongen van zeventien tegen.

Ik schud van nee. Het systeem dat opgebouwd is door linkse bevlogen types vond ik namelijk helemaal niks.

'De economen, eigenlijk wel de meeste mensen, weten toch ook dat er gebreken aan het huidige systeem zitten?'

zegt het mooiste meisje uit ons groepje.

'We weten het wel, maar hebben geen drijfveer meer om het te veranderen... We kiezen hoogstens voor biologisch eten, wat op zich wel goed is, maar niet het systeem verandert. En daarna sluiten we ons op in onze huizen, bewandelen we paden waar zij die buitengesloten zijn, niet komen...'

'Of we doen aan yoga,' deelt het mooie meisje met het donkerbruine haar haar ingeving met ons. Ze lijkt zelf te schrikken van haar opmerking.

'Ja, ze weten dat de maatschappij niet echt deugt, maar door yoga te doen en te mediteren plaatsen ze zich erbuiten,' probeer ik haar te helpen. 'Of zelfs erboven...' We lachen en ik ben opgelucht.

Vandaag weet ik ook dat ik hier, in deze nieuwe wereld, ergens mijn liefde zal treffen. Staand voor de spiegel in de toiletruimte van onze kroeg kan ik hem bijna zien. Een vluchteling, of in ieder geval een mens op de vlucht, levend in de marge van het acceptabele, een intellectueel, een dilettant; iemand die leeft voor de waarheid, ongrijpbaar, gekmakend, iemand die me zou afstoten en aantrekken tegelijk, een existentialist met een diep religieuze inborst, iemand die voortdurend in conflict met de wereld om hem heen leeft, iemand achter een hoge muur die geduldig afgebroken dient te worden, iemand van wie je nooit wist of hij bleef, iemand bij wie je evengoed een diepgaande hunkering naar de onverklaarbare, eeuwige liefde voelde, een liefde die wellicht, waarschijnlijk, helemaal niet bestond.

Als ik terugkom van de wc staat er een jongen aan de tafel waaraan ik met mijn vrienden zit. Ouder dan wij, misschien al bijna klaar met zijn studie. Hij staat met het genie van zeventien te praten: die heeft bij zijn broer in de klas gezeten.

'Ik ben Ron,' zegt hij vriendelijk en steekt zijn hand naar me uit.

Hij staat er gewoon, rustig naar me kijkend, met blauwe ogen die in niets verraden dat de wereld een moeilijke plek is. Het zijn ogen waar ik me in zou kunnen verliezen, als ik maar zou durven kijken. Zijn kalmte is te veel en ontneemt me mijn rust; ik kijk weg.

'Wat studeer je?' vraag ik alleen maar.

'Economie,' zegt hij rustig, en ik laat een zucht ontsnappen. Iedereen om me heen moet lachen, Ron kijkt niet-begrijpend om zich heen en zelf zou ik het liefst verdwijnen.

Ron. Ik laat mijn ogen over hem glijden, over zijn blauwe polo, het gemak waarmee hij hier staat. Hij komt vast uit een oord waar Władysław Reymont alleen maar van kon dromen. Een plattelandsvariant van het moderne stadsleven, waar iedereen elkaar kent en de mens nog zichtbaar is. Dit allemaal heb ik al gezien, al hebben we elkaar nauwelijks gesproken.

Hij kijkt me onderzoekend aan. Ik herken deze blik, hij zoekt naar een teken van interesse, naar iets…

Lang nadat mijn nieuwe vrienden en Elise weg zijn, zitten we er nog, Ron en ik.

'Drie broers. Jij?'

'In Nederland alleen mama.'

'Alleen je moeder? Hoe is ze?' Niet: 'wat doet ze'. 'Hoe is ze,' vraagt hij.

'Moeilijk,' zeg ik ontwijkend, maar Ron haalt alleen zijn wenkbrauw op.

'Oké. Ik heb ooit een verhaal gelezen, toen moest ik erg aan haar denken. Het ging over een gebarsten, porseleinen, Japans hart. Wil je het horen?'

Ron stelt een wedervraag. 'Is dat wel een goed teken, treurige liefdesverhalen vertellen bij een eerste ontmoeting?'

'Jij vroeg hoe mama is...'

'Vertel. Ik wil het weten.' Hij laat zijn hoofd op zijn handen rusten; zijn ellebogen raken bijna mijn armen aan.

'Het verhaal gaat over een antieke porseleinen Japanse pop, genaamd Komurasaki. Zij wordt tentoongesteld bij een antiquair, tussen allemaal andere verzamelobjecten.' Terwijl ik zit te vertellen, voel ik hoe Ron met zijn stoel dichterbij schuift.

'Mama lijkt niet op een pop, laat staan op een pop van porselein, maar hoe het ook zij, deze pop voelde zich niet thuis in haar etalage.' Rons knie raakt mijn been aan en ik merk hoe het tempo van mijn verhaal versnelt.

'Tussen de andere objecten uit een vervlogen tijdperk voelde ze alleen vervreemding en angst. Ze ervoer het als een enorme chaos, al die dingen die ze niet herkende, ze wist alleen dat het niet haar werkelijkheid was.'

Ron buigt zich verder naar me toe, lijkt geen woord te willen missen.

'Wat haar in het bijzonder angst inboezemt, is de geheimzinnige hand, die af en toe verschijnt boven de etalage en iemand "ontvoert",' ga ik verder met een lage stem.

'Ah, een horrorverhaal,' zegt Ron verlekkerd.

'Zoiets. Haar werkelijkheid was verworden tot een boze droom waar ze maar niet uit kon ontwaken. De wereld van de etalage had slechts één lichtpuntje: een bronzen beeldje van Narcissus Marcus, het object van haar liefde, waar ze echter nooit contact mee maakt.'

'Nooit?' vraagt Ron plagend.

'Fragiel porselein en hard, hoekig brons, dat gaat niet samen...' zeg ik, en ik schuif mijn been opzij, waardoor de verbinding tussen onze knieën verbroken wordt.

'Op een dag wordt ze gekocht door een kunsthandelaar, die haar naar een ruimer, lichter huis brengt, het perfecte huis voor een pop als zij. Maar... ze kan er niet aarden. Met haar klaagzangen drijft ze haar nieuwe eigenaar tot het uiterste en uiteindelijk brengt hij haar terug naar de winkel, waar ze weer in de etalage belandt.'

'En toen?'

'Eenmaal terug in de etalage werpt ze zich dan alsnog op het bronzen beeldje...'

Ron trekt weer zijn wenkbrauw op. Een begin van een glimlach tekent zich af.

'... en breekt in duizend stukjes.' Rons glimlach trekt weg. Hij lijkt niet gewend aan treurige verhalen.

'Aldus barst het zoete, porseleinen hart van Komurasaki,' eindig ik resoluut, en ik trek mijn armen en benen bij hem vandaan.

'Kan een pop zich tegen een dergelijk lot beschermen?'

'Ja, ik wil graag geloven dat het kan,' zeg ik zacht. Ron kijkt me onderzoekend aan. Hij wil meer.

'Hoe doet een pop dat?'

'Door niet te vluchten voor de werkelijkheid.'

'Wil dat een beetje lukken?' vraagt Ron. Hij brengt zijn hoofd dichterbij.

'Ik ben nog aan het oefenen,' lach ik en ontwijk zijn zoen.

Uiteindelijk gaan de lichten aan en samen lopen we naar buiten. Hier pakt hij mijn hand vast, dan mijn hoofd; hij strijkt het haar uit mijn gezicht. Voor het eerst is hij echt ernstig deze avond, het spelen is voorbij. Als vanzelf komt mijn gezicht dicht bij het zijne. Ik sluit mijn ogen niet en in zijn ogen zie ik de rust, de onverstoorbaarheid. Er gaat een schok door me heen. Blijf waar je bent, denk ik, er is een afgrond tussen ons in, als ik daarin val, is dat de eenzaamste plek.

Ik duw hem weg, draai me om en loop weg.

'En?' vraagt Elise een dag later aan mij, maar ik schud alleen mijn hoofd.

'Ida, wat is er in hemelsnaam mis met hem?' Elise toont

geen medelijden en blijft me aankijken.
'Er is niks mis met Ron,' zeg ik zacht.
'Ida?' Elise blijft me aankijken en ik weet dat ze me er niet mee weg laat komen.
Ik duw mijn thee weg.
'Hij is econoom!' roep ik verontwaardigd uit.
'Dat wist je ook voordat je met hem apart ging zitten. Wat is de echte reden?' vraagt ze streng.
'Hij... hij is zo verschrikkelijk gelukkig,' breng ik met moeite uit. Gespannen wacht ik haar reactie af, maar Elise lacht niet.
'Of beter gezegd, zo tevreden... Tevreden met zijn leven, zijn familie, met zichzelf...'
'En daar weet jij je geen raad mee. Wat ga je doen? De rest van je leven doorbrengen met de Karims en Brians van deze wereld? Gezellig samen in het water spartelen en rondjes zwemmen?'
Ik zwijg. Er is een bepaalde melancholie, een bepaalde woede die Karim en Brian wel kennen en Ron, dat weet ik bijna zeker, niet. Een bepaalde onaangepastheid ook. Van de andere kant: Elise heeft volkomen gelijk. Karim en Brian hadden beiden in deze wereld niet gepast, in mijn wereld van de universiteit, met zijn andere gesprekken, andere manier van leven. Ja, eigenlijk is dit al het voorportaal van het eiland, besef ik met een schok.
'Ida, wat voel je?' vraagt Elise serieus.
Ik schud alleen mijn hoofd. Sinds ik niet meer kon schrijven, met de zinnetjes mijn gevoelens kon beteugelen, beheersen, ontweek ik gevoelens zo veel mogelijk of duwde ik ze weg.
'Elise, vergeet het.'

De enige kamer die ik in Amsterdam kon vinden, de kamer die vergeven is van de muizen, ligt in de buurt van een van de laatste metrohaltes van lijn 51. De kamer is gemeubileerd, er staat een bed, maar ik slaap op de bank, in een poging zo ver mogelijk van de muizen vandaan te blijven. De muizen zijn overal. In de keuken kom ik niet meer, die is volledig door het ongedierte overgenomen, is allang reddeloos verloren. Mijn verblijf hier beperk ik tot het slapen, op de bank, in mijn eigen slaapzak, op mijn eigen lakens. Altijd doe ik mijn best om zo weinig mogelijk aan te raken.

Ook in Amsterdam werk ik veel. Toch zit ik altijd in geldnood; het kost me moeite om mijn boeken en huur te betalen, en de treinreizen naar Maastricht op de meest onmogelijke tijden. Het liefst wil ik sparen voor een nieuwe verhuizing, zo dicht mogelijk bij het centrum van Amsterdam, naar een kamer met flink wat minder muizen.

Mijn weken bestaan uit het heen-en-weer-gereis naar Maastricht; ik ga er elk weekend heen, soms vaker, als mama haar onderzoeken in het ziekenhuis heeft. Ik werk soms nog in Maastricht, maar vaker in Amsterdam. Vaak ben ik om vijf uur 's ochtends nog bezig de ontbijttafels voor de volgende dag te dekken. Het is zo makkelijk om in Amsterdam aan werk te komen. Niemand lijkt op je accent te letten, je hoeft niet eens Nederlands te kennen, Engels alleen is al voldoende. Hoe gaaf ik mijn studie ook vind, aan echt studeren kom ik nog steeds niet toe.

Ook dit weekend reis ik weer naar Maastricht. De kanker van mama lijkt onder controle, maar ze zit midden in een zware depressie. Dat komt extra ongelukkig uit, want tante Monika en oom Grzesiek komen op bezoek. Zelfs na zo'n lange reis ziet Monika er onberispelijk uit. Mama daarentegen heeft geen speciale voorbereidingen getroffen. Ze zit op de bank, zoals altijd, in haar nachthemd. De chemokuren heeft ze al een tijd geleden afgerond en haar haar is flink teruggegroeid. Haar nachthemd valt open; de bovenkant van het litteken is zichtbaar. Ze reageert nauwelijks op de binnenkomst van haar broer met zijn vrouw. Monika praat aan één stuk door, over de reis, de weg, het verschil in de temperatuur en de lage luchtdruk die ze hier in Nederland meent te voelen.

Ik maak ontbijt en serveer het op de salontafel, bij de bank, zodat mama kan gaan liggen als het zitten haar te veel wordt. Wijdbeens zit ze aan het tafeltje. Ik hoop dat ze vandaag wel een onderbroek draagt; dat is niet het geval. Geroutineerd veeg ik mama's mond af tussen twee happen door. Ze eet slordig, apathisch.

Monika raakt haar ontbijt niet aan.

Dan pakken ze verschillende doosjes uit de tas; de hele familie heeft botje bij botje gelegd om speciale genezende kruiden te kopen. Deze kruiden ken ik, ze worden in Nederland ook aangeprezen en ze kosten een vermogen. Grzesiek spoort me aan er thee van te zetten voor zijn zus. Ik trek de kruiden; de thee verspreidt een penetrante geur. De reactie van mama op dit brouwsel is met een akelige precisie te voorspellen. Met een zucht beslis ik dat de waarheid zich al voldoende getoond heeft vandaag, en ik verwissel de kruidenthee voor frambozenthee, de enige thee die mama nog drinkt. De doosjes met kruiden verstop ik in het kastje met de schoonmaakspullen. Mama drinkt haar kop leeg en Monika en Grzesiek kijken goedkeurend toe.

De rest van de dag brengt mama op de bank door, zoals altijd. Monika wil misschien wel helpen, maar als haar blik over het huis dwaalt, over de lamellen die in geen tijden meer zijn schoongemaakt, de lekkagevlekken die uiteindelijk nooit door Adam zijn weggewerkt en het vinyl op de vloer in de keuken waarvan het patroon allang niet meer zichtbaar is, geeft zij het op.

Het weekend blijkt kort: deze dag en een nacht. De dag erop vertrekken ze alweer richting Polen. Wat kan iemand hier nog betekenen?

Op zondag doe ik de was van mama – alleen maar een paar nachthemden, ze gaat nog steeds nauwelijks naar buiten. Ik verschoon de bedden, van haar en van de gasten. Zet een kop thee met de kruiden die Monika en Grzesiek meegenomen hebben. Mama ruikt eraan en trekt een gezicht alsof ik haar de inhoud van een openbaar urinoir na de derde dag van het carnaval voorzet en duwt de kop van zich af. Ze zoekt net zolang tot ze de verpakkingen vindt en gooit ze allemaal in de prullenbak.

Dan stofzuig ik, veeg de keukenvloer, leg een deken over mama heen. Een kort briefje voor de thuiszorg leg ik op de grote tafel.

Zacht trek ik de deur achter me dicht en vertrek richting het treinstation. Vier dagen Amsterdam heb ik eer ik terug zal keren.

Ergens valt de reis me deze keer een stukje lichter. Ik heb Monika's gezicht gezien.

Zij zou dit ook niet trekken.

Er is gelukkig afleiding, want eindelijk, eindelijk heb ik een nieuwe kamer gevonden, in de buurt van de Westergasfabriek. Ik pak mijn spullen in; het is nog niet zoveel. De boeken en de kleren doe ik in mijn tas en als laatste haal ik de bank af. Ik pak mijn lakens en mijn slaapzak in. Tot slot schuif ik de bank opzij, op zoek naar verloren spullen. Wat ik vind is veel gruis: kleine stukjes vermalen bank, deeltjes van bekleding. En nog veel meer deeltjes die eens de bruine vulling waren.

Met de tweeslachtigheid van een kind dat niet wil kijken, maar toch ook weer wel, trek ik aan de loshangende draden die uit de bank steken. Het binnenste laat los en komt omlaag; tussen de restanten vulling ontwaar ik een nest jonge muizen. Walgend deins ik achteruit en ik denk alleen nog aan de moedermuis – nee, ik zie haar, zie hoe ze brutaal mijn bank in beslag heeft genomen, tientallen keren over de bank is gerend, misschien zelfs over mij heen toen ik sliep. Rillend pak ik mijn spullen bij elkaar; ik verlaat het huis en ga de straat op.

Snel installeer ik me in mijn nieuwe huis en beloof mezelf plechtig dat dit wél de plek wordt waar ik mijn studiepunten ga halen. Dan belt Elise en haalt me over om mee te gaan naar de sportvelden. Er wordt gevoetbald, een bekerwedstrijd. We lopen rond, eten ijsjes. Dan, in een van de teams op het veld, ontdek ik Ron. Raar, ze zijn toch ver weg op dat veld, opmerkelijk dat ik hem zo maar herken. Ik heb hem nooit meer gesproken na die ene avond. Zó zorgvuldig vermijd ik Ron dat ik inmiddels een redelijk zicht heb op zijn collegerooster en de momenten waarop hij zijn koffie drinkt.

Hij blijkt de aanvoerder van zijn team; ik zucht, dat kan er ook nog wel bij. Op de zonovergoten tribune zit ik naar de wedstrijd te kijken. Ron, die toch groot en stevig is, beweegt zich met een ongekende lichtheid over het veld. Hij gaat er volledig tegenaan. Achter hem rijen beschilderde gezichten; zonder het veld te betreden vechten ze volledig mee. Een alleszins acceptabele vorm van oorlog.

'Ida, hou je eigenlijk wél van voetbal?' vraagt Elise verbaasd als ik minutenlang geconcentreerd naar de wedstrijd blijf kijken. Het afgelopen decennium heeft ze me op geen enkele voetbalgerelateerde uitspraak kunnen betrappen.

Opnieuw trekt Ron ten aanval en hij slaakt een kreet, een kreet die uit een plek diep vanbinnen komt en al vele eeuwen lang over de strijdperken klinkt.

'Ik vind het prachtig,' zeg ik plechtig. Elise moet lachen en slaat haar armen om me heen.

Opeens voel ik de aprilzon, het is werkelijk een mooie dag. De wedstrijd mag ik van mezelf afkijken.

De lente lijkt zelfs mama op te tillen. Ze kleedt zich nu elke dag aan en gaat af en toe in op de uitnodigingen van haar vrienden. Soms eet ze in de stad, een andere keer maakt ze een wandeling door het park. De oude Ewa is ze nog lang niet. Ze is een stuk zwaarder, en haar haar draagt ze korter. Maar in de blouse die ze onlangs gekocht heeft, die turquoise is, lijkt ze soms op de Ewa van vroeger – een vroeger dat niet eens zo lang geleden is.

Dan belt mama op; ze wil me in Amsterdam bezoeken.

Mijn nieuwe kamer huur ik van een Surinaamse hospita. Het voordeel is dat ik een stuk dichter bij het centrum zit, alles op de fiets kan doen. Een nadeel is dat dit huis regelmatig is gevuld met haar vrienden en familie, die voortdurend wiet roken. Maar uitgerekend deze week is mijn hospita zelf op bezoek bij familie; de sterren lijken gunstig te staan voor het bezoek van mama.

De ramen zet ik wagenwijd open, en dan ga ik mama van het station halen. Ondanks haar hervonden energie komt ze rustig over, bijna vlak. De medicijnen die een nieuwe psychose moeten onderdrukken, hebben Ewa weggedrukt. Als we zo door Amsterdam lopen, mijn kamer bekijken, werp ik regelmatig een blik op mama en vraag ik me af waar de echte Ewa is. Kijkt ze nog mee en denkt ze mee, ergens op de achtergrond? Is dit een vervangend exemplaar? Of bestaat het allemaal naast elkaar en dwaalt haar ziel in een ondergrondse plek, waar het aan het gisten en broeien is, wachtend tot een nieuwe explosie die ziel zal bevrijden? Uiteindelijk blijf ik maar tegen haar praten zoals je tegen een comapatiënt zou doen, in de hoop dat ze me kan horen en dat ze, als ze ooit ontwaakt, zich kan herinneren hoe ik bleef volhouden dat ze mama is – een moeder die wil weten of mijn nieuwe kamer bevalt.

We maken een korte wandeling door de Oudemanhuispoort, waar de politicologiefaculteit gevestigd is. Beleefd laat mama het over zich heen komen. Als we koffiedrinken in het studentencafé, komt een van mijn docenten naar me toe.

'Dag Ida Sjm... Tjs...' worstelt hij met mijn naam. 'Lastig uit te spreken. Maar weet je, als je die naam een tweede keer tegenkomt, herken je hem meteen.'

Hij geeft me een paper terug: ik heb een negen! Het is mijn eerste mooie cijfer van dit jaar. Opgetogen laat ik mama het essay lezen. Het is een stuk over de betekenis van de Conferentie van Jalta binnen het ontstaansproces van de Verenigde Naties. De Conferentie van Jalta wordt nauwelijks genoemd in de gangbare verhandelingen over de Verenigde Naties. Wat wellicht niet zo gek is bij een instituut dat zich richt op de naleving van internationaal recht, mondiale veiligheid en het behoud van mensenrechten.

De paper is goed geschreven, dat weet ik: rationeel, afgewogen. Het was lang geleden dat ik plezier beleefde aan schrijven. Ook al is wetenschappelijk schrijven fundamenteel anders dan mijn schrijfpogingen die een paar jaar eerder zo desastreus zijn geëindigd, ik ben er evengoed trots op. Misschien heb ik weer iets gevonden waar ik goed in ben.

Ik kijk op mijn telefoon en voel opwinding. Er is nog tijd, misschien dat we nog langs de andere faculteit kunnen lopen, de economiefaculteit, en misschien dat Ron dan langs zal lopen... Het is donderdag en dan eet hij in de mensa, altijd op dezelfde plek. Misschien doet hij dat vandaag ook.

Mama's blik glijdt over het citaat op de eerste pagina van de paper. Het is een citaat van Maria Dąbrowska, een van de grootste Poolse schrijfsters, en ze schreef het na de afloop van de Tweede Wereldoorlog:

> Dat wat er nu met Polen gebeurt overstijgt alles wat bekend is in de geschiedenis onder de noemer van cynisme en het onderdrukken van een volk. Vooral als je bedenkt dat dit volk na vijf jaar van de meest verschrikkelijke offers, verbeten strijd en ondergronds verzet tegen de Duitsers niet eens de satisfactie mag ervaren om het verhaal van deze wonderlijke strijd en arbeid, alsook de slachtoffers, te eren. Ons bloed en onze strijd is geschonden, verkracht en weggevaagd.

Dąbrowska schreef het naar aanleiding van het plaatsen van Polen onder de invloedssfeer van de Sovjet-Unie. Mama's gezicht betrekt.

'Wat is er?' vraag ik.

'Dit heb ik nooit gewild,' zegt mama. Ik kijk haar vragend aan.

'Dat jij je met zulke ellende bezighoudt,' zegt ze, en ze kijkt somber voor zich uit.

Woede komt vanuit mijn buik omhoog. Maar mama, wil ik zeggen, als niemand zich met deze ellende bezighoudt, als niemand de moed opbrengt om het vrijwillig te ervaren, uit te zoeken, erdoorheen te komen en het liefst ook nog aan anderen te vertellen, dan is er toch niemand die het nog begrijpt? Niemand die het weet? *Ik* weet het al nauwelijks, laat staan mijn kinderen, later... Wie begrijpt er dan nog dat beslissingen op papier de economie overstijgen, de politiek overstijgen, dat er echte mensen achter de muren wonen die we met het akelige gemak van een pennenstreek optrekken? Dat er een prijs betaald wordt van vergruisde dromen, nooit geleefde levens? Dat is wat we betalen voor onze stabiliteit en welvaart, dat is wat we anderen laten betalen voor stabiliteit en welvaart. Iemand moet toch blijven schrijven, schreeuwen en onderbouwen dat zolang we de wereld indelen in blokken, waar sommige landen wel in vallen en sommige niet, sommige groepen wel en sommige niet, sommige mensen wel en sommige niet – dat dan een deel van ons, ook jij, mama, voor altijd gedwongen zal zijn om te zwerven, op zoek naar dat ene eiland, dat eiland dat nooit bereikt zal worden door jou, de uitgeslotene...

Mama, dat moet jíj toch weten, ik wil dat je het begrijpt.

Ik wil dat je míj begrijpt.

Maar mama zinkt alweer weg in haar half lethargische toestand. Ik gooi het essay in mijn tas. Ik wil niet langer blijven zitten, wil niet naar de economiefaculteit, niet naar mijn kamer. We eten wel op het station.

Een paar dagen eerder heb ik gesolliciteerd op een plek binnen de Nederlandse delegatie naar de Verenigde Naties. Het is een buitenkans: er wordt een jongere opgenomen in de delegatie naar de Algemene Vergadering van de Verenigde Naties. Ergens wil ik het ook zo graag zien, ervaren, geloven dat dit instituut het offer waard is geweest. Alleen de gedachte al om bij de Verenigde Naties rond te lopen, maakt me duizelig. De uitverkorene mag er zelfs een toespraak houden. Het sollicitatiegesprek is al over twee weken en ik ben uitgenodigd.

Dit vertel ik niet aan mama. Voor goed nieuws moet je je momenten kiezen.

Zwijgend zitten we naast elkaar in de tram naar het treinstation. Ik omhels haar bij het afscheid, maar zelfs haar omhelzing is zwak. Nog voordat ze de trein in stapt, bel ik Jarek op om het tijdstip van mama's aankomst door te geven. Hij heeft beloofd mama van het station te halen. Over tweeënhalfuur zal hij in Maastricht klaarstaan.

Zelf loop ik terug naar mijn hospita, waar ik eigenlijk alleen een matras op de grond heb en een tafeltje. Mijn boeken zijn ook nog niet uitgepakt en mijn kleren zitten nog steeds in tassen. De rest van de spullen zit in vuilniszakken. Ook hier wil ik eigenlijk snel weg. Naar een kamer met een slot erop.

Er wordt aangebeld. Het is de buurvrouw, met een dikke envelop in haar hand. De afzender is de Sociale Dienst van Maastricht. Het blijkt dat ik gefraudeerd heb. Drie maanden heb ik uitkering ontvangen, terwijl ik er geen recht op had. Het gaat over de eerste drie maanden, toen ik in Maastricht nog op zoek was naar een kamer. Nu krijg ik vier maanden de tijd om het bedrag, ruim tweeduizend gulden, te betalen. Lukt dat niet, dan wordt het bedrag door middel van een serie complexe toeslagen en boetes verhoogd tot drieduizend gulden.

Vol ongeloof staar ik naar de papieren. Koortsachtig bedenk ik me dat ik geen enkel bewijs heb van mijn gesprekken met de stagiaires die me destijds verzekerden dat dit geen probleem zou opleveren. Ik laat me op mijn matras vallen, met mijn rug tegen de muur.

Misschien zou ik mijn vrienden bij de rechtenfaculteit om advies kunnen vragen. Of ik kan naar de vertrouwenspersoon van mijn eigen faculteit gaan. Vandaag is het te laat, het is al bijna tien uur.

Dan word ik gebeld. Het is Jarek.

'Hoe laat zou je moeder aankomen?' vraagt hij. Ik kijk nogmaals op de klok.

'Een uur geleden,' zeg ik.

'Toen stond ik hier al. Er zijn drie treinen aangekomen en ze zat nergens in.'

Zou ze in Utrecht zijn uitgestapt? Ze had er nog een vriendin wonen. Zou ze voor de trein zijn gesprongen? Ik schud mijn hoofd.

'Ik ga de politie bellen,' zeg ik tegen Jarek.

Met een ijzige rust leg ik de politie uit dat mama vermist is. Dat ze psychiatrisch patiënt is. Ik ben geoefend. Opwinding helpt niet, rustige herhaling van feiten werkt. Niet aangekomen in Maastricht, geschiedenis van psychoses, hou je aan de feiten. Negeer de krop in je keel.

Ze beloven te doen wat ze kunnen. Liefst wil ik op de trein stappen om haar zelf te gaan zoeken, maar ik heb geen idee waar. Slapen doe ik niet.

De volgende ochtend word ik gebeld. Ze is terecht, op Utrecht Centraal. Ik kan haar ophalen bij de spoorwegpolitie.

Utrecht? Was ze dan binnen een halfuur gek geworden?

Misschien moet ik het niet willen begrijpen.

Als ik het kantoor van de spoorwegpolitie binnenstap, zie ik drie politieagenten die koffie aan het drinken zijn. Ik loop naar degene die het dichtst bij de ingang zit.

'Ik kom mama ophalen, Ewa.'

'Die is een kwartier geleden vertrokken,' zegt de politieagent rustig. Hij neemt een slok van zijn koffie.

'Vertrokken? Ze is toch opgegeven als vermist?' Ik kan het nauwelijks uitbrengen.

De agent kijkt me met lege ogen aan.

'Vermist!' voeg ik toe in een vruchteloze poging hem wakker te schudden. Een 'godverdomme' slik ik nog net in. Koude duisternis maakt zich meester van me.

'Tja, we kunnen haar hier niet houden tegen haar wil,' zegt de agent. Ik storm weg voordat ik deze randdebiel iets aandoe.

Buiten kijk ik om me heen. Elke stap houdt oneindig veel mogelijkheden in. Ga ik hier rechtdoor? De trap af? Steek ik over naar de andere kant van de hal? Moet ik naar rechts? Waar moet ik heen?

Ik doorzoek de hal, de winkeltjes en de cafés. Tientallen, honderden mensen lopen me voor de voeten. Ik krijg geen lucht. Ik moet naar buiten. Via de dichtstbijzijnde trap ga ik naar buiten en hap naar adem. Stilstaan kan ik niet. Als ik me omdraai, zie ik mama die naar me toe loopt. Een vogeltje in een te dunne jas, ogen die zoeken.

Mijn woede is in één klap weg.

'Het is al goed. Het is al goed,' zeg ik als ik haar in mijn armen sluit.

We gaan nu samen met de trein. Mama is gedwee, als ik haar eenmaal in de coupé heb neergezet, blijft ze de hele reis onbewogen zitten. In Maastricht aangekomen, wordt ze opgenomen door de crisisopvang. Ik trek in het huis van mama, dat ik alleen verlaat om wat kleren te kopen. Kleren die ik niet nodig heb, kleren die ik niet wil hebben; eigenlijk wil ik iets verstandigers met mijn geld doen.

Hoeveel mensen heb ik de afgelopen achtenveertig uur gesproken? Ik weet het niet.

In de zoveelste wachtkamer, naast de zoveelste ficus – naar mijn gevoel heb ik in geen dagen geslapen – komt het verlangen in me op zelf om hulp te vragen. Niet bij de crisisopvang; misschien bij het Riagg? Het wordt me te veel...

In de wachtkamer van het Riagg kijk ik mismoedig naar de dikke plastic tas met de stapels papier die ik de afgelopen dagen heel Maastricht door heb gesleept.

Het lijkt er niet op dat er snel iemand zal komen, en ik begin de stapels te ordenen. Met de formaliteiten houd ik mezelf maar zelden bezig; dat doet de maatschappelijk werkster, een goede vrouw.

Er is een nieuwe map in de stapel, het patiëntendossier van mama. Instinctief weet ik dat het hier niet hoort, het komt door het geschuif met mama de afgelopen uren dat ze dit per abuis aan mij gegeven hebben. Ik kan de verleiding niet weerstaan en sla het open.

Kanttekeningen met betrekking tot medicatie, benamingen van mama's psychoses, dat is me allemaal bekend. Dan valt mijn oog op de volgende zin: 'Dochter is labiel.' Minutenlang blijf ik in ongeloof naar de zin staren. Ik krijg alsnog spijt dat ik die vent van de spoorwegpolitie niet een mooie klap in zijn gezicht heb verkocht om dit label te verdienen. Wie heeft dit hier ooit neergezet? Ik kijk de lange witte gangen in met de vele deuren die gesloten zijn. Wie hier heeft me labiel gemaakt? Niemand van de hulpverleners van mama heb ik vaker dan tweemaal gesproken. Slechts zelden ben ik niet op een afspraak komen opdagen, haast nooit heb ik verzaakt. Nooit ben ik ineengezakt of heb de boel bij elkaar geschreeuwd, niet met anderen erbij. Deze zin, zo achteloos geschreven, is een streep door mijn inspanning, mijn trots, door alles wat ik mijn leven noem.

Nu dan, nu, wil ik schreeuwen, ik wil de stapels door de kamer gooien, de ficus naar de verdoemenis schoppen. Een stoel pakken, slaan, beuken, de bordkartonnen schakelwandjes verrot trappen. Maar dat kan niet. Want dan zou dit waar zijn. Erger: het zou niet eens mijn eigen gekte zijn.

Het zou slechts de waanzin zijn van Ewa's dochter.

Onze oude buurvrouw, de advocate, komt die avond naar mama's huis.

'Ida,' begint ze met een zachte stem. Ze pakt mijn hand vast. 'De kanker is teruggekomen bij je moeder. Botkanker. Ze is weer ziek.'

Niet-begrijpend kijk ik haar aan. De kanker was toch juist weg? Ze had toch alleen nog die depressie?

De advocate is lief, neemt me in haar armen, maakt thee voor me. Dan geeft ze me ook verschillende papieren die ik moet tekenen. Mama heeft blijkbaar besloten om nog tijdens haar leven het huis in Polen te verkopen. Er is ook een machtiging voor mij, voor als de verkoop niet op tijd rond is. In geen tijden heb ik nog aan dat huis gedacht; ik wist niet dat het er nog was. Het adres is veranderd zie ik, de wijk is inmiddels vernoemd naar de Polanen, een Slavische stam waar de Polen ooit uit voortgekomen zijn.

Dat moet al jaren geleden gebeurd zijn, toen de socialistische jongeren uit de mode raakten. Waarom heeft ze het niet eerder van de hand gedaan? Dan had ze iets van de luxe kunnen ervaren waar ze altijd zo naar verlangd heeft.

's Nachts lig ik uren met opengesperde ogen. Een eindeloze woordenstroom komt langs in mijn hoofd, maar ze opschrijven kan ik niet. Soms doe ik het licht aan, schrijf ik de eerste woorden neer die in me opkomen. Het leidt nergens toe. De volgorde is anders. De pijn van het schrijven is anders. Er komen geen zinnen. Er komen geen tranen, met hun zoetheid en hun troost. Wat er is, is de aanzwellende woordenstroom die in mijn hoofd groeit, zich een weg baant door elke vezel van mijn lichaam. Ik voel hoe ik opgegeten word, hoe de wormpjes door mijn lichaam friemelen en steeds meer gebied overnemen.

Het houdt pas op met het ochtendgloren.

Een paar dagen later verschijn ik op mijn sollicitatiegesprek voor de functie bij de Verenigde Naties. Ik ben verslagen, maar tegelijkertijd ben ik strijdlustiger dan ooit. Het tij dient gekeerd. Dit moet lukken. Een enorme drang, ja, hebzucht, overmeestert mij. De afgelopen nachten heb ik heel slecht geslapen en mijn gebruikelijke onrust laat zich moeilijk temmen. De vragen beantwoord ik al voordat ze gesteld zijn. Er sluipt een verbetenheid in mijn stem, al mijn antwoorden moeten goed zijn – ook de antwoorden op de vragen waar geen antwoord op te geven is. Tot twee keer toe val ik de commissievoorzitter in de rede.

'Je hoort nog van ons,' zegt hij dan.

Later op de middag ga ik naar mijn stamkroeg. Hier bestaat mama niet; niemand die ernaar vraagt.

'Hoe was je gesprek?' vraagt Elise.

'Goed,' antwoord ik. Eigenlijk weet ik niks meer van het

gesprek. Elke keer als ik eraan denk, verwordt alles tot een waas. Woorden, daar ben ik mijn zeggenschap definitief over kwijt.

'Word je gekozen?'

'Ja,' zeg ik, 'het moet.' Elise lacht. Ik weet alleen dat ik toe ben aan een wonder.

Terwijl we praten, voel ik dat er iemand achter me staat. Het is Ron. Als hij ergens binnenkomt, is het altijd merkbaar. Ik voel het in ieder geval altijd.

'Ida, hoe is het?' De manier waarop hij het vraagt, maakt dat ik weg wil kijken. Ik wil niet dat hij weet hoe het met me gaat.

'Ah. Alleen maar leuke dingen,' zeg ik, en ik lach. Bij Ron lach ik altijd.

Hij komt dichterbij.

'Ida...' zegt hij. Het is al bijna een jaar geleden dat ik zo dicht bij hem stond. We praten nu wel vaker, maar ik kan het gewoon niet, al wil ik meer.

'Het gaat goed, ik heb net een sollicitatie gehad. Bij de Verenigde Naties.'

'Dat is heel mooi, Ida.'

Een wonder wil ik, eentje maar.

Dan vraag ik: 'Zullen we samen eten vanavond?' Het is eruit voordat ik er erg in heb. Mogelijk is dat een goed teken, een soort interventie van bovenaf. Een wonder.

'O...' – hij lijkt uit het veld geslagen – 'graag, maar...'

Natuurlijk. Hij heeft meer te doen. Wie zit er nou te wachten op iemand die niks van je hoeft? Op een weglo-per?

'Is oké. Andere keer, oké?' zeg ik nonchalant, maar hem aankijken kan ik niet. Met het allerlaatste restje van de kracht die ik in me heb, sleep ik mezelf naar buiten.

Op mijn kamer is het een chaos. Onafgemaakte papers, aantekeningen die door elkaar heen liggen. Mijn goede start lijkt alweer jaren geleden; ik weet niet eens welke of hoeveel tentamens ik heb gemist. De samenhang met mijn studie ben ik kwijt. Zonder mijn kleren uit te trekken, ga ik op mijn matras liggen, en ik rol me op tot een heel klein balletje. Mijn functie bij de Verenigde Naties zal een goed excuus zijn voor een niet gehaald studiejaar, troost ik mezelf.

De afwijzing komt de volgende dag. Ik ben op de economiefaculteit, waar ik nog verschillende artikelen print als ik telefonisch het nieuws verneem. Onbewogen blijf ik staan. De printer blijft het papier eruit spuwen, de stapel papier in mijn handen wordt steeds dikker en dikker. Het wordt alsmaar meer, zwaarder. Ik voel dat het zover is, ik ga breken, ik tril, het komt. Met een laatste daad van wilskracht leg ik de stapels papier op de printer neer, één moment twijfelen de pagina's, dan valt alles op de grond. Met een ruk draai ik me om, op zoek naar de uitgang. Door de tranen zie ik niets en bij de deur bots ik tegen iemand op. Het is Ron.

Hij pakt mijn handen vast, maar ik wil alleen maar weg; mijn gezicht is in een grimas getrokken, de woede en de duisternis zijn duidelijk te zien. Het is lelijk, ik voel het, ik ben afzichtelijk.

Ron houdt me nog steeds vast. Kijk maar in mijn ogen, kijk met je kalme ziel, zie de duisternis, dan kan je weg.

Ron schrikt, moet zich herpakken, maar in zijn ogen is geen angst.

'Kom mee,' zegt hij, en hij trekt me mee naar buiten. We fietsen lang en ver, naar het Amsterdamse Bos, waar we onze fietsen in het gras laten vallen. Ron trekt me het bos in, van de paden vandaan. Het is stil, de schemer is ingevallen, er zijn geen mensen meer. Met een oorverdovend kabaal komt er een vliegtuig overvliegen, heel laag; als je je handen hoog in de lucht steekt, kun je het vliegtuig aanraken, lijkt het. We rennen achter het vliegtuig aan, achter de bulderende motoren, ik schreeuw, ik blijf maar schreeuwen, het is geen vaardige tegenstander, met gemak win ik de strijd. Ron rent erachteraan, uiteindelijk schreeuwt ook hij mee. Dan begint hij te lachen en ik lach mee. Bij Ron lach ik altijd.

Uiteindelijk komen Ron en ik uit bij een beekje. Zonder aarzeling springt Ron het water in. Nee, er zijn stapstenen, moeiteloos springt hij van de ene steen naar de andere. Hij bereikt het midden van het beekje, een eilandje, eigenlijk meer een ophoping van zand en puin. Ik kijk hem aan zoals hij daar staat: zijn silhouet is groot, onverschrokken. Hij steekt zijn hand uit, gebaart dat ik moet komen. De laatste schemering heeft echter plaatsgemaakt voor duisternis. Het beekje is nu een mengeling van glinsteringen geworden; wat is water, waar zijn de stenen?

Ron zwijgt, wacht af wat ik ga doen.

Ik schop mijn schoenen uit, pak mijn rok en stop de zomen in de riem. Voorzichtig zet ik mijn voet in het water; het is ijskoud. De diepte valt echter wel mee, het water komt tot aan mijn knie. Voorzichtig zet ik de volgende stap, mijn voeten zijn mijn ogen. De diepte is huiveringwekkend, onbekend. Hoe kan ik deze tocht ooit volbrengen? Ik tast de bodem af, op zoek naar scherpe stenen en gevallen takken. Als ik halverwege ben, houdt Ron het niet meer en springt hij ook in het water. Veel sneller dan ik legt hij de korte afstand af en neemt me in zijn armen. Ik slaak een kreet en grijp hem vast, sla mijn benen om hem heen. Nu pas merk ik hoe troosteloos het eerste deel van mijn tocht was.

'Eindelijk,' zegt Ron alleen maar. Ik knik, pak hem nog steviger vast, bang om weer in het koude water te glijden. Dan duw ik hem richting de oever en samen vallen we op de zachte grond. Zijn hand strijkt over mijn rug, mijn buik, mijn borsten. Ik pak zijn handen vast, houd hem tegen. Er is iets, iets wat ik moet doen, wil dit goed gaan. Want ineens weet ik het. Een dwingende waarheid, een ongemakkelijke waarheid openbaart zich in mijn buik en dwingt een keuze af. Aanvaard ik haar en spreek ik me uit? Of blijf ik voor altijd zwijgen? Ik adem in, probeer zoveel lucht te happen als ik kan – zoveel zuurstof heb ik nodig om gezag over mijn woorden uit te oefenen.

'Wees lief. Wees lief voor mij.'

Ron lacht, alsof hij ooit anders zou kunnen. Evengoed pakt hij mijn handen vast en zoent hij de vingertoppen, de palmen; dan kust hij mijn nek en de ruimte net boven mijn borsten.

'Geef je zoete, porseleinen hart maar aan mij.'

Als we de volgende dag in zijn huis wakker worden, maakt hij uitgebreid ontbijt voor me. Deze jongen lijkt zo gaaf, zo onbeschadigd, het voelt nog steeds misplaatst dat ik in zijn wereld stap. Vrolijk kijkt hij me aan, gelukkig met zijn overwinning.

Graag zou ik bij hem blijven.

Er is nog een ander, kleiner iets wat we moeten uitpraten. Ik loop naar hem toe, ga achter hem staan en sla mijn armen om hem heen.

'Ron, je vriendin...' begin ik rustig. Ik wil eerlijk zijn.

'Vriendin?' vraagt hij verbaasd.

'Eergister, toen ik vroeg of je met me meeging... Je keek zo geschrokken, en je zei nee.'

Ron lacht.

'Mijn ouders waren er. Ik zou met ze gaan eten. Het voelde niet logisch om dan ons eerste afspraakje te maken.' Ron draait zich om en geeft me een zoen. De schaamte laat me mijn gezicht in zijn borstkas verbergen.

Ron haalt zijn schouders op. 'Voordat ik in mijn hoofd een plan kon bedenken om mijn ouders af te zeggen om met jou te gaan eten, was je al weg...

Maar weet je... Je gezicht, toen ik nee zei... De manier waarop je wegliep... Het liet me geloven dat jij me wilde. Die nacht zwoer ik dat de volgende keer dat ik je zag je van mij zou zijn,' eindigt hij met een brede lach. Ik voel hoe een glimlach, minstens zo breed, op mijn eigen gezicht verschijnt.

Mijn telefoon trilt en Ron loopt naar de keukentafel om hem voor mij te pakken.

'En dit is zeker jóúw vriendje?' vraagt hij plagerig. Ik lach nog harder en schud van nee.

Hij leest het bericht en geeft me dan geschrokken mijn telefoon.

'Het is je moeder. Ze ligt in het ziekenhuis,' zegt Ron.

'Ik moet gaan,' zeg ik alleen maar.

Ron pakt mijn arm. 'Ik ga met je mee,' zegt hij. Ik schud mijn hoofd. Hij wil het ondenkbare.

Toch gaan we samen.

'Dit is de eindfase,' zegt de arts. 'Het is binnen een paar dagen afgelopen, misschien al vandaag.'

Ik wil zeggen dat hij zich heel erg vergist.

Ik wil zeggen dat mama nog een paar weken geleden bij mij in Amsterdam is geweest.

Ik wil zeggen dat ik nog al die dingen moet zeggen die ik toen had moeten zeggen.

Ik wil zeggen dat ze al een paar jaar ziek is, maar dat het altijd goed komt.

Ik wil zeggen dat ze nog niet klaar is, dat ze binnenkort eindelijk wordt wie ze is.

Maar er is alleen de stilte.

Mama ligt in een ziekenhuisbed, onder zware sedatie. Vanaf het moment dat Ron en ik het ziekenhuis hebben betreden, blijven we hier. Er is ook een kamer voor familieleden, een donker hok zonder ramen. Hier slapen we om beurten: Ron en ik en oma. Oma is overgekomen uit Polen. Radeloos, zonder een eigen keuken in de buurt.

Af en toe ontwaakt mama.

'Aardbeien!' zegt ze dan. We komen dan alle drie in beweging. Blij dat we iets kunnen doen. Meestal gebaart ze echter alleen maar dat de morfine omhoog moet.

'Heb je pijn?' vraag ik.

Pijn, dat kan bijna niet meer. Met de doses die mama krijgt, vragen de artsen zich serieus af hoe het kan dat ze nog leeft.

Het is niet de pijn, weet ik. Het is de haast om dood te gaan.

'*Rage, rage against the dying of the light!*' echoot het gedicht in mijn hoofd dat ik jaren eerder tijdens Engelse les hoorde. 'Raas, raas tegen het sterven van het licht.' Het gedicht dat zich meteen in mijn hoofd nestelde om het nooit meer te verlaten. Mama was toen ook al ziek. Het sterkst denk ik aan de vrouw die in het kamp haar kind verloochent en voor haar leven rent. Maar mama rent niet voor haar leven, ze rent voor haar dood.

Vanaf welke leeftijd is het geoorloofd om bij je kind vandaan te rennen?

De dagen kruipen voorbij en oma laat de ziekenhuispriester de laatste zalving verrichten. Verdiept in haar gebed zit ze gebogen aan het voeteneinde. Ik bid ook. Ik bid dat mama haar ogen niet opendoet en in een laatste opleving de priester en oma verwenst.

Dan, in mijn gebed, geef ik me over. Laat het maar afgelopen zijn.

Als ik mijn ogen opendoe, zie ik de borstkas van mama schokken. Uit haar mond komt een witte vloeistof.

Ik kus haar, leg haar soepele, warme hand tegen mijn

wang. Misschien, als ik haar hand niet zou loslaten, zou deze voor altijd warm blijven.

Het is Ron die me uiteindelijk losjes naar zich toe trekt en hiermee de vervlechting verbreekt. Ik draai me naar hem om en begraaf mijn gezicht in zijn T-shirt.

'Ik wou dat je haar gekend had,' zeg ik.

Er is geen begrafenisverzekering voor mama. Toen ze die wilde afsluiten, een paar jaar geleden, was ze al ziek. Niemand die haar nog wilde verzekeren.

Het is haar huis in Polen dat de begrafenis dekt. Wat er over is, dekt mijn schuld bij de Sociale Dienst.

Het regelen van de begrafenis zelf blijkt verrassend makkelijk. De begrafenisondernemer loopt verschillende mogelijkheden met ons door; binnen twee uur zijn we eruit.

'Crematie?' Oma trekt wit weg als ze het woord hoort. Toch was het een nadrukkelijke wens van mama. De laatste jaren, misschien wel altijd, was ze panisch in het donker.

'Er komt ook eerst een mis in de kerk...' probeer ik nog.

'Crematie? Wordt ze verbrand?' blijft oma alsmaar herhalen. Haar verdriet is zo dik dat het me mijn adem ontneemt.

'Het is veel makkelijker om een urn naar Polen over te brengen dan een kist...' zeg ik in een opwelling, en vrijwel meteen heb ik spijt. Over haar laatste rustplek heeft mama zich nooit eenduidig uitgesproken, maar ergens vermoedde ik dat het niet Polen moest zijn. Oma onderbreekt haar geweeklaag en kijkt me hoopvol aan.

'Wordt ze wel in Polen ter aarde besteld?' Haar gezicht begint een beetje op te klaren.

'Ja...' zeg ik aarzelend, en ik denk na. Een graf, een gedenkplek in Nederland zou ik zelf nooit bezoeken. Bovendien heeft mama er zelf nooit iets over gezegd, houd ik mezelf voor. 'Al zal het natuurlijk wel een hoop geregel zijn...' voeg ik er laf aan toe. Oma knikt gelaten. Met alles in dit leven zijn bergen papierwerk gemoeid, weet ze.

Ik verwonder me over het aantal mensen bij de mis die voorafgaat aan de crematie. De advocate, Edyta, Jarek en Teodor; Cheyenne, die uit het niets lijkt te zijn opgedoemd. Medewerkers van mama's bonbonzaak, mensen van de bridgeclub waar ze vroeger speelde – die was ik vergeten. Andere vriendinnen waar ze mee stappen ging, zelfs mensen uit het allereerste gebouw waar we ooit midden in de nacht vanuit Polen zijn aangekomen. Nog een paar andere mensen die ik niet weet te plaatsten. Wie er ook zijn, is de hele klas van mijn middelbare school; mijn huisgenoten uit het Maastrichtse studentenhuis; collega's uit de kroeg waar ik werkte; een enkele nieuwe vriend uit Amsterdam. Ron zijn ouders. Zelfs Sandra, mijn plaaggeest, is er. Ze zit bijna vooraan en huilt.

Elise en Brian zijn er ook. Met zijn vieren zitten we samen in de kerkbank. Brians handen zijn helemaal bedekt met tatoeages, zijn geleende pak kan ze niet aan het gezicht onttrekken. Ron heeft zijn jasje uitgetrokken; in een lichte polo zit hij aan mijn zij.

Van mijn familie in Polen is er niemand bij deze plechtigheid. Oma kan de gedachte van een crematie niet verdragen en heeft de eerste trein naar Polen genomen. De rest van mijn familie wacht op Ewa's terugkeer om gezamenlijk in Polen de urn te begraven.

Terwijl Ron met zijn ouders praat, loop ik naar Brian toe, die naast de kerk staat te roken. Hij is duidelijk aangeslagen. Misschien had mama voor hem dezelfde duistere aantrekkingskracht als heavy metal. Misschien kon hij juist de chaos in ons huis waarderen. Hoe het ook zij, hij staat hier en zal zo gaan huilen. Ik omhels hem, begraaf mijn gezicht in zijn hals, snuif zijn geur een laatste keer op. Graag wil ik hem bedanken, voor zijn aanwezigheid, toen, en voor het verdriet dat hij heeft. Dankbaarheid, liefde, verbondenheid, er is maar één manier waarop ik die aan hem zou kunnen geven en dat kan niet. Dus laat ik hem los en loop ik weg. En terwijl ik wegloop, bedenk ik dat dit alsmaar weglopen me nog eens gaat opbreken, dat ik graag ergens zou willen blijven.

Na de mis gaan alleen Ron en ik naar het crematorium.

In de trein terug naar Amsterdam word ik gebeld door tante Monika.

'Is oma goed aangekomen?' vraag ik ongerust.

'Ja, we hebben haar gister van de trein gehaald.'

Een korte pauze volgt.

'Ik wilde je niet bellen tijdens de crematie, vandaar dat ik niet eerder heb gebeld. Maar gisteren is ook je opa overleden,' zegt mijn tante. 'Beroerte,' maakt ze haar zin af.

Gisteren? Op de dag dat mama gecremeerd is?

'O.' Volgens mij dringt het niet helemaal tot me door.

'Ik denk niet dat ik naar de begrafenis kom,' weet ik alleen maar uit te brengen. In een trein stappen, op weg naar een nieuwe begrafenis, ik kan het niet.

'Ik begrijp het,' zegt Monika alleen maar.

De trein rijdt onverstoorbaar verder door de inmiddels donkere steden en industriegebieden. Boven een van de weilanden vang ik de glimp op van een ongewoon heldere sterrenhemel. Eerst zie ik de Grote Beer. Automatisch trek ik de denkbeeldige lijnen door naar de Kleine Beer. Ze is er gewoon. Natuurlijk is zij er gewoon, het is de Poolster. Toch voelt de aanwezigheid van de ster als een klap in mijn gezicht.

Een paar weken later loopt de twintigste eeuw dan eindelijk op zijn einde. De komst van het nieuwe millennium vier ik met Ron, midden in het centrum van Amsterdam. Op 1 januari ga ik werken; omdat het zo'n speciale dag is, betaalt het hotel honderd gulden per uur. Van mijn financiële schulden was ik al af, dankzij de verkoop van mama's huis.

Na mijn werk keer ik weer terug naar Ron. De nieuwe eeuw begint met liefde en welvaart.

VI

Voorbij het front

1

Ron en ik betrekken een klein appartement in Amsterdam-Oost. Je kunt hier alleen zijlings op de wc zitten en er is één gaskacheltje dat in de winter als verwarming moet dienen voor het hele huis. We vinden het niet erg, en de zomer is al helemaal fantastisch. Als we op warme dagen in de tuin zitten, horen we tientallen talen die van de omringende balkons naar beneden dalen. Er is geen schutting tussen ons en de andere buren die op de benedenverdieping wonen. In de zomer lopen we over elkaars binnenplaatsjes, zonder ontzag voor de opgelegde grenzen.

Het huis is redelijk leeg. We hebben alleen een bed, de rest moeten we nog bij elkaar zoeken. Eten doen we op een deken op de grond, en de dagelijkse picknick bevalt zo goed dat we geen haast maken met het zoeken van een tafel. Liefst zitten we hier met zijn tweeën te eten, onze elleboog leunend op een van de kussens, lezend of met een laptop; af en toe komt er een kussen bij, of een krukje dat dienstdoet als tafeltje.

Op de schouw staat alleen de urn van mama. De procedure om de as aan een Poolse begrafenisinstelling over te dragen, blijkt erg ingewikkeld, duur en tijdrovend. De urn gewoon zelf meenemen vergt daarentegen geen enkele procedure. Bij een volgende reis naar Polen zou ik deze optie kunnen kiezen.

Het probleem is alleen dat ik geen enkele behoefte voel om deze reis te ondernemen.

Zodra ons huis zich langzaam vult met meubels en andere spullen, verdwijnt de urn uit het zicht. Eerst naar een andere kamer, uiteindelijk naar de nis in de hal. Een onzichtbare plek, zowel voor de bezoekers als voor mij.

'Ben je al klaar, Ida?' roept Ron naar me toe als ik te lang in de gang blijf staan. Ik ben de jassen aan het recht hangen, schoenen aan het opruimen. Rons ouders komen zo.

'Shit, Ron, het papier...' roep ik geschrokken. Op de gang staat een kartonnen doos die dienstdoet als papierbak, waar we weliswaar het papier trouw in gooien, maar die helaas niet al te vaak geleegd wordt. Ik was net tegen de stapel aangestoten die hoog boven de rand van de bak uittorende en het geheel dreigt onze kleine gang te overspoelen.

'Niet bewegen!' roept Ron. Hij sprint de gang door, springt over mijn uitgestoken been dat de stapel tegenhoudt en zet behendig de berg papier vast met zijn knie. 'Geef me een tas!' In zijn handen houdt hij al een eerste stapel vast. 'Snel, ze zijn al aan het parkeren.'

Ik haast me door de gang, op zoek naar een tas.

'Shit, Ron, de tassen!' roep ik een seconde later uit. Want ook het kastje waar we de plastic tassen in bewaren blijkt vaker gevuld dan geleegd; bij het openen valt een deel van de inhoud op mijn hoofd. Ron kijkt door de gang naar mij, opent zijn mond om een ongetwijfeld minder aardige opmerking te maken, maar buldert het dan uit. De stapel met papier glijdt uit zijn handen en sleept de rest van de wankele papieren constructie mee. Ook ik schiet in de lach, maar probeer me te concentreren. Snel pak ik een paar tassen van de grond en ren weer naar Ron terug. Samen proppen we de vellen in de tassen, wat ook al niet zo goed lukt; elkaar omverduwen blijkt opeens een veel leukere bezigheid. Gelukkig is parkeren geen vanzelfsprekendheid in onze buurt, misschien hebben we nog wel even.

Vluchtig bekijk ik de vellen die we opruimen. Alsnog

gehaalde tentamens uit de eerste jaren van mijn studie gaan door mijn vingers heen. Van de studentendecaan kreeg ik eigenlijk geen toestemming voor mijn plan om mijn achterstand in één jaar weg te werken. Toch ben ik ermee weggekomen. Bij het oprapen strijk ik onwillekeurig hier en daar een velletje glad voordat ik het definitief in de plastic tas duw. Mijn studie lijkt te gaan lukken. Ik kijk naar Ron, die met zijn knie de laatste stapel in een grote Ikea-tas aanduwt.

Eigenlijk lijkt alles wel te lukken... Snel geef ik Ron een kus op zijn mond. De dagen in ieder geval wel; de dagen lukken me heel erg.

We trekken net de slaapkamerdeur achter ons dicht die de volgepropte tassen aan het zicht moet onttrekken als de bel gaat.

'Ida, Ron!' Ada, Rons moeder, geeft ons beiden een kus en zet een stap naar binnen. 'Jullie hebben er echt een huisje van gemaakt!' constateert ze als ze de pas geverfde gang ziet. Nieuwsgierig kijkt ze rond. In de woonkamer valt haar blik op ons picknickkleed annex bank.

'Geen tafel?'

Ron kijkt de kamer rond. Zijn blik verraadt dat hij de tafel niet echt gemist heeft.

'En ook geen bank?'

'We kijken wel eens bij de kringloopwinkel, maar tot nu hebben we niks gezien wat...' begin ik uit te leggen waarom we nog niks hebben aangeschaft.

'Ik kan uit drie banen kiezen, misschien dat we de kringloop kunnen overslaan!' valt Ron ons in de rede, en hij kijkt zijn vader aan.

'We kunnen jullie ook best helpen tot die tijd...' zegt Karel, Rons vader. Hij kijkt om zich heen, wil misschien wel gaan zitten; zijn blik valt op een stel krukjes in de hoek. We hebben ze onlangs in vrolijke kleuren geverfd. Opeens lijken ze heel klein, veel te klein voor grote mensen.

'Je moet wel zelf wat uitstralen als je in de zakenwereld wil slagen...'

'... *zoon*,' vul ik de zin van zijn vader in mijn hoofd aan.

'Zeker, zeker...' mompelt Ron.

'*Fake it till you make it!*' zeg ik vrolijk. Doe alsof je het verstaat totdat het echt zo is, doe alsof je erbij hoort totdat het echt zo is en doe alsof je het begrijpt totdat... Nou ja, begrijpen blijft lastig.

'Inderdaad, Ida!' zegt Karel. Hij pakt een van de krukjes en geeft het aan Ada. Op het andere gaat hij zelf zitten. Ik zet het Turkse brood met de olijven op de bijzettafel en Ron pakt de wijn.

'Je gaat op de beurs werken, dus?' vraagt Karel.

'Ja, ik ben toegelaten... Was wel een zware toets.'

'Wat toetsen ze dan?'

'Het is een rekentest. Een uitgebreide rekentest.'

'Is dat alles?' vraagt Ada.

'Ik moet vooral rekenen. Eigenlijk nemen ze nu alleen nog maar econometristen aan. Met mbo kom je er niet meer.'

'Het boerenverstand is anders zo slecht nog niet. Vroeger wist je nog waar je in handelde,' zegt Rons vader misnoegd.

Ik denk terug aan de beurshal waar Ron me mee naartoe heeft genomen en aan de eindeloze reeksen cijfers die ik daar voorbij zag flitsen. Deze hal zal snel verdwijnen, ingeruild worden voor eindeloze rijen computerschermen. Econometristenverstand.

Ondanks zijn kritiek werpt Karel een trotse blik naar Ada als Ron over zijn nieuwe baan vertelt. Rons moeder streelt door zijn haar, waarop Ron het weer in het oorspronkelijke model probeert te schikken.

'En jij, Ida? Wat ga jij doen na je studie?' vraagt Ada.

'Ik... ik weet het nog niet precies.'

Iets ver weg, is het eerste wat me te binnen schiet. Ik

schrik van de gedachte. Het komt door de nachten, stel ik mezelf gerust. Vannacht nog ben ik door Ron wakker geschud, zo heftig lag ik te woelen.

'Was het weer de brand?' vroeg Ron toen ik weer bij zinnen was. Zonder te antwoorden kroop ik tegen hem aan. Want ik heb nu een nieuwe droom en ik weet nog niet eens zo zeker of het een nachtmerrie is. Elke nacht droom ik van de paarden van Elise, paarden zonder zadels, die met volle overtuiging galopperen richting horizon. Elise zelf is op reis, een vol jaar deze keer, zonder een plan is ze de wereld in getrokken. Alle landen zal ze bezoeken, behalve Indonesië. Zelf weet ik nog niet precies waarheen ik moet, maar wat ik wel weet is dat ik weg moet.

'Ik zou wel op reis willen,' zeg ik. Een veilig antwoord. En de bestemming zou ik helemaal zelf kiezen; ik zou naar plekken gaan waar ik niemand heb die ik moet bezoeken.

'En een beroep?'

Ik volg een reeks colleges die 'Conflict in een veranderende wereldorde' heet, en de docent ervan lichtte onlangs op toen hij mijn Poolse naam zag. Hij vroeg of ik de schrijver Ryszard Kapuściński kende. Dat was niet het geval. Kapuściński bleek de enige buitenlandcorrespondent van Polen te zijn onder het communistische regime. Ruim veertig jaar heeft hij over de meest instabiele landen geschreven, zevenentwintig revoluties en staatsgrepen heeft hij verslagen. Vaak was hij volkomen blut, met een regering die hem sporadisch een aalmoes stuurde. Hij leefde van een fractie van wat zijn westerse collega's tot hun beschikking hadden. Dapper en onverschrokken trok hij van land naar land en maakte hij zichtbaar wat daarvóór verborgen bleef. Zijn boeken zullen mij nooit meer verlaten.

Zoiets?

Het voelt alleen zo vergezocht, in deze ondraaglijk stabiele wereld.

Het is Ron die me belt als ik op een septembermiddag naar huis loop en zegt: 'Amerika is aangevallen.' Hij heeft zijn eerste werkdag vandaag, hij handelt in opties. 'Het is hier een gekkenhuis,' zegt hij nog, en hangt op. Voor één dag is de oorlog tastbaar. 'Ze hebben hun beste dag ooit gehad... Bakken met geld hebben ze verdiend,' vertelt Ron over zijn collega's als hij weer thuis zit.

'Wat deed jij?' vraag ik.

'Ik? Ik heb alleen televisiegekeken... om het kwartier gebeurde er weer iets,' zegt Ron. Het was zijn eerste dag, hij handelt nog niet zelf.

'Eén collega heeft uit protest zijn computer uitgezet, omdat hij zo niet zijn geld wilde verdienen,' zegt hij nog; dan fixeert hij zijn blik weer op de televisie.

We zitten naast elkaar, ik op mijn lievelingsplek, mijn knieën opgetrokken, dicht tegen hem aan.

Is dit het? De geborgenheid die ik nu voel? Of is het de dreiging, de aanblik van de mensen die ik via de televisie uit een brandend gebouw zie springen wat me nu weerhoudt? Want er is een reden dat ik de vraag niet stel die zo opdringerig in mijn hoofd rondzoemt.

'En als je vandaag wel opties had mogen verhandelen, lief, wat had jij dan gedaan?'

2

'Kenia?'

'Kenia,' zeg ik aan de telefoon. Het is al een tijd geleden dat ik oma heb gesproken, en pas nu ik deze reis heb geboekt bel ik haar op.

'Dus je komt niet hierheen?' Oma wacht nog steeds tot ik Polen bezoek. Ze wacht tot ik Ewa terugbreng.

'Nee, sorry... Heb hard voor deze reis moeten sparen, en...'

'Het is al een jaar geleden, Ida,' zegt oma met een voor haar ongewone vasthoudendheid.

'Het is voor mijn studie,' gooi ik mijn laatste troef op tafel.

'Ah, studie...' zucht oma gelaten. Ze heeft een heilig ontzag voor onderwijs, en zeker voor de universiteit. 'De moderne Europeaan stamt af van niet meer dan een paar honderd Afrikanen, wist je dat?' vroeg papa toen ik hem aan de telefoon had, eerder op de dag. 'We stammen allemaal af van een paar honderd Afrikanen die het continent niet langer dan vijfentwintigduizend jaar geleden verlieten...' Papa vraagt nooit wanneer ik naar Polen kom.

'Wanneer kom je dán langs?' Ze verwachten mij – of beter gezegd ons, door het samenwonen hebben Ron en ik min of meer de status van een getrouwd stel verworven – elke vakantie in Polen, alsook met Kerstmis, Pasen en tegenwoordig ook met Allerzielen. Vooral met Allerzielen.

'Ik weet het nog niet... Ik heb een studieachterstand en ik heb tijd nodig om het in te halen. Daarnaast werk ik ook nog veel...' Het is allemaal waar, maar geen echte reden om niet te komen.

'Andrzej doet dat ook zo, ja,' zegt oma gelaten, en een seconde lang schaam ik mij nog net iets meer. Zoals zoveel studenten in Polen werkt Andrzej fulltime en doet hij zijn volledige studie in het weekend. Met volle collegedagen en in dezelfde tijd als ik hier in Nederland. Zijn drukke leven was evengoed het perfecte excuus voor mij om niet naar Polen te hoeven afreizen, en ik was hem er dankbaar voor.

'Maar toch, Ida, je familie is hier...' waagt oma nog een poging. Heel even maak ik toch de berekening in mijn hoofd. Ik ga pas over twee weken weg. Misschien zou ik er nog een paar dagen heen kunnen... Ik open mijn agenda om te kijken wat ik allemaal zou moeten verzetten.

‘Het graf van je opa heb je ook nog niet bezocht,’ lokt oma verder.

Ik doe mijn agenda weer dicht.

‘Nee, sorry. Het lukt echt niet,’ zeg ik, en ik beëindig het gesprek.

De reis naar Kenia is niet strikt noodzakelijk voor mijn studie. Natuurlijk is het *verstandig* om als je een studie volgt die onder de noemer ‘internationaal’ valt op enig moment een ander land te bezoeken, maar strikt genomen is het niet *noodzakelijk*. Net zoals enkelen van mijn medestudenten politicologie zijn afgestudeerd zonder te weten hoe de Tweede Wereldoorlog nou precies in elkaar zat, kon ik Internationale Betrekkingen dan wel Ontwikkelingsstudies ook behalen zonder ook maar één keer Europa te verlaten. De studiereis was voornamelijk een wens. Een frivoliteit. Iets wat Nederlandse studenten deden.

Met twintig studenten vertrekken we naar de universiteit van Eldoret in West-Kenia. Hier zullen we drie weken les krijgen over de impact van grootschalige projecten op het milieu en de sociale structuren in de omgeving. Onwennig wissel ik op het vliegveld de nieuwe euro’s in voor Keniaanse shillings en een voorraadje dollars. Het is lastig voor te stellen dat deze euro’s ooit de status van de dollar gaan krijgen. Qua koers blijven ze met een vernederende hardnekkigheid significant onder de dollar hangen.

We verblijven op de campus en volgen de vakken samen met de Keniaanse studenten. Als ik om me heen kijk en de ruim twintig nationaliteiten in de collegezaal zie, kan ik dat nauwelijks geloven. Van deze nationaliteiten worden er negentien verenigd in de studenten die zich ‘Nederlander’ noemen.

Er is ook herkenning – de herkenning van een Poolse. In de hal van de universiteit is een winkeltje waar vellen papier en kauwgom per stuk worden verkocht. Ik kan me niet herinneren of ik in Nederland ooit iets per stuk verkocht heb zien worden. Met uitzondering van snoep aan kinderen dan.

Al bij de eerste excursies blijkt dat mijn gevoel dat alles hier al gedaan is, niet klopt.

'Waarom kopen ze geen regenton?' vraag ik aan een Keniaanse medestudent als we langs kilometers droog land rijden.

'Waar?' vraagt hij op zijn beurt. Waar? Ik denk na. In de winkel? Op de markt?

Waar, en met welk geld, blijkt de tegenvraag die volgt op veel van mijn vragen gedurende de excursies.

De naam van mijn medestudent is Stephan. 'Mijn vader is leraar,' begint hij te vertellen.

'... en waarschijnlijk verdient hij er niks mee?' De vraag is eruit voordat ik er erg in heb, maar Stephan lijkt niet beledigd.

'Nee, inderdaad, nauwelijks genoeg om zijn eigen kinderen naar school te sturen.'

'Wat doet hij ernaast?' vraag ik, want Stephen zit op de universiteit, en dat kan niet van een lerarensalaris.

'Af en toe verkoopt hij een auto door,' zegt Stephan.

Geen geld en weinig te krijgen. Stephan zag er nog wel redelijk doorvoed uit.

'Hebben jullie ook land?' vraag ik dan. Het is niet erg moeilijk om de puzzelstukjes van de informele economie op hun plaats te krijgen.

'Tuurlijk hebben we land!' zegt Stephan, zachter nu. 'Iedereen heeft land, al praten we er niet graag over.'

De zoektocht naar dollars, de handel in tweedehands auto's, stukken land die bewerkt worden – het zijn dingen waar de jonge generaties eigenlijk liever niet meer aan herinnerd werden. Zij willen vooruit, en vooruit, dat is de stad, of liever nog: een ander land, een westers land. Het voelt alsof ik Kenia snap nog voordat mijn medestudenten hun eerste vraag hebben kunnen stellen.

We rijden door het rode landschap en de bus blijft op en neer schudden. Het schudden komt deels door de ouderdom van het voertuig en deels door de slechte weg. Even ben ik meer dan tien jaar terug in de tijd, in een vergelijkbare bus, tijdens een hete zomerdag, onderweg naar een zomerkamp aan de Poolse kust. Ik leun achterover in mijn stoel en een vreemd soort geluk overstroomt mij.

Eigenlijk is alleen mijn kamergenote vervelend tijdens deze reis. Op de campus deel ik mijn kamer met Samantha; zij is Keniaanse. Het is niet echt delen, we hebben allebei een eigen hokje met een eigen deur, maar de ruimte wordt gescheiden door niet meer dan een dunne spaanplaat die niet tot het plafond reikt. Elke dag staat ze om vijf uur op en begint ze de dag met het lezen van de Bijbel. Hardop.

Buiten de lessen om zit ze voornamelijk op haar kamer, ook als de rest van de studenten buiten aan het voetballen is of gewoon in het gras zit te lezen.

'Bidden is belangrijk,' zegt ze als ik haar erop aanspreek tijdens het diner.

'Moet het echt hardop?' kan ik niet laten om haar te vragen.

'Bidden is belangrijk,' zegt ze alleen maar.

'Is geloven niet meer dan bidden?' Nu luisteren ook andere studenten mee. Ida, Ida, doe het niet.

'Geloof jij niet?' vragen zij op hun beurt.

Ik weet het niet. De gedachte dat er niks is, ervaar ik als ondraaglijk. Maar misschien is alleen het gebrek aan het streven naar het goddelijke ondraaglijk.

'Ik geloof dat je kan handelen vanuit liefde of vanuit angst. In je keuzes van alledag schuilt het geloof,' zeg ik, en ik bloos. Het is geen onderwerp waar ik vaak over praat.

'Van welk geloof is dat?' vraagt een andere student nieuwsgierig. Ik bloos nog dieper.

'Misschien wel van alle geloven?' probeer ik. Ik kom er niet mee weg.

'Je hebt toch wel een geloof? Een kerk?' vragen ze door. Nu heb ik echt spijt dat ik dit onderwerp heb aangesneden.

'Ik ben in Polen geboren en ben dus katholiek opgegroeid,' zeg ik.

'Johannes Paulus de Tweede!' Samantha licht op. Mijn land van herkomst maakt me voor haar iets draaglijker.

'Maar ik ga zelden naar de kerk,' voeg ik naar waarheid toe, 'eigenlijk nooit als er geen aanleiding voor is.' De medestudent rechts van me lacht meesmuilend. Dit ken ik: de glimlach van de uitverkorene. Nu is hij degene met overwicht, de uiteindelijke winnaar die het paradijs mag betreden.

Samantha is oprecht geschrokken.

'Je weet dat je dan naar de hel gaat?' vraagt ze. Ik waardeer haar bezorgdheid.

'Als je dagelijks goede keuzes maakt, uit naastenliefde handelt, maar je gaat niet naar de kerk, ga je dan nog steeds naar de hel?' doe ik een laatste poging. Elke dag beslissen wat voor mens je wil zijn, verder ben ik tot nu toe niet gekomen. De beslissingen in mijn leven waren ook niet al te uitdagend, vond ik, ze lieten weinig ruimte voor heldendom. De Grote Test moest nog komen.

'Ja,' zegt Samantha vol overtuiging. 'Bidden is belangrijk,' besluit ze dan, na een korte pauze.

Of het voor mijn ziel is of die van haarzelf weet ik niet, maar de dag erop bidt Samantha twee keer zo luid.

Gelukkig mogen we de dag erop op excursie, voor maar liefst twee dagen. Dat is één overnachting zonder Samantha. We gaan noordwaarts, nog dieper Kenia in, richting Kakuma, wat 'nergens' betekent. Daar is ook het Kakuma Vluchtelingenkamp gevestigd. Hier wonen ruim zeventigduizend mensen. Het merendeel zit hier al meer dan twaalf jaar. Een levend Pompeï, met verschrikkingen die niet passen bij deze eeuw van democratie en vooruitgang. Misschien is dit bezoek de reden waarom ik hier ben.

Ik zou het in ieder geval willen begrijpen.

Elke keer dat we op excursie met de bus gaan, draag ik mijn sport-bh, zo heftig is het geschud dat wordt veroorzaakt door de vele gaten in de wegen. Ook deze keer heb ik de beste stoel weten te bemachtigen. Links achter de bestuurder. Hierdoor heb ik een perfect uitzicht, zowel door de voorruit als uit het raam naast me.

Onze twee bussen met zestig studenten erin, Kenianen en Nederlanders door elkaar heen, vormen een minicolonne. Het abrupte afremmen, de onverwachte scherpe bochten, voortdurend getoeter van andere weggebruikers: ik let er bijna niet meer op. Zo goed en zo kwaad als het gaat ben ik in mijn *Lonely Planet*-gids aan het lezen.

Na het studiereisgedeelte ga ik nog drie weken rondreizen samen met Ron, en ik ben bezig een reisroute uit te stippelen. Het is de tijd van de grote trek, waarbij enorme kuddes gnoes en zebra's door Masai Mara trekken, een natuurpark in het zuidwesten van Kenia. Een safari heb ik al bij een vriend van Stephan geboekt. Veel foto's voor papa maken natuurlijk. Ook moesten we nog een manier van transport kiezen voor de rest van de reis. Het meest gangbare voertuig is de *matatu*. Matatu's zijn busjes waar in Nederland normaal zo'n acht tot negen mensen in gaan. Hier minstens veertien. Misschien is dat wel een geinig idee voor een gedeelte van de reis. Het kost ook niks. Een beetje gevaarlijk is het wel, waarschijnlijk, aangezien de matatu-bestuurders door hun baas gedwongen worden om een onredelijk minimum aantal ritten per dag te draaien. Ik wuif mijn bezorgdheid weg, want uiteindelijk gaan dit soort dingen toch altijd goed.

Dan hoor en voel ik een knal. Als ik opkijk, zie ik de voorruit breken. Heel langzaam zweven de stukken glas door de ruimte. De bus kantelt, eveneens in een langzame modus. Een klap volgt, en dan een lichtflits.

Als ik mijn ogen opendoe blijkt de bus meters verder te liggen. Dwars op de weg staat een matatu geparkeerd. IN GOD WE TRUST, staat met grote letters op de zijkant. Uit de bus waarin ik zat, komt rook.

Om me heen heerst een pandemonium. Waar ze vandaan komen weet ik niet, maar de weg wordt overspoeld met tientallen gillende kinderen in schooluniform. De studenten uit de tweede bus komen aanrennen, eveneens gillend.

Eén seconde aanschouw ik de hel. Dit is het moment. Het moment van mijn beslissing. Ik ga zitten en schuif op mijn achterste richting de rokende bus.

Ik denk dat ik tientallen centimeters ben opgeschoven als vreemde handen me optillen en de andere kant op dragen, van de gehavende bus vandaan. Aan de kant van de weg zetten ze me neer.

Nu pas kijk ik naar mijn benen. Mijn knieën en schenen liggen open. Mijn botten blijken verblindend wit. Met verwondering kijk ik in mijn binnenste. Bloed, minder dan je zou verwachten, sijpelt langs mijn benen omlaag en wordt opgeslokt door de aarde. De aarde die uit zichzelf al rood was.

Toch, ik voel me beroofd van mijn beslissing.

Met andere gewonden worden we in de tweede bus geladen en teruggereden naar het ziekenhuis van Eldoret.

'Niet aan mijn benen komen!' schreeuw ik als ik in mijn rug geduwd wordt bij het instappen. 'Niet aan mijn benen komen...' herhaal ik nog een keer, zachter nu. De achterbank van de bus is leeg. Hier heb ik voldoende ruimte om mijn benen te strekken.

'Wie is er dood?' vraag ik als er een roerloos lichaam in

het gangpad wordt gelegd. Lang haar, rank lichaam. Ik zie geen gezicht, maar denk dat de vrouw nog erg jong is.

'Weten we niet. Ze stapte uit een matatu,' zegt de klasgenote die mij naar de achterbank heeft begeleid. Ze trekt mij naar zich toe en ik laat mijn hoofd tegen haar borst rusten.

'Is er nog iemand anders dood?' fluister ik tegen haar T-shirt. Ze zegt niks meer, aait alleen over mijn hoofd. Wel hoor ik het opgewonden gefluister van de mensen om me heen.

'Het meisje was onderweg naar een school. Sollicitatie.'

'Ze lieten haar midden op de weg uitstappen.'

'Die matatu reed meteen door.'

Opeens is het stil. Ik doe mijn ogen open en zie hoe een medestudente, die een andere, zwaargewonde Keniaanse vrouw op haar schoot wiegt, met opengesperde ogen naar een van de docenten staart. De vrouw hoorde niet bij onze studiegroep, ze wilde haar familie in het noorden bezoeken en maakte alleen gebruik van de gelegenheid om met ons mee te rijden. Ze zat net voor me.

Mijn medestudente begint te schokken en wil de Keniaanse vrouw van haar schoot duwen. De vrouw is geen gewonde meer.

'Hou nog even vol,' zegt mijn docent tegen de studente, die asgrauw ziet. 'Er is hier geen plaats voor haar. Hou vol.' De docent staat gebogen over de stoelen voor hem. De studente volgt zijn blik naar het gangpad, waar het eerste slachtoffer ligt. Als ze nu het ontzielde lichaam dat deels op haar schoot ligt van zich af duwt, zal het op het lijk van het meisje vallen. De studente blijft uitdrukkingsloos voor zich uit staren.

'Hou vol...' blijft de docent fluisteren. Ik graaf me nog dieper in het T-shirt van mijn klasgenote en sluit mijn ogen. De studente slaakt een gesmoorde kreet en kort erop vult de bus zich met een penetrante urinelucht.

In het ziekenhuis aangekomen worden de gewonde studenten gescheiden van de anderen. De gewonde studentes worden op de kraamafdeling gelegd. Snel word ik geholpen; mijn benen worden plaatselijk verdoofd met een morfinespuit en gehecht.

Elke keer als ik een vraag stel – Waar zijn de vrouwen en de baby's heen die op de kraamafdeling behoren te liggen? Is de bestuurder van de bus, wiens schouder in een vreemde hoek gebogen was en wiens arm slap langs zijn lichaam hing, al geholpen? – krijg ik een klein spuitje morfine extra.

Om mijn eigen bed hangen gordijntjes. Die trek ik dicht. Ik doe een poging om vat te krijgen op datgene wat er gebeurd is. Voor ik mijn ogen dicht kan doen, worden de gordijntjes weer opengetrokken. Er trekt een stoet mensen aan mijn bed voorbij. Eerst de werknemers van het ziekenhuis. '*Pole sana, pole sana*,' zeggen ze in het Swahili. Het spijt ons erg. Dan komen de bezoekers van de andere zieken. Vervolgens de patiënten die zelf ambulant zijn. En daarna, daarna komt volgens mij de hele stad. Inclusief de burgemeester van Eldoret, die het ook heel erg spijtig vindt.

'Pole sana,' hoor ik de dagen erna. Ook als er niemand is, dreunt het nog na in mijn oren.

'Het gaat,' zeg ik tegen Ron aan de telefoon. Hij belt vroeg op de avond, maar zoals altijd is het duister hier al om zeven uur ingevallen.

'Kom je terug?' Hij heeft zijn visum eerder die dag opgehaald.

'Terug?' Ik sta voor het raam en mijn blik dwaalt over de donkere hemel. Die is anders hier. De Grote Beer ontbreekt. Ook de Polaris, de Poolster, is op dit halfrond niet te zien.

'Nee, ik kan nog niet terug.'

Ron wacht of er nog meer komt.

‘Het is de eerste keer dat ik weg ben,’ licht ik toe.
‘Snap ik. Maar wil je niet rustig bijkomen? Thuis?’
‘Kom gewoon naar me toe, schat.’
Dát is thuis.

Omdat ik in deze eerste dagen niet kan lopen, moet ik op mijn gezonde medestudenten wachten als ik mijn behoefte moet doen. Zij houden de gordijntjes rondom mijn bed stevig dicht terwijl ik mijn blaas leeg in de bedpo. Het gekletter tegen het ijzer, terwijl ik weet dat er om me heen mensen staan die het horen en die wachten tot ik klaar ben, vind ik verschrikkelijk.

De derde dag weiger ik de pijnstillers en loop ik met stijve benen zelf naar de wc. Hier schuif ik met mijn handen langs de muur zodat ik mijn lichaam naar achter kan overhevelen, net zo diep dat een van mijn handen de achterkant van de wc-pot kan pakken. Ik kijk nog even of de positie precies goed is en opgelucht laat ik mijn plas lopen.

Ik kan het weer zelf.

De zaal waar ik lig loopt langzaam leeg; stuk voor stuk worden mijn medestudentes uit het ziekenhuis ontslagen. Het raam van de zaal kijkt uit op een drukke marktplaats; het is tevens een vertrekpunt voor veel matatu’s. Uren gaan voorbij voordat een van die matatu’s gevuld is, voordat de passagiers bij elkaar gezocht zijn, voordat de reis kan beginnen. De motoren blijven aan, het gaspedaal wordt regelmatig ingedrukt; elke keer weer is het een belofte: nu zal de reis snel beginnen. De wachtende passagiers verzinken gedurende al dat wachten in een alles verzwelgende loomheid, een toestand van half waken, half slapen. Dan, ineens, als bij toverslag, gaat de lethargie waar geen eind aan leek te komen opeens over in een duizelingwekkende dodenrit.

Ik draai me om en zie dat ik bezoek heb. Het is Samantha.

'Pole sana,' zegt ze, en ze neemt plaats naast mijn bed.

'De begrafenis is morgen,' beantwoordt ze mijn vraag naar de verdere gang van zaken rondom de overleden universiteitsmedewerkster.

'Hier op de campus?'

'Nee, ze is terug naar de kust, naar haar voorouders.'

'Komt ze daarvandaan?' vraag ik. Ondertussen houdt Samantha een foto voor mijn ogen. Het is een foto van de bus. De linkerkant, waar ik zat, lijkt te zijn weggevaagd tijdens de vele malen dat de bus over de kop sloeg.

'Nee, ze heeft er nooit gewoond. Het is een traditie dat vrouwen altijd in het land van hun voorouders begraven worden. Daar horen ze gewoon thuis.'

Mijn ogen zijn nog gefixeerd op de foto van de verwoeste bus. Ik denk aan de lichtflits die ik zag op het moment dat ik uit de bus viel. Ik denk aan mama.

'Goed dat er niet meer slachtoffers zijn gevallen...' zeg ik alleen maar. Samantha kijkt me aan en zegt: 'Het is het bloed. De demonen onder de weg lusten geen blank bloed.' Ik kijk haar aan: ze lijkt het te menen.

'Demonen?' Ik kon nu net zo goed doorvragen; tijdens ons laatste gesprek waren de mij onbekende grenzen rondom uitwisseling van geloofsovertuigingen toch al overschreden. 'Hoe verhoudt zich dat tot God?'

'God gaat over alles. Over de wereld die we zien...' – ze maakt een gebaar dat onze zaal en het plein daarbuiten moet omvatten – '... over de wereld van de geesten...' – weer hetzelfde gebaar, de geesten lijken voor haar net zo tastbaar als de matatu's – '... en over de wereld van onze voorouders.' Ze maakt weer een weids gebaar. De zaal met de lege bedden lijkt opeens vol.

Ik slik.

'Al die werelden moet je in balans houden,' zegt ze geduldig. Dan pakt Samantha de bijbel uit haar tas en begint ze hardop te lezen. Ik kijk naar haar, zie dat ze verzonken is in concentratie, hoor de gebeden die ik nu zo vaak heb gehoord – deze keer zonder een tussenschot dat ons scheidt. Nu ben ik wel blij dat ik al zo vaak onwillig getuige ben geweest van haar gebed, want anders, ja anders, zou dit verdomd veel op een dodenwake lijken.

Stephan heeft aangekondigd dat hij met ons meegaat op safari en samen halen we Ron op van het vliegveld. Terwijl Stephan buiten bij de auto wacht, sta ik Ron op te wachten in de aankomsthal. Ron ziet mij meteen. Zijn blik glijdt over mijn benen, die nog bijna volledig ingezwachteld zijn.

'Je zei dat je oké was!' Het klinkt een beetje verwijtend.

'Het kon erger.' Ik geef hem een zoen en een eerste onwennige omhelzing. Ron drukt me tegen zich aan en slechts met moeite maak ik me los uit zijn omhelzing. Verstrengeld lopen we naar Stephans auto. Ron kijkt onrustig om zich heen, het is donker buiten, en ik loop met stramme passen. Ik kan mijn benen nog steeds niet buigen.

Omdat de reis naar het vluchtelingenkamp in Kakuma niet doorgegaan is en ik er eigenlijk wel een verslag over wil schrijven, besluit ik om samen met Ron in ieder geval het UNHCR-gebouw in Nairobi te bezoeken voordat onze safari begint. Een verzoek om een interview is genoeg om samen met Ron het gebouw binnen te komen en met het hoofd logistiek te praten. Zijn naam is Ismael. Nieuwsgierig kijkt hij naar mijn benen en het verband.

'Pole sana,' zegt hij. Hij kijkt nieuwsgierig naar ons tweeën. Niks aan hem verraadt dat hij al stromen bezoekers in deze stoelen heeft ontvangen, tientallen mensen die steeds dezelfde vragen komen stellen.

'Ben je Nederlandse?' vraagt Ismael vriendelijk. Hij

wijst naar de foto van Ruud Lubbers, de huidige Hoge Commissaris. Ik knik.

'Ga je over de kampen schrijven?' vraagt Ismael. Ik knik weer.

'Dat is goed,' zegt de man tegenover mij. 'Er moet meer over geschreven worden.'

Nu durf ik niet te zeggen dat het om een paper gaat die door niemand ooit zal worden gelezen. Tenminste, als je het routineuze scannen van mijn docent niet meerekent.

Ismael somt de feiten van de kampen voor ons op. Het kamp bestaat sinds 1992. Er leven tussen de zestig- en negentigduizend mensen. Duizenden van hen wonen er al meer dan tien jaar. Er is geen toekomst. Regelmatig worden de vaste bewoners overspoeld met golven van nieuwe vluchtelingen. Dan zijn er nog de zandstormen. Ismael houdt verschillende grote foto's van het kamp omhoog. Er is een blok A en een blok B. Een tijdlang bestudeer ik de afbeeldingen. De plattegrond herinnert me sterk aan een ander kamp dat ik lang geleden heb bezocht.

'Waar komen de vluchtelingen vandaan?' vraagt Ron.

'Somalië... Zuid-Soedan...'

Ik schrijf het op, meer om mijn emoties te verbergen dan omdat ik iets nieuws hoor.

'Dit, miss Ida, gebeurt over het hele continent...' Ismael richt zich nu tot mij. 'De krijgsheren, de warlords, verdelen de gebieden binnen de zwakke staten onderling.'

'Krijgsheren?' vraag ik.

'Ja. Gewezen officiers, ministers of politici. Ze gebruiken de verwarring, die ze vaak zelf veroorzaken, om een eigen dictatoriaal ministaatje te creëren. Alles vanuit de eigen clan. Ze spreiden rassenhaat en wijzen tegelijkertijd zichzelf aan als slachtoffer. Ze noemen zich vaak Beweging tot Verdediging van de Democratie of Onafhankelijkheid, nog vaker de Bevrijdingsbeweging voor Dit of Dat. Voor minder doen ze het niet.'

Ik schrijf alles op, maar dan laat ik mijn pen zakken.

'Dit is al zo vaak opgeschreven,' zeg ik zacht.

'Tuurlijk, miss Ida. Alle verhalen zijn al duizend keer verteld. Maar mensen luisteren niet.' Ismael kijkt me nu doordringend aan. 'Het is dus zaak om de verhalen te blijven vertellen,' zegt hij, en zijn blik laat me nog steeds niet los.

'Je mag wel mee met een konvooi als je wil,' zegt Ismael. Ik recht mijn rug. Dat wil ik toch? Hier kwam ik toch ook voor? Op hetzelfde moment voel ik hoe Ron zachtjes tegen mijn ingezwachtelde kuit schopt. Nauwelijks kan ik mijn kreet onderdrukken. Niet een van de wonden is al genezen.

Ismael lacht aanstekelijk.

'Het is goed, miss Ida. Gaat u maar schrijven.' Bij het woord 'schrijven' krimp ik ineen, dat is net dat ene wat ik niet meer kan. Ik moest er iets anders op verzinnen.

Ron en ik zijn erg stil als we naar buiten lopen.

'Geloof je dat dit zin heeft?' vraagt Ron. Hij wijst naar het gebouw achter ons.

'Ooit ben ik eens geholpen toen ik ergens weg moest,' zeg ik, en ik denk aan de Sociale Dienst.

'Fijne hulp. Heeft je je erfenis gekost,' zegt Ron smalend.

'Misschien was het wel een weeffout,' zeg ik. Feit is dat ik lucht kreeg toen ik die nodig had.

'Kan zijn,' zegt Ron. 'Een systeemfout.' Ik denk aan de sociale rechercheur en ik knik.

Mijn waardigheid: die verkreeg ik uiteindelijk door onderwijs. Door de mogelijkheid om te werken. Ik heb heel veel zelf moeten opknappen, zeker, maar als er geen kansen zijn, kan je rennen wat je wil en blijf je nog steeds op dezelfde plek.

'Maar dit, dat zou toch niet mogen bestaan?' zeg ik, en ik wijs naar de grijze kolos achter ons. Al bedoel ik natuurlijk de kampen.

'Systeemfout,' zegt Ron gedecideerd.

'Kan je me helpen?' vraag ik aan Ron bij de eerstvolgende sanitaire stop die we maken. Ook hier is de wc een gat in de grond.

Voor de laatste dagen van de reis wordt dit het ritueel: ik sta met gestrekte benen vijftien tot twintig centimeter voor het gat; dan laat ik me recht achterover in de armen van Ron vallen. Het vergt een paar pogingen, maar eindelijk lukt het. Samen met de eerste plas spoelt ook mijn schaamte weg.

Ja, misschien kan je pas echt van de wereld houden als je al zijn gezichten hebt gezien.

We hebben los van elkaar geboekt en vliegen daarom apart terug. Ron is al vertrokken en Stephan brengt mij een dag later naar het vliegveld.

Daar aangekomen stopt Stephan voor de ingang om me af te zetten; daarna gaat hij parkeren. De auto lijkt me een goede plek om hem het afgesproken bedrag te betalen voor het chaufferen. We kwamen uit op tweehonderd euro. Twintigduizend Keniaanse shilling. Het leeuwendeel hiervan zal Stephan aan de eigenaar van de auto afdragen. Hij zal evengoed genoeg overhouden voor boeken in het volgende semester, zei hij blij na de onderhandelingen.

Op het moment dat Stephan het geld aanpakt, staat er opeens een verkeersregelaar naast de auto. Met agressieve gebaren gebaart hij dat Stephan door moet rijden. Er is geen enkele auto voor of achter ons. Ik moet uitstappen. Als ik op de stoep sta, zie ik twee andere verkeersregelaars eveneens in de auto stappen. Ze rijden samen weg. Stephan krijgt een boete voor te lang stilstaan op de afzetplek. De boete bedraagt twintigduizend Keniaanse shilling. Als Stephan weer naar me toe loopt, is zijn gezicht grauw. Ik twijfel. Uiteindelijk geef ik hem het geld opnieuw. Vier briefjes zijn het maar; toch is het ruim genoeg om onze prille vriendschap weg te vagen. Stephan kijkt naar de grond, knikt alleen maar, draait zich om en loopt weg, zijn schouders nu nog verder naar beneden gezakt.

Pole sana.

Bij het starten van de motoren merk ik dat mijn handen buitensporig zweten. De vers opgedane angst voor gemotoriseerd vervoer blijkt tienvoudig voor vliegtuigen te gelden. Mijn handen trillen. Mijn hart lijkt uit mijn borstkas te willen springen en ik ruik de zurige geur van mijn eigen angstzweet. Ik graaf mijn vingers in het plastic van de leuning. Bewust adem ik langzamer dan ik zou willen, in een poging mezelf te kalmeren.

Ergens weet ik dat er slechts één manier is, wil ik ooit van deze agonie afkomen: meer vliegen.

Met immense inspanning negeer ik mijn neiging om het vliegtuig te verlaten en zoek afleiding. Er ligt een krant en ik blader er ongeïnteresseerd doorheen. Mijn geest is nog niet klaar om in de binnenlandse politiek van Nederland te duiken. Ik bekijk de vacatures: misschien vind ik een geschikt baantje naast het schrijven van mijn scriptie. Wat ik vind, is een oproep. Er wordt een nieuwe jongerenvertegenwoordiger voor de Verenigde Naties gezocht.

De nasmaak van de vorige sollicitatie is nog niet weg, allerminst. Aan mensen die ik niet ken, heb ik iets van mijn wanhoop laten merken. De vernedering brandt nog hevig als ik eraan denk. Maar dan denk ik aan Stephan, die waarschijnlijk nu al, en anders morgen, met een rechte rug door de straten van Nairobi loopt.

Ik adem nog maar eens diep.

Meer vliegen.

3

Deze keer is de sollicitatie vlekkeloos verlopen. Een gesprek, een essay en een bepaalde onverschilligheid; in februari 2003 zal ik naar New York vertrekken voor een eerste bezoek aan de VN. Dat duurt nog bijna een jaar.

Als eerste bel ik papa.

'Pap, alles goed?' Eerst moest ik horen of papa in de juiste stemming was. Niet afgeleid, geraakt door een van de vele zaken van de dag.

'Goed, Ida, goed. Hoe is het met je knie?' Mijn knie? Die was ik natuurlijk allang vergeten, maar ons laatste gesprek was inderdaad net na het ongeluk met de Keniaanse bus.

'Pap, weet je nog, die functie bij de Verenigde Naties?'

'Ja?' Zijn interesse is gewekt, ik heb de volle aandacht.

'Dat ze één jongere zoeken die Nederland mag vertegenwoordigen bij de Verenigde Naties?'

'Ja?' vraagt papa vol verwachting.

'Dat mag ik doen!'

Papa valt stil.

'Ida...' zijn stem stokt, hij hapert maar herneemt zich snel. 'Maak ons trots daar!' zegt hij dan.

Ja, dit was wel een beetje de reactie waar ik op gehoopt had.

'Ida, ik kwam je oma nog tegen...' begint hij, en meteen heb ik geen zin meer in dit gesprek. De laatste tijd was er een voorzichtig contact ontstaan tussen oma en papa. Beleefdheid is erg belangrijk, als we in staat zijn om beleefd te zijn waar ooit kilte of ontkenning was, geeft dat hoop. Helaas wist ik ook welke vraag er achteraan kwam.

'Zij wilde weten wanneer je weer naar Polen komt...'

Ik schud mijn hoofd. Ik begon door mijn excuses heen te raken om niet naar Polen te komen. Overal wilde ik wel heen, maar niet daar naartoe. De belofte aan oma weegt zwaar, maar ik kan haar nog niet inlossen.

'Ik kan het niet. Nog niet.' Papa zwijgt en lijkt het te begrijpen.

'Is goed. Ga jij daar maar een jaar Nederlander spelen,' eindigt hij, geforceerd grappig.

Even denk ik erover na. Het is ook wat. Allen die zich in Nederland bevinden, worden in gelijke gevallen gelijk behandeld. Discriminatie wegens godsdienst, levensovertuiging, politieke gezindheid, ras, geslacht of op welke grond dan ook, is niet toegestaan. Dat is in Nederland ook officieel zo, en meestal wordt het nageleefd. *De ander* daarentegen het land laten vertegenwoordigen, is níét wettelijk vastgelegd. Daarom voelt dit echt; het is niet afgedwongen, maar gegund.

Nee, dit was zeker niet het jaar om terug naar Polen te gaan.

Terwijl ik nog met papa aan het bellen ben, zit Ron op de bank te zappen langs alle kanalen, met zijn jas aan. We gaan zo uit eten om het goede nieuws te vieren.

Dan blijft hij hangen op een van de zenders. Vol in beeld wordt een man gereanimeerd. Zijn hoofd is bedekt met bloederige witte doeken.

'Pim Fortuyn is doodgeschoten...' zeg ik in de telefoon, en laat de hoorn dan zakken.

Hij is doodgeschoten door iemand die de dieren wilde redden.

De zomer van 2002 is nat. De regen blijft maar uit de hemel vallen, het aantal stormachtige dagen bereikt recordhoogtes.

Oom Grzesiek komt met zijn gezin op bezoek. Ze zijn op terugreis, terug uit warmere oorden, ze wilden hun zonen Europa laten zien. Trots laten ze hun nieuwe auto zien, een Deawoo Nexia, splinternieuw, rechtstreeks uit de showroom.

Ons etentje wordt erg gezellig. De kinderen zijn nog te jong om de hele tijd aan tafel te blijven zitten. Ze spelen computerspelletjes in de hoek van de kamer. Midden in het gesprek komt de jongste zoon naar tante Monika en vraagt iets aan haar – misschien of hij naar buiten mag? Hun gesprek is voornamelijk een uitwisseling van blikken; ze gebruiken hoogstens een viertal woorden. Ik kijk naar ze en voel een steek in mijn hart. Voor het eerst voel ik het verlangen om ooit zelf moeder te zijn.

'Hoe is het op de beurs? Heb je nog goede tips?' vraagt Grzesiek in het Duits aan Ron. Geroutineerd legt Ron uit dat hij geen beursmakelaar is, maar een handelaar in opties: 'Een *market-maker* stelt continue bied- en laatprijzen af in de effecten. Dat betekent dat hij koop- en verkoopopdrachten naar de beurs stuurt, waartegen beleggers en concurrerende handelaren kunnen handelen.' Grzesiek kijkt hem aan zonder er een woord van te begrijpen.

'Oom, het is net als vroeger, met schommelingen in valutaprijzen bij een wisselkantoor. Bij goede vraagprijzen verkochten jullie en bij lage koersen kochten jullie het weer op...' licht ik toe. Het gezicht van mijn oom klaart op.

'Ah, een speculant!' roept hij dan uit.

Ron schudt zijn hoofd. Hij ziet zijn vak meer als wiskunde. Voor hem is het vooral belangrijk dat er veel wisseling van prijzen plaatsvindt; hij gokt nooit. Vindt hij zelf in ieder geval.

'Hé Ron, wanneer ga je nou met Ida trouwen?' vertaalt oom Grzesiek de vraag van tante Monika.

'Trouwen? Ida wil niet trouwen,' zegt Ron. En dat is waar. Ron wil wel trouwen. In zijn wereld is iedereen getrouwd. Gelukkig getrouwd.

'Ik wil wel trouwen,' zeg ik opeens. Met deze mededeling verras ik mezelf. Ron kijkt verbaasd naar me op.

'En misschien wil ik er niet tot mijn dertigste mee

wachten,' denk ik verder, hardop.

Oom Grzesiek en Ron lachen om mijn plotselinge trouwlust. Ik ben vierentwintig, dertig is nog mijlenver weg.

De middag en avond vliegen voorbij, en voor ik het weet willen ze weer op pad.

'Oom, de urn,' begin ik onhandig. Het zou mooi zijn als mijn oom deze mee kan nemen, dan ben ik vrij. Grzesiek lijkt op deze vraag voorbereid.

'Ida, dat kan ik niet voor je doen, lieverd,' zegt hij zacht. 'Het is jouw moeder. Jouw belofte ook...'

Mijn oom heeft gelijk.

'Maar ik...' Hoe kan ik dit niemandsland waar ik in zit ooit aan hem uitleggen?

'Het heeft tijd nodig, Ida. Luister naar die stem in jezelf, die wijst je de weg,' gaat Grzesiek verder. Ik kijk weg. Dit voelde namelijk niet alsof ik ergens heen ging, maar juist alsof ik ergens vandaan kom.

'Ook als het lijkt dat je de verkeerde kant op gaat,' besluit Grzesiek, alsof hij mijn gedachten leest. Het gewicht dat van me af valt is zo groot, dat het bijna lijkt alsof ik van de grond loskom. Het is nog niet de tijd om deze tocht met mama te maken. En dat is goed.

Met het grootst mogelijke gevoel van ontroering zwaai ik mijn familie uit.

Weer terug in ons appartement lijkt Ron net zo euforisch als ikzelf. 'Ik wilde het anders vragen, maar... Het moet gewoon!' brengt hij blij uit. Aanvankelijk denk ik nog dat mijn euforie op hem is overgeslagen, maar dan zie ik in zijn hand een vierkant doosje.

'Ik dacht, ik koop gewoon een ring. Dan komt het vanzelf goed!'

Hij is gewoon één brok vreugde. Ik kijk hem aan en ik moet lachen. Ik moet altijd lachen als ik bij hem ben.

'Maar waarom houd jij dan eigenlijk van mij?' vraag ik, als we de vuurkorf hebben aangestoken en achter ons huis op de binnenplaats zitten. Ron lacht hardop, vanuit het diepste van zijn buik.

'Weet je Ida, ik ben een pakketje aandelen... Als er geen gekke dingen gebeuren, komt het allemaal wel goed met mij. Maar jij, jij bent een *call-optie*... míjn call-optie... óf het pakt heel goed uit, óf ik ben al mijn inleg kwijt!' Hij lacht, maar zijn toon wordt weer serieus als hij besluit: 'Het kan alle kanten op met jou...'

Een steek gaat door mijn hart. Het is alsof hij eindelijk doorheeft wat ik hem destijds al wilde zeggen. De hitte slaat uit de vuurkorf onze kant op en ik schuif achteruit, de duisternis in.

'Maar wat... wat leg je dan in?' vraag ik toch, want ik blijf een vrouw. Gespannen kijk ik naar zijn gezicht.

Ron haalt diep adem en sluit zijn ogen.

'Alles.'

VII

Ave, patria

'Verloofd? Jij?' Elise klinkt erg verbaasd aan de telefoon. Ze vraagt nog net niet 'waarom'. Ik lach.

'Jij... wij... Jij bent nog zo jong!'

'Volgend jaar ben ik alweer vijfentwintig!' werp ik tegen. Ze denkt na.

'Wat is dan een goede leeftijd?' vraag ik op mijn beurt.

'Als je ál trouwt: dertig. En tweeëndertig voor je eerste kind,' zegt Elise vastbesloten. 'En los daarvan...'

Waarom trouwen? Ik stel mezelf die vraag en kijk naar mijn ring. Elise blijft stil, in afwachting van mijn antwoord.

'Waarom niet? Het werkt voor Ron.'

'Het werkt voor Ron? Is hij bang dat je wegloopt of zo?'

Ik schrik van haar vraag. Ik heb me niet afgevraagd waarom Ron zo snel wil trouwen, zo vroeg voor Nederlandse begrippen. We waren de eerste uit zijn vriendengroep en het zag er niet naar uit dat iemand snel ons voorbeeld ging volgen.

'Weglopen?' Ik herhaal het woord hardop en vraag me af waarom ik me betrapt voel. Die drang in mij om weg te willen, weg van die ongeleide woordenbrij in mijn hoofd – zou Ron dat voelen?

Voor nu is die drang in ieder geval gestild, de functie bij de VN geeft me het gevoel dat ik zinvol bezig ben. Gekleed als diplomaat betreed ik een paar weken later de Nederlandse missie in New York. Nette rok, hakjes. Mijn blonde haar netjes opgestoken. Het verbaast me hoezeer dat wat je aanhebt beïnvloedt hoe je loopt, en hoe je praat. De Algemene Vergadering van de Verenigde Naties, het eigenlijke hoogtepunt van mijn vertegenwoordigerschap is pas in november. In februari al mocht ik afreizen naar de Commission of Social Development, een afdeling binnen de Verenigde Naties waar verschillende achtergestelde groepen onder vallen, en dus ook jongeren.

Als we bij de Nederlandse missie zijn aangekomen, stelt een lange rijzige man, Gregory, zich voor als mijn begeleider deze week. Hij is tevens het hoofd van deze afdeling; hij neemt mijn programma met me door.

'Op donderdag zit je bij de bijeenkomst voor ontwikkelingsorganisaties. Jij bent uitgenodigd als spreker in het panel,' legt Gregory correct en beleefd uit. Hij lijkt meer een Brit dan een Nederlander.

'Mag ik ook naar de Veiligheidsraad vrijdag?' vraag ik als hij klaar is met mijn weekschema.

Gregory schudt zijn hoofd. 'Hans Blix komt er. Colin Powel zal er ook zijn,' zegt hij.

Ik knik bevestigend: juist daarom wil ik erheen. De hele wereld heeft een sterk vermoeden dat er helemaal geen massavernietigingswapens zijn in Irak. Hans Blix gaat zijn reactie geven op de bewijsvoering van de Verenigde Staten, die aan alle kanten rammelt. Daar wil ik bij zijn.

Gregory haalt zijn schouders op. 'Iedereen wil erheen. Helaas heeft niemand van ons een pas, ik ook niet.' Zijn stem klinkt spijtig. 'Een bijeenkomst als deze vindt één keer per vijf jaar plaats. Hoogstens,' voegt hij er nog aan toe.

Ik zucht. Daar was ik al bang voor. Nou ja, het was het proberen waard...

Tegen de tijd dat ik zitting neem in de paneldiscussie op donderdag ben ik eigenlijk al vergadering-moe. Eerder deze week was ik er getuige van hoe een Afghaanse afgevaardigde het voorstel om de minimumleeftijd van huwbare meisjes naar twaalf jaar te verhogen, afschoot. Dezelfde afgevaardigde die me tijdens de receptie dezelfde middag vroeg met hem te eten. Het idee: we stonden op een *receptie*, omringd door eten. Even, heel even, schoot de gedachte door mijn hoofd om hem mee te nemen naar een hotel en er een enorm scandaleuze toestand van te maken, die korte metten zou maken met zijn gespeelde vroomheid.

Opeens merk ik dat iedereen naar me kijkt.

'Vind je dan dat elk land een jongere naar de Algemene Vergadering van de VN zou moeten sturen?' herhaalt de discussieleider de vraag.

'Tuurlijk. Jongeren vormen een groot deel van de wereldbevolking. In sommige landen is zelfs meer dan vijftig procent van de inwoners jonger dan vijfentwintig,' hoor ik mezelf opdreunen. Mijn handen strijken mijn rok glad en ik besef dat mijn kleren niet alleen hebben veranderd hoe ik praat, maar ook wat ik zeg. Ik hou de begeleider tegen als die de microfoon bij me weg wil halen.

'Zo'n vertegenwoordigerschap is vooral belangrijk in landen waar jongeren structureel in situaties komen die ronduit gevaarlijk voor hen zijn. Er zijn meisjes die op hun elfde tijdens een bevalling sterven! Jongeren zouden bij machte moeten zijn om zich tegen dit soort situaties te beschermen.' Nog voordat ik de zin afgemaakt heb, is de microfoon bij me vandaan geschoven.

'En dat is nou precies de reden waarom veel landen geen jongerenvertegenwoordiger hebben. Het zijn van die ongeleide projectielen,' hoor ik de stem van Gregory in mijn hoofd. 'Verontwaardigd dingen uitroepen, dat kan iedereen. Dat is het makkelijkste wat er is,' zou hij zeggen. En ja, dat is ook weer waar.

Als de paneldiscussie is afgelopen, voel ik opluchting.

Gelukkig, geen vergaderingen meer deze week, geen voorgekauwde zinnen. Onmiddellijk sta ik op om weg te lopen. Plichtmatig schud ik de handen van de andere panelleden en plan een onopvallende aftocht. Als laatste schud ik de hand van de discussieleider. Ik durf hem bijna niet aan te kijken, ik schaam me voor mijn vrijpostigheid tijdens de discussie.

'Wacht, ik heb iets voor je,' zegt hij vriendelijk als ik weg wil lopen. Hij legt een plastic pasje in mijn hand. Niet-begrijpend kijk ik naar hem op.

'Het is een toegangspas voor de bijeenkomst van de Veiligheidsraad morgen,' zegt hij. Hij geeft me een knipoog. 'Ik denk wel dat je die leuk gaat vinden.'

De pas ligt in mijn hand en ik durf niet eens te ademen, alsof een aanraking met mijn adem de pas zou doen uiteenvallen in duizend stukjes. Het duurt even voordat ik hem in mijn tas durf te stoppen. Onderweg naar buiten besluit ik om rechtstreeks naar mijn hotelkamer te gaan en deze niet te verlaten voordat ik me naar deze vergadering begeef. Anders loop ik de kans dat ik iemand van de Nederlandse missie tegenkom, en als dat gebeurt verklap ik gegarandeerd meteen dat ik deze pas in mijn bezit heb. Het lijkt me het beste om die wetenschap, en daarmee ook de pas, voor mezelf te houden.

In de bomvolle zaal woon ik de volgende dag de zitting van de Veiligheidsraad bij. Tot het moment dat ik binnen was, kon ik niet geloven dat de toegangspas echt was. Hans Blix houdt het ene 'bewijs' van de VS na het andere tegen het licht, waarmee hij zijn vernietigende conclusie onderbouwt: de bewijsvoering stelt niks voor. Er is niet genoeg grond voor een oorlog tegen Irak. Elke oorlog die nu plaatsvindt, is een aanvalsoorlog, geen verdedigingsoorlog. Daar is geen volkenrechtelijk mandaat voor.

Ik denk aan Karim en aan de andere kinderen in zijn

buurland Irak, destijds. Grote opluchting maakt zich van mij meester. Jalta is niet voor niks geweest; dit instituut, de Verenigde Naties, heeft bestaansrecht.

Als ik terugkom bij de missie, ben ik buitengewoon uitgelaten.

'Er komt geen oorlog! Er komt geen oorlog...' herhaal ik opgewonden tegen Gregory, en bijna wil ik om zijn statige nek gaan hangen. Bedaard zet hij de televisie uit waarop hij net de sessie met Hans Blix heeft gevolgd. Zijn blik is vervuld van medelijden bij het zien van zoveel naiviteit.

'Ida, de Amerikaanse troepen staan al klaar in Irak. Duizenden en duizenden soldaten. Miljarden zijn al uitgegeven,' zegt hij. Mijn ogen schieten heen en weer, ik hunker naar andere woorden dan de woorden die gaan volgen.

'Ida, de oorlog is al begonnen,' zegt hij. Het is een verbale klap, en die klap is een daad van liefde.

Papa had geen gelijk. Domheid mag dan geen pijn doen, open gebeukte naïviteit doet verschrikkelijk zeer.

'Goed dat je terug bent, Ida... We moeten nog veel doen,' zegt Ron als we op Schiphol in de auto stappen.

'We moeten nog de zaal definitief regelen en de gastenlijst afmaken. Mama heeft ook nog gebeld...' De rest van zijn woorden hoor ik niet meer. Ik staar uit het raam als we Schiphol uit rijden en de snelweg op gaan richting Amsterdam.

'Ida, luister je wel?' Ik schrik wakker.

'Ja, zeker, nog maar een paar maanden...' zeg ik, en ik voel paniek opkomen. Ik moet niet mijn geloof gaan verliezen, niet nu.

'Ida, is alles goed?'

Ik zwijg.

'Is er iets gebeurd in New York?'

'Niks... Niet echt.'
Ik leg mijn hoofd tegen zijn schouder.
'Ida?'
'Ik ben gewoon een beetje stom geweest. Dat is alles.' Ik merk dat Ron schrikt van mijn woorden.
'Nee, niet zoiets stoms,' stel ik hem gerust. '*Slechts een ontmoeting tussen mijn verschrikkelijke droom van schoonheid, tussen mijn verschrikkelijke verlangen naar goedheid en rechtvaardigheid en... de werkelijkheid*,' parafraseer ik mijn aloude held.
Ron schuift ongemakkelijk op zijn stoel heen en weer.
'*Het zijn tenslotte onze dromen die ons beletten het leven te nemen zo, zoals het leven is. Daarin zit de bron van ons lijden*,' maak ik de geleende zin af.
Ron lacht, 'Ida, Ida, waar heb je dat nou weer vandaan? De *Happinez*?' Zijn lach is aanstekelijk.
'Nee, nee,' zeg ik. 'Het is vrij naar Władysław Reymont.'
Ron knikt; hij kent het briefje van een miljoen.
De VN, de eed die ik ooit tegenover Elise aflegde, de eed dat ik tegen de absurditeit en het onrecht zou vechten – het leek ineens allemaal zo zinloos, zo ver weg... Ik kruip nog dichter tegen Ron aan. Ik verwonder me over de aanblik die de buitenwereld biedt. De weg en de auto's zijn nat. De druppels zijn echter zo fijn dat de regen onzichtbaar lijkt.
'O ja, we moeten natuurlijk ook nog het hele budget van de bruiloft narekenen, alle offertes zijn binnen,' hoor ik de stem van Ron boven het monotone geluid van de motor uit.

'Wat doe je?' vraag ik als Ron naar mijn bureau toe loopt en een paar getypte vellen oppakt.
'Kijken wat je schrijft...' zegt Ron als hij de blaadjes door elkaar schuift.
'Het zijn echte teksten, Ron.' Ik probeer er een grapje

van te maken. 'Ik zit niet steeds dezelfde zin in te tikken.'

'Wanneer is je scriptie klaar?' Ron wijst naar de stapels papieren, eerste versies, tweede versies. 'Jeetje, hoeveel pagina's heb je al?' Hij pakt een van de stapels en weegt het in zijn hand. 'Kun je je er niet gewoon van afmaken?' grapt Ron op zijn beurt, 'als een normaal mens?'

Onze kleine slaapkamer is overspoeld door boeken, nog meer boeken en kopietjes van weer andere boeken. Het is niet moeilijk om bronnen over het schenden van de mensenrechten te vinden. Of eigenlijk over het onvermogen van de mensheid om er iets aan te doen. Nee, ik kan het niet afmaken, want ik heb het antwoord niet.

'Over een halfuurtje moeten we trouwens weg, misschien wil je je nog klaarmaken,' zegt hij. Etentje bij vrienden. Hij heeft zijn blauwe hemd al aan, mijn lievelingsoverhemd. Zonder dat ik er erg in heb, wend ik mijn hoofd af. Ik had geen zin in de echte wereld, nooit meer eigenlijk, alles waar ik niet echt heen hoefde zegde ik af, vaak op het laatste moment.

'Zullen we thuisblijven vanavond?' zeg ik in een opwelling. 'Gewoon, met zijn tweeën? Dan kunnen we weer naar het bos.' *Net als vroeger*, wil ik eraan toevoegen, maar iets weerhoudt me. Ron draait zich abrupt om.

'Over een halfuur gaan we weg, Ida.'

'Je oma heeft trouwens weer gebeld. Ik weet niet wat ze zei. Bel haar,' zegt hij nog, en hij loopt de deur uit.

Hij laat me achter, te midden van de berg papier. Onder een van de stapels zie ik de kaart die ik met Pasen al van oma heb gekregen. Heb ik hier eigenlijk ooit op geantwoord? Ik schuif de kaart weer diep in de stapel.

Een maand later belt mijn docent of ik langs kan komen. Ik wacht voor zijn deur en krijg enorme spijt, want ik had mijn studie liever anders afgerond. Net voor de afgesproken deadline had ik een stapel papier in zijn postvakje gedeponeerd, erin geduwd eigenlijk, het paste er nauwelijks in. Ik had niet eens de moeite genomen om het in te laten binden, zo overtuigd was ik ervan dat ik het sowieso moest herschrijven.

'Ida Sjjm... Tsjjaa...' probeert hij dapper, 'Ida, dit cijfer krijg je op basis van je eerste en je tweede hoofdstuk,' vervolgt hij dan en overhandigt me mijn scriptie.

Ik kijk naar het cijfer: een negen.

'Maar... ik was nog niet klaar...' Ik staar naar mijn onafgemaakte scriptie en ben volledig in de war.

Mijn docent kijkt me vriendelijk aan over zijn leesbrilletje heen.

'Waar had je precies klaar mee willen zijn?'

Even verlies ik me in zijn blik. Dan schiet ik in de lach.

'Een negen krijg je voor het begin,' herhaalt hij. 'De rest schenk ik je, want je bent nog jong.'

Thuis, met mijn jas nog aan, bel ik Elise op.

'Ik geloof dat ik afgestudeerd ben...'

'Waarom ben je daar zo verbaasd over?'

'Ik weet niet... Het lijkt ineens voorbij.'

'Misschien had je een paar extra vakken kunnen doen?'

'Ik denk niet dat Ron dat nog aangekund had...' Ik moet hardop lachen.

Ik leg mijn scriptie, die ik na de onverwachte goedkeuring alsnog heb moeten laten inbinden, op tafel, en doe mijn jas uit. De tafel is nieuw; ik moet er nog aan wennen dat de helft van de kamer in beslag wordt genomen door het witte gevaarte. Er is ook een nieuwe bank.

'Hoe is het eigenlijk met Ron?' vraagt Elise.

'Goed. Op zijn werk gaat het goed,' zeg ik. Ik wrijf met mijn hand over de tafel. Ron heeft hem in zijn eentje gekocht en opgehaald, een paar weken geleden. Waar was ik? VN-vergadering? De scriptie? Het valt me ineens op dat de tafel eigenlijk niet wit is, maar lichtgrijs. Mooi.

Nog tijdens het gesprek doe ik mijn jas weer aan en zodra we opgehangen hebben, ren ik naar de Turkse winkel op de hoek. Ik koop *pide*, olijven, kaas, tomaatjes. Bij de avondwinkel haal ik nepchampagne en wijn.

'Geslaagd? Als in *klaar*?' Ron klinkt verrast. Ik geef hem een por.

'Niet zo verbaasd, graag!'

'Nou ja, ik ben niet zozeer verbaasd dat je geslaagd bent, maar meer dat het *af* is, zeg maar,' lacht hij. Hij schenkt ons allebei champagne in.

Even later, als we slechts gekleed in een deken op de bank liggen, vraagt hij serieus:

'Wat ga je nu doen, schatje?'

'Ik moet nog naar de VN... En voor de rest maar werken, denk ik?'

'Is er niks dat je nog wil doen voordat je echt-echt aan het werk gaat? Iets wat je leuk vindt?'

Ik denk even na. Iets wat ik leuk vind? Volgens mij *gebruik* ik zelfs het woord 'leuk' niet eens. Lezen, gewoon omdat ik ervan geniet en niet omdat het moet. Schrijven? De gedachte alleen al doet pijn.

'Ooit ben ik in Amsterdam komen wonen omdat hier zoveel te doen is. Musea. Theater,' bedenk ik.

'Dan doe je dat toch? Stop met je werk in de kroeg en neem je tijd om een echte baan te zoeken. Ondertussen ga je gewoon tijd met leuke mensen doorbrengen,' zegt Ron, en hij drukt me dicht tegen zich aan. Hij heeft gelijk. Ik heb hem een klein beetje verwaarloosd de laatste tijd.

'Maar de bruiloft dan?'

Ron zwijgt. Qua geld zou ik sowieso niet noemenswaardig meer bijdragen in de komende maanden. Hij had waarschijnlijk meer aan mijn enthousiasme en betrokkenheid dan aan dat beetje geld dat ik binnenbracht met mijn kroegbaantje.

Gewoon even iets doen, iets leuks. Ik laat de gedachte even op me inwerken.

Niets.

'Ja... Kom ik eindelijk een keer lunchen op jouw werk! Ga ik ook langs bij Carla, weet je nog, van mijn studie, zij werkt ook in de binnenstad...' begin ik als het doordringende gerinkel van de telefoon ons gesprek verstoort. Het is de vaste telefoon; die gebruik ik uitsluitend voor gesprekken met oma, en heel soms belt er een oom of tante uit Polen. Zelfs papa belt me altijd eerst op mijn mobiel. Ik loop naar de telefoon en trek de kabel uit de muur.

'Is vast weer een verkooppraatje.'

Nuchterder, bijna beschaamd over mijn eerdere naïviteit, keer ik later dat jaar terug naar New York. Het is herfst, de Algemene Vergadering van de Verenigde Naties is al van start gegaan.

Deze keer ben ik officieel onderdeel van de regeringsdelegatie. Net als de rest van de afgevaardigden word ik ondergebracht in een hotel, midden in Manhattan. Je kan hier makkelijk met vijf mensen verblijven.

Als eerste komt Elise op bezoek. 'Hier! Hier is Ess-a-bagel!' roept ze verrukt uit als we langs een onbeduidend tentje lopen. Als er geen rij mensen buiten had gestaan, waren we er ongetwijfeld langs gelopen. Binnen oogt het alsof we in de jaren vijftig zijn terechtgekomen. Niet de nagemaakte jaren vijftig, maar de echte, met charmante tafeltjes en wankele stoeltjes die al decennia dienst hebben gedaan. Je kunt hier kiezen uit vijftien soorten bagels.

'Ze hebben hier ook honderdzestig soorten beleg,' prevelt Elise.

'Dat zijn vierentwintighonderd combinaties,' rekent Elise in een tel uit het hoofd uit, en ik moet hard lachen. Zachtjes knijp ik in haar bovenarm.

Zelf kies ik hier wat ik elders ook zou kiezen: een bruine bagel met kruidenkaas.

'Klein, normaal of groot?'

'De helft van een kleine, alstublieft.'

Elise neemt een kleine bagel met gerookte tonijn. Het beleg is ruim twee keer zo dik als de bagel zelf.

We zijn een van de weinigen die binnen gaan zitten om de bagel aan een tafeltje te eten. Het is de eerste keer dat we elkaar in levenden lijve spreken sinds ruim een jaar.

'Over een maand ben je getrouwd!' brengt ze vol ongeloof uit. Een ophanden zijnd huwelijk heeft op de gemiddelde vrouw dezelfde uitwerking als een vriendin die aan het lijnen is: het geeft je onmiddellijk het gevoel dat je het zelf ook moet doen, of op zijn minst moet toelichten waarom je het níét doet. Gelukkig is Elise geen gemiddelde vrouw en slaat ze de obsessieve zelfreflectie over.

'Heb je zin in de bruiloft?' vraagt ze alleen. De afgelopen maanden heb ik niks anders gedaan dan enthousiast knikken en het verlovingsverhaal verteld aan iedereen die ernaar vroeg. Nu, onder de onderzoekende blik van Elise, kijk ik meteen weg.

'Ida, wat is er?'

Ik zucht. Ten eerste is er dit hele Verenigde Naties-gedoe, dat me een stuk zwaarder is gevallen dan ik dacht. Sinds de ontgoocheling een paar maanden eerder was ik in een soort impasse terechtgekomen. Niets kwam me nog voor als zinvol. En sinds kort was er ook gedoe met Ron.

'Net voordat ik naar New York vertrok, waren we bij zijn studievereniging...' begin ik. Ik heb het gevoel dat ik ga kwaadspreken.

'Ja?' moedigt Elise me aan.

'Zij hadden met de vereniging al heel lang een Foster Parents-kindje, maar gingen nu een nieuw goed doel uitkiezen. Ik moest in een korte presentatie vertellen waarom dat nieuwe doel een internetcafé in Afrika zou moeten zijn. Je kent zijn vrienden toch? Allemaal artsen in opleiding, beginnende advocaten... Mooie mensen, geslaagde mensen...' ik stop even.

'Ze hadden de foto van het Foster Parents-meisje op tafel liggen... Zo'n standaardmeisje dat verlegen lacht, achter haar een gebouwtje van wit baksteen... Terwijl ik mijn verhaal hield over dat internetcafé, gaven ze de foto van dat meisje aan elkaar door. "Dag Rosita!" zei een van de jongens jolig en zwaaide de foto gedag. Dat soort dingen... Het liefst was ik weggelopen, maar Ron was zo blij dat wij dat internetcafé misschien verder konden helpen. Dus maakte ik mijn verhaal netjes af.'

'En toen?'

'Toen stonden we daar in de keuken en zei ik tegen Ron hoe verschrikkelijk ik dat vond, al die mensen daar en die foto van Rosita die als bierviltje werd gebruikt.'

'Wat zei Ron dan?'

'Niets. Hij werd boos. Hij zei dat "al die mensen" zijn vrienden waren.' Ik stop, want het kost me moeite om verder te gaan. 'Dat zijn vrienden geen slechte mensen waren.'

'Dat zijn ze ook niet,' zegt Elise.

'Nee, dat zijn ze niet. Dat is juist het ergste...' zeg ik, en mijn maag doet pijn. Want helemaal goedgemaakt had ik het nog niet met Ron. Mijn ogen vullen zich met tranen.

'Kom Ida, laat me je hotel zien. Eten we de rest daar wel op.'

Elise kijkt nieuwsgierig rond op mijn kamer, opent dan de koelkast om de restjes bagel erin te leggen. De koelkast zit vol met bakjes waar restjes sushi in zitten. Ze bekijkt ze even en gooit ze dan weg.

Uiteindelijk gaat ze op de wc zitten met de deur open en plast.

'Volgens mij heb je last van een ordinair gevalletje weltschmerz. Verdriet om de onvolmaakte wereld, we kennen het allemaal...' doceert ze vanaf de pot. 'Het is geen bijzondere reden tot pessimisme of vervreemding. En zeker niet tot vluchtgedrag.'

Op de rand van mijn enorme bed laat ik me achterovervallen. 'Soms lijkt het alsof ik in de oceaan drijf... Het is niet eens de vraag of ik wel of niet de kracht heb om te peddelen. Het probleem is dat ik geen idee heb waar ik heen moet...' zeg ik, en ik sluit mijn ogen. Het is een soort radeloosheid die mensen tot waanzin drijft. Was dit wat mama had? Wist zij ook niet *waarheen*?

Elise zucht. 'Weet je wat jouw probleem is, Ida?' zet ze ongekend fel in. 'Jij zit ook op dat eiland van jou.' Beschuldigend houdt ze haar rol wc-papier omhoog; het loshangende velletje is in een sierlijk hoekje gevouwen. 'Het eiland met mensen die alles hebben. Jij zit erop. Op Manhattan, Ida, Manhattan!'

'Vroeger, in Maastricht, was het misschien nog niet zo,' gaat ze verder. 'Maar tegenwoordig zit je misschien zelfs al op een eiland binnen het eiland. Dus hou op te doen alsof je minder bent dan de rest.'

Verschrikt kijk ik haar aan.

'En hou ook op te doen alsof je méér bent dan de rest. Aanvaard het, Ida. Aanvaard het, of...' ze ademt nogmaals diep in, maar bedenkt zich dan en zwijgt.

'... ga ten onder,' maak ik haar zin af.

Ik ben misschien zelfs een beetje opgelucht als ik Elise wegbreng naar het vliegveld JFK. Ze vliegt door naar Zuid-Amerika. Altijd op reis, altijd in beweging. Voordat ze naar haar gate loopt, gooit ze een papieren tasje naar me toe.

'Dit is nog voor je afstuderen. Pagina één.' Ze geeft me een knipoog, draait zich om en loopt weg.

Het is het schrift dat we tijdens de middelbare school deelden. De eens felle kleuren van het glas melk en de aardbeien op de Liga-wikkel zijn vervaagd en de pagina's plakken. Toch is het niet te missen wat Elise in het boekje heeft toegevoegd. Bij de twee poppetjes die ik ooit onder de wikkel had getekend, twee poppen die ten strijde trekken, één op en één naast het paard, heeft Elise de harten die ze ooit weggumde opnieuw getekend en ingekleurd. Met nagellak:

Waarheid = Liefde
Je hebt de Theorie van Alles al lang geleden gekraakt, schat.

Even komt er een glimlach op mijn lippen, maar al snel ebt die weer weg. Alsof de zoektocht naar liefde makkelijker zou zijn dan de zoektocht naar de waarheid.

Slechts een paar uur later komt Ron aan.

'Ik ben blij dat je er bent,' zeg ik, en ik ben minstens net zo blij als ik merk dat ik de waarheid spreek. We wandelen door de stad. Elke keer dat we een spoortje Nederlandse geschiedenis tegenkomen, klaart Ron op.

'Kijk, de Staten Island Ferry, die is oranje... En hier, zie je: Brooklyn, Harlem... Kijk, kijk, overal Nederlandse namen: Vanderbilt, Roosevelt... Yankees! Dat is Jan-Kees, snap je?' somt hij opgetogen op.

'Misschien hadden jullie Manhattan beter niet kunnen verkopen,' zeg ik een beetje gemeen. Ron kijkt verbaasd naar me op, kan de irritatie niet plaatsen.

'Nee, serieus.' Ik probeer weer op dezelfde golflengte te komen. 'Zelf speur ik ook nog altijd naar sporen van Poolse invloed op de wereld, dat is leuk...' Alleen kijkt Ron nu nog verbaasder.

'Neem bijvoorbeeld de slag om Arnhem,' doe ik nog een poging. 'In Arnhem kom je veel Poolse namen tegen...'

'De slag om Arnhem werd toch verloren?' vraagt Ron.

'Nou ja, een paar bruggen werden evengoed wel veroverd...' zeg ik zwakjes. Er zijn in ieder geval genoeg Poolse soldaten bij omgekomen. Het zal vast wel iets gescheeld hebben...

'Het kraken van de Enigma!' roep ik dan, en weer kijkt

Ron me verbaasd aan. Polen waren de eersten die de codeermachine kraakten waarmee de Duitsers hun berichten tijdens de Tweede Wereldoorlog versleutelden. Blijkbaar werd daar niet zoveel ruchtbaarheid aan gegeven: de hele wereld gunt de eer uitsluitend aan de geniale Brit Alan Turing.

'De slag bij Warschau, natuurlijk! 1920!' roep ik dan triomfantelijk. Weer kijkt Ron me blanco aan. Ik stop en begin plechtig te doceren. 'In 1920 rukte Stalin op, alle plannen waren klaar om heel West- en Zuid-Europa communistisch te maken, maar bij Warschau werden ze verslagen en moesten ze op hun schreden terugkeren. Een van de meest beslissende slagen die in de twintigste eeuw zijn uitgevochten,' roep ik. 'Anders was jij nu een communist geweest! Niks Wall Street! Bakstenen bakken!' Ik priem mijn vinger in Rons borst en nu lachen we allebei, want we geloven er natuurlijk niks van. Heel even voel ik een schaduw over me heen glijden als ik aan die andere opstand bij Warschau denk, de slag waar de Russen hun nederlaag wreekten, in 1944, maar dan zeg ik: 'Evengoed wel leuk hoor, dat die ferry oranje is...' Nu ren ik weg; Ron komt quasi boos achter me aan.

De VN-toespraak die ik hier zal uitspreken, mag ik grotendeels zelf schrijven. Traditioneel is de strekking van deze speech dat jongeren meer inspraak moeten krijgen in het reilen en zeilen in hun land. Behulpzaam censureert Gregory de verschillende versies van mijn speech.

Ik spreek mijn speech uit, ten overstaan van de afgevaardigden van de hele wereld. Nou ja, de halve wereld, want veel van de stoelen zijn leeg. De mensen die er wél zijn, zijn bezig met het doornemen van documenten of wachten op de spreker die ze van repliek willen dienen. Sommigen lezen de krant. Zelf vermaak ik me tijdens het wachten door via de koptelefoon naar de tolken te luisteren die elke toespraak in verschillende talen vertalen.

Ron zit in de zaal, samen met Gregory, andere jongerenvertegenwoordigers en de rest van de Nederlandse delegatie. Er worden foto's gemaakt, iedereen schudt me na afloop de hand. De toespraak kan nu voorgoed in de archieven verdwijnen.

'Gaan we het vieren?' vraagt Ron. 'Er is vandaag bij ons een receptie op het dakterras.' Het groepje raakt geïnteresseerd. Recepties op dakterrassen zijn een favoriete tijdpassering onder diplomaten. Ook al omdat je er mag roken.

'Er is ook een receptie bij de Russische ambassade. Er schijnt een ijsfontein met wodka te zijn...' zegt de Finse afgevaardigde enthousiast.

'We kunnen ook uit eten gaan, bij Prokuror,' oppert Gregory. Nee, daar zijn we deze week al geweest.

Het wordt het dakterras. Met een cocktail in de hand overzie ik de stad. *Het is voor dit land dat mensen geboren zijn. En het zuigt alles in, vermorzelt het met krachtige kaken, kauwt op mensen en voorwerpen, en geeft miljoenen terug aan een handvol mensen en honger en ellende aan het gros*, gaat er door mijn hoofd. Misschien is dat het: ik heb te veel Reymont gelezen vroeger.

'Ah Ida, je moet nu blij zijn!' zegt Ron als hij mijn melancholie opmerkt. 'Je hebt het allemaal!' Hij wijst richting de stad. Even kijkt hij me vrolijk aan, maar bij gebrek aan respons draait hij zich om en loopt hij weg.

Ik blijf nog even om naar de stad te kijken. Het ís ook prachtig, het is machtig, het is duizelingwekkend...

Maar of de wereld aan mijn voeten ligt of dat ik verder van de wereld verwijderd ben dan ooit, kan ik niet vertellen.

Ron keert terug en ik blijf nog een paar weken. De VN-resolutie die betrekking heeft op jongeren is al tien jaar van kracht en dient geëvalueerd te worden. De meeste landen hebben geen betrouwbaar bureau voor statistiek en er zijn geen bruikbare cijfers voorhanden over jongeren die wel of niet op school zitten, werk hebben of gebruik kunnen maken van gezondheidszorg.

'Vraag het aan de jongeren zelf,' zeg ik op een middag, als we voor de zoveelste keer het gebrek aan bruikbare gegevens hebben vastgesteld. De VN-medewerker kijkt me bevreemd aan en wil iets zeggen. Haastig vervolg ik: 'De jongeren uit die landen kunnen ons toch vertellen hoe ze ervoor staan? Of de afspraken rondom onderwijs en gezondheidszorg door hun regeringen zijn nagekomen? Het enige wat wij ze moeten aanleveren is een format, zodat jullie het makkelijk kunnen verwerken...'

De laatste weken werk ik hard. Steeds later blijf ik op het werk hangen, op zoek naar bruikbare documenten, resoluties en vergelijkbare evaluaties. Ik lees alles wat ik kan vinden.

Een dag voor mijn vertrek krijg ik te horen dat de jongeren inderdaad actief benaderd en geholpen gaan worden bij het evalueren van de mate waarin hun regering de gemaakte afspraken is nagekomen. Met een iets lichtere tred loop ik richting mijn hotel. Ik passeer de Ess-a-bagel, waar de mensen die me vanochtend de bagel verkocht hebben nog steeds aan het werk zijn, achttien uur later. Ik weet inmiddels ook dat mijn hotel twee ingangen heeft: een voor mij en een voor het personeel. Al deze grote gebouwen hebben twee ingangen. Veel van de kamermeisjes hebben slechte tanden; ze hebben niet genoeg geld voor een tandartsverzekering. Ik heb het gezien, en ik heb het gehoord: een paar van de kamermeisjes zijn Pools. Ook in deze chocoladefabriek wordt honger geleden, bedenk ik als ik met de taxi Manhattan verlaat.

Maar ik besluit om me er even geen zorgen om te maken. Een gemis steekt de kop op: ik mis Ron. Ik neem mezelf voor om het goed te maken, dat onbestemde gevoel weg te vegen. Een picknick, ja een picknick in het Amsterdamse Bos, het zijn de laatste dagen van de herfst, het zal misschien nog lukken.

Het is tijd om naar huis te gaan.

'Kom Ida, ik heb een verrassing!' roept Ron bij mijn aankomst op Schiphol, en ditmaal rijden we niet richting Amsterdam-Oost maar naar het centrum. We parkeren bij de Dam. Hier slaan we een zijstraat in, stoppen voor een groot gebouw en nemen we de lift naar de bovenste verdieping. Trots haalt Ron een sleutel uit zijn zak, draait die in het slot dat zich in de lift bevindt en de deuren gaan open. Voor ons ligt een enorme loft. Misschien mogen we er een tijdje op passen, denk ik: de spullen van de vorige bewoner staan opgestapeld in de hoek onder een groot stuk zeil.

'Kijk eens, wat een ruimte!' We lopen door het appartement heen. Het geheel is drie keer zo groot als ons huidige huis. Ik werp een blik op het dakterras: een perfect onderhouden stukje paradijs, waar elk zicht op mogelijke buren zorgvuldig weggewerkt is. 'Vind je het mooi?' vraagt Ron. 'We mogen er meteen in!'

'Ja...' begin ik, overdonderd. 'Tuurlijk!' maak ik dan mijn zin enthousiast af, en ik zet mijn handtas neer. Hoe kan je dit huis nou niet mooi vinden...

'Kijk, als je hier om het hoekje kijkt, kan je het Beursplein nog net zien liggen!' roept Ron enthousiast.

'Maar hoe lang kunnen we dan hier blijven?' Eigenlijk ben ik ook best tevreden met ons huidige huis en wil ik het niet voor een paar maanden opgeven, hoe mooi dit appartement ook is.

'Ik zei toch, het is een buitenkansje! Een collega moest

er snel van af...' Hij probeert zijn enthousiasme vol te houden, maar ik merk dat hij zenuwachtig wordt.

Ik kijk hem onderzoekend aan. 'Je hebt gewoon een huis gekocht,' zeg ik, rustig eerst. Ron zegt niks.

'Je hebt verdomme een huis gekocht!' zeg ik nogmaals. Woedend ben ik. Opeens zie ik dat de berg spullen in de hoek bestaat uit onuitgepakte dozen. Onze verhuisdozen.

'Ida, wat... Ik dacht, voor ons samen. Misschien dat je dan weer vrolijker zou worden...'

'Rot op met je huis!' schreeuw ik opeens, zelf verbaasd over mijn heftigheid.

Hij staat voor me, zijn gezicht verraadt verwarring.

'We hadden al een huis...' zeg ik alleen maar.

Verslagen ga ik op de grond zitten.

Ron heeft al die tijd mijn reistas vastgehouden. Nu zet hij hem op de grond.

'Ida, ik weet dat jij weg wil,' zegt hij als hij met zijn voet mijn tas naar me toe schuift. 'Dat weet ik al heel lang. Sinds de eerste keer dat je bleef, wilde je al weg, toch?' Ik wend mijn gezicht af. Het is verschrikkelijk dat hij dat al die tijd geweten heeft.

'Waarheen? Dat weet je niet...' Hij zwijgt even. 'Je weet dat je van mij overal heen mag,' vervolgt hij. 'Wat jij moet uitzoeken, is of je verlangt naar een ontdekking, een doel misschien...' Hij pauzeert weer, het valt hem lastig uit te spreken wat hij zeggen wil; dan maakt hij zijn zin af: '... of dat je alleen zo ver mogelijk bij mij vandaan wil zijn.'

Bingo.

Qua vraag dan, want een antwoord heb ik niet.

'Ik wil niet bij jou weg,' zeg ik zachtjes. Maar ik wil wél weg, en ik weet niet waarom.

'Zoek het uit, Ida. Maar wacht er niet te lang mee. Over een paar weken is de bruiloft,' eindigt hij.

In mij groeit de angst. En samen met angst ook de koelte en de duisternis. Steeds groter, steeds heftiger wordt de beklemming rond mijn hart. Even blijf ik daar zo zitten, maar uiteindelijk moet ik naar de wc, want er zijn zaken die gewoon doorgaan. Als ik op de wc zit staar ik een moment naar mijn blote knieën. Gehavend zijn ze. Waar mijn rechterknie alleen nog door een vrijwel onzichtbare bleke streep wordt ontsierd, zal mijn rechterknie voor altijd één groot litteken blijven. Ik adem diep in, ga achteroverzitten. Waar zit de liefde? Waar zit de angst?

Ik kom van de wc en ik loop naar de stapel dozen. Het moet hier ergens in zitten... Dan valt mijn oog op een doos die naast de stapel staat. Deze doos is kleiner dan de rest. *Ewa*, staat er met nette letters op geschreven. Uit deze doos haal ik de urn van mama. Dit is het moment waarop ik alsnog mag beslissen welk mens ik worden zal.

Langzaam loop ik naar Ron toe en ik begraaf mijn gezicht in zijn T-shirt. Heel even ebt het verlangen om mijn plan uit te voeren weg.

'Ida...' zegt Ron zacht, 'je moet mensen ook de kans geven om jou iets te geven...' probeert hij.

Ik ben het die de omhelzing verbreekt.

Zonder om te kijken pak ik mijn tassen en de urn op. Ik loop naar buiten richting onze auto. Binnen verstel ik de spiegels en zet ik de stoel goed: een stukje naar voren en de leuning recht. Het wordt een lange rit.

Het geluid van de motor, de monotonie van de weg: het brengt me een bepaalde rust, en ik blijf rijden, met muziek als metgezel. Elk liedje gaat over liefde, elk liedje gaat over Ron, elk liedje gaat over ons. Er is niks anders dan de weg en de muziek, totdat ik echt moet stoppen, om te drinken, om te plassen, en zelfs dan kan ik niet wachten tot ik de auto weer start en verder kan. Veel te snel bereik ik de grens, weinig meer dan een markering langs de weg; een tel later ben ik al in de stad.

Oma staat tegenover me aan de keukentafel. Ze snijdt het brood en schuift onwennig de kaas mijn richting op. Schenkt heet water over de koffie en roert in mijn glas. Dan pas gaat ze zelf naast de tafel zitten, haar handen gevouwen in haar schoot.

'Heb je het meegenomen?' vraagt ze, zodra ik mijn laatste hap doorgeslikt heb. 'As' of 'urn' zijn woorden die ze nooit zou kunnen uitspreken. Ik knik.

Oma blijft nog even zwijgen, kijkt naar mijn gezicht, snapt niet dat ik haar opgetogenheid over de thuiskomst van haar dochter, mijn moeder, niet kan delen.

'Oma... mijn ouders. U zei altijd dat ze zo'n gelukkig stel waren.'

Verrast kijkt oma naar me op.

'Ja, het perfecte stel...' zegt ze. Ze kijkt weg.

'Wat is er gebeurd? Waarom gingen ze uit elkaar?'

'Ida... Ik mag niet...' begint ze, en ze schrikt van haar eigen woorden.

'Ik weet van niets,' voegt ze bijna smekend toe. Ze trilt, haar handen wringen de schort in haar handen.

Het is geen volledig verhaal dat ze me geeft in ruil voor de urn. Maar toch, wel een bevestiging dat er iets verborgen ligt!

'De steen voor opa's graf is al een tijd klaar. Maar ik heb speciaal gewacht met het afdekken, zodat we Ewa nog kunnen bijzetten...' zegt ze voordat ik de volgende vraag kan stellen. De keuken begint te draaien. Mama in één graf met haar vader? Mijn ratio heeft Polen als mama's laatste rustplaats kunnen goedpraten, en ook het feit dat ze alsnog begraven wordt. Nu komt mijn maag in opstand; dit voelt gewoon verkeerd.

'Ik... ik ga haar even pakken...' stamel ik en loop naar beneden, naar de auto. Even voel ik de behoefte om in te stappen en heel hard weg te rijden. Maar dan zou ik moeten blijven rijden.

Ik doe de kofferbak open, pak de urn. Zonder na te denken maak ik de urn open en pak de asbus eruit. De urn zelf zet ik in de kofferbak, de asbus doe ik in mijn rugzak. Met grote, steeds snellere passen loop ik richting de Fara. De kerk is net gerestaureerd; de frisse, heldere tonen stralen me tegemoet. Binnen is de kerk gevuld met een gouden gloed; het is de zon, ongekend fel voor november, die door de gekleurde ramen afkaatst op de fresco's, de versierde nissen, het bladgoud. Hij beschijnt de binnenkant van de kerk en toont hem in herwonnen glorie.

Binnen staat een groepje bezoekers. Ze lijken klaar te zijn met hun bezichtiging en maken aanstalten om weer naar buiten te gaan. Ik loop naar de kiosk bij de ingang. Quasi geïnteresseerd bekijk ik de ansichtkaarten en koop er een. Eindelijk verlaten de bezoekers de kerk.

Koortsachtig loop ik langs de zijkant van de magistrale hal. Er is hier een deur, dat weet ik zeker. Als ik hem vind, blijkt deze echter dicht. Zo nonchalant mogelijk steek ik de kerk over en zoek op precies dezelfde plek aan de andere kant. Ik vind de deur naast het beeld van de Heilige Maagd Maria. Met gemak duw ik hem open. Nu sta ik in een hal en kan ik veel kanten op. Maar als de tekeningen kloppen, die ik jarenlang op zondag heb bestudeerd, moet de trap recht voor me liggen. Moeiteloos beklim ik hem en kom terecht in de linkertoren. Onderweg kom ik niemand tegen; dit gedeelte is afgesloten voor publiek. Ook de straat voor de basiliek is stil. Het is een doordeweekse dag, er zijn geen toeristen vandaag.

De koker die ik uit mijn rugzak haal, is vergrendeld. Ik draai aan het deksel, trek eraan, maar het deksel geeft zich niet gewonnen. Verslagen kijk ik naar de koker in mijn handen. Ik sla de koker tegen een ijzeren stang in de toren. Het mag niet baten.

Als ik uitgehuild ben, pak ik de koker nogmaals in mijn hand. Ik houd hem nu boven mijn hoofd, bekijk de bodem en druk die in. Deze keer haal ik de twee gedeelten moeiteloos uit elkaar.

Ik schud de inhoud op mijn hand. De as is heel fijn, heel licht. Ik leun nogmaals over de reling van de toren. Het lijkt windstil. Dan gooi ik de as hoog in de lucht. Ik zie hoe de deeltjes in het zonlicht dwarrelen, een seconde lang dansen voor ze verdwijnen. Ook het laatste beetje as gooi ik in de lucht.

Als ik naar de laatste stofdeeltjes kijk, een glinstering in de felle zon, steekt een windvlaag op. De deeltjes worden mijn kant op geblazen, maken dan een lichte draaiing, enkele dwarrelen neer in mijn haar. Als een stoot elektriciteit komt het besef: er is niemand die me beter begrijpt dan Ron; hij is nog steeds bij mij.

Ik speur de hemel af op zoek naar de laatste deeltjes, maar de wind heeft ze al meegenomen. Met de lege asbus loop ik de trap af, rustig en kalm. Ik wil het gebouw verlaten, bedenk me dan en keer terug. Ik dompel mijn vingertoppen in het wijwater dat bij de ingang staat, strijk dan lichtjes over mijn hoofd. Dan pas begeef ik me richting oma's huis. Ik pak de urn uit de kofferbak, zet hem weer in elkaar en ga haar huis binnen.

Twee dagen ben ik weg geweest voordat ik naar Ron bel.

'Waar ben je?' vraagt hij ongerust. Ik merk aan hem dat ook hij nauwelijks geslapen heeft de afgelopen dagen.

'Bijna in Amsterdam,' zeg ik. 'Ons oude huis, oké?' vraag ik zacht.

Ron doet de deur open. Zijn gezicht ziet grauw, alsof hij al die tijd heeft zitten wachten.

Hij wil boos zijn, maar kan het niet. Hij sluit me in zijn armen, houdt me dicht tegen zich aan. Ik vraag me af of hij me ooit nog los zal laten.

'Ik dacht dat ik je voor altijd kwijt was...' Dan vermant

hij zich. 'Doe dit niet nog een keer,' zegt hij, en ik knik. Het is een ogenblik dat ik voor altijd met me mee zal dragen.

Dat komt omdat het zo zelden is dat ik een belofte verbreek.

Een dag later al begeven we ons naar het stadhuis. We moeten in ondertrouw, de bruiloft is over een paar weken. Gehaast verzamel ik de documenten; in de hal van het gemeentehuis loop ik nog een keer na of ik alles bij me heb. Ik haal mijn paspoort uit mijn tas en een ansichtkaart valt uit mijn tas: de kaart van de Fara, die ik nog geen achtenveertig uur eerder heb gekocht. De Fara, zo vaak vernietigd, verbrand, vergruisd, is op de foto in zijn geheel afgebeeld. Daar staat hij, groter en mooier dan ooit.

'Wat wordt uw achternaam?' vraagt de ambtenaar beleefd als we de formaliteiten doorlopen. Hij zal deze vraag wel meerdere malen per week stellen en heeft het puntje van zijn pen al tegen zijn papier gezet, maar ik val stil. Zelden krijgt een mens de kans om zo specifiek te mogen beslissen wie hij wil zijn.

'Strzelecka,' zeg ik, en zachtjes knijp ik in Rons hand. 'Mijn naam blijft Ida Strzelecka.'

VIII

In een novembernacht

1

De maanden na de bruiloft staan in het teken van fysiek handelen: we verbouwen ons huis volledig. Niet de loft, nee. We besluiten ons oude huis in Amsterdam-Oost te kopen en volledig op te knappen. Maandenlang zijn we aan het klussen. We halen binnenmuren weg, leggen cv aan, vervangen de elektra, schuren al het houtwerk. De dagen zijn gevuld met het normale werk, en daarna met de verbouwing. Ik ben blij dat we zo zwoegen; dit huis moet veroverd worden.

De huid op mijn knokkels is geschaafd, al mijn spieren doen pijn, het stof lijkt niet meer uit mijn haar te willen. Van Ron mag het wel iets rustiger. Hij begrijpt niks van mijn haast, van mijn mateloze dadendrang.

Op dit moment pauzeren we. Ron heeft me geboden even te gaan zitten. Een paar weken ervoor was ik nog een nacht in een ziekenhuis opgenomen, vanwege een zware buikgriep. Het heeft een hele tijd geduurd voordat ik weer normaal kon eten. Het lijkt of ik het in wil halen, want zittend op de grond ben ik het derde broodje van de ochtend naar binnen aan het werken.

'Ron, wilde jij eigenlijk niet in Amerika blijven? Om te werken?' vraag ik als ik kijk naar de stars-and-stripes op de wikkel van de chocoladereep die ik zo meteen ga eten.

'Nee... De beurshandel daar is net het Wilde Westen. Het heeft niks meer te maken met een eerlijke markt. Het Wilde Westen met allemaal cowboys! Ze zetten alles op rood en dan winnen ze dik. Of alles op zwart en dan... dan gaan ze weer hetzelfde doen bij de concurrent.'

'Ah,' zeg ik, en ik sta op om weer aan de slag te gaan. Waar komt toch die drang vandaan om ons huis het liefst vandaag nog af te krijgen?

'Ah...' zucht ik nog een keer, want de kamer begint opeens te draaien. Het wordt zwart voor mijn ogen en ik val op de grond.

Als ik mijn ogen weer opendoe kijk ik recht in Rons verschrikte gezicht.

'Ida, wat is er? Ben je zwanger of zo?' Zijn vraag verbaast me, maar als ik even mijn ogen dichtdoe en luister naar wat er binnen in mij is, zeg ik: 'Ja,' herhaal ik dan. 'We krijgen een kind.'

'Nee, we weten nog niet wat het wordt,' zeg ik tegen oma. 'Een jongetje... Ik denk een jongetje.' Ja, het zal vast een jongen worden. Hoe hard ik ook mijn best doe, ik kan geen beelden oproepen van mezelf met een dochter. Hierover zwijgt de innerlijke stem.

Oma lijkt het weinig uit te maken. 'Een kind! Jullie krijgen een kind...' mompelt ze alleen maar.

'Goede man, goede man...' mompelt ze dan, en ik denk dat het over Ron moet gaan. Eigenlijk, ergens, hoop ik nog steeds op een gesprek waarin ze...

'Eet je wel goed?' onderbreekt ze mijn gepeins. Even krijg ik een opwelling om te schreeuwen, maar die ebt net zo snel weer weg. Ze wil alleen geluk voor mij. En daarbij horen een man, een kind en een biefstuk. Tegelijkertijd lijkt haar stem te verraden dat ze zelf nog magerder is geworden. Even is het alsof ze naast me staat, zij die niet eens tot mijn schouder reikt, en het voelt alsof ik haar hoofd met het grijze, verzorgde haar kan aaien. Zij is de overlever hier, en ze heeft vast een punt.

'Ja, oma. Ik eet heel goed,' zeg ik, zelf verrast over de zachtheid van mijn stem.

Iets meer dan een halfjaar later overlijdt Paus Johannes Paulus II. Zesentwintig jaren zijn er verstreken tussen de intronisatie van de Paus en zijn dood. Dat is ook mijn leeftijd. Ik voel geen verbazing als tante Monika me belt om te zeggen dat oma op dezelfde dag als de Paus is heengegaan.

Poznań, heel Polen, is gedompeld in diepe rouw. Eigenlijk is de hele wereld eensgezind in deze rouw, laat de wereld één week de controverses achter zich.

Ik sluit vrede met oma's dood. Het is haar leven dat ik graag anders had gezien.

Mijn lieve oma, de vrouw die zichzelf heeft overleefd.

2

JOOD, IK MIS JE! staat er met enorme zwarte letters op een muur geschreven. Samen met Ron en papa, Edyta en Jarek loop ik in de richting van Stary Browar, een enorm handels- en kunstcentrum midden in Poznań. Stary Browar betekent 'De Oude Bierbrouwerij'. Ron en ik zijn in Polen, om oma de laatste eer te bewijzen. De begrafenis hebben we gemist; ik had hoge koorts en mocht vanwege mijn zwangerschap niet reizen van mijn huisarts. Later op de dag zullen we ons naar de begraafplaats begeven.

'Zou dit een uiting zijn van een schuldgevoel? Vanwege de rol die sommige Polen hebben gespeeld tijdens de Holocaust?' vraag ik aan het gezelschap. Het Poolse antisemitisme: ik word er in Nederland nog vaak op aangesproken.

Jarek blijft abrupt staan. 'Weet jij wat je dan de volgende keer moet zeggen, Ida, als iemand in Nederland daarover begint? Dat ze zich moeten voorstellen dat morgen Groot-Brittannië Nederland binnenvalt. Dat de Britten dat doen met als eerste doel de totale vernietiging

van de moslims. En dat hun tweede doel de totale vernietiging van de Nederlanders is. Hoeveel Nederlanders zullen voor de moslims opkomen, denk je? En hoeveel Nederlanders gaan de Britten juist helpen met het vinden van de ondergedoken moslims om zo hun eigen hachje te redden? Hoeveel Nederlanders zouden stiekem blij zijn dat Nederland eindelijk van "de moslim" ontdaan wordt?'
Jarek trekt nerveus aan zijn mouw, net als ik hem dat jaren geleden ook heb zien doen. De mouw van zijn jas deze keer.

'Jarek, het lijkt alsof jij iets zit goed te praten.' Het is eruit voor ik er erg in heb. Jarek laat zijn mouw los, wordt bleek en zwijgt.

'Dé moslim?' vraagt papa verbaasd. 'Wordt er in Nederland actief een beeld van "de" moslim gevormd dan?'

'Dat zou je kunnen zeggen, ja,' zeg ik. 'Er zijn steeds meer mensen die de worteltjestactiek gebruiken om een kwaadaardig beeld van "de" moslim te schetsen.' Ik kijk samenzweerderig naar papa, want dat van de worteltjestactiek heb ik natuurlijk van hem.

'De wat?' Nu is Jarek in de war.

'De worteltjestactiek. Dat is de tactiek waarbij je een paar algemeen bekende feiten of gebeurtenissen neemt en die koppelt aan een standpunt dat je wil verkopen, een standpunt dat niet waar is maar dat je op dat moment toevallig goed uitkomt. De Britten deden dat tijdens de Tweede Wereldoorlog. Zij hadden als eersten de radar in gebruik, maar wilden niet dat de Duitsers dat wisten. Dus telkens als er een succesvolle nachtelijke aanval door de geallieerden werd uitgevoerd, schreven ze dat de Britse piloten, dankzij een streng dieet dat rijk was aan worteltjes, over uitmuntende ogen beschikten. In worteltjes zit een heleboel vitamine A en dat is goed voor je ogen. Dat is waar en dat was algemeen bekend. Het verhaal over dat strenge worteltjesdieet werd dus geloofd. Dat het onzin was, bedacht om een ander motief te verhullen, deed er niet meer toe.'

Een tevreden lachje verschijnt onder papa's snor.

'Zo makkelijk is het niet, Ida. Je vergelijking gaat mank. Er zijn wel degelijk feiten die reden geven tot een kritische houding jegens de islam,' werpt Jarek tegen. Edyta knikt instemmend. Nog maar een paar maanden geleden was Theo van Gogh vermoord. Afgeslacht door iemand die beweerde de islam te willen verdedigen.

'In ieder geval,' zeg ik, zijn opmerking negerend, 'er worden nu dus verschillende feiten door elkaar gegooid, met als doel het duivelse van de moslims aan te tonen.'

Ik kijk nog eens naar het opschrift op de muur. Het is er. Fanatisme vermomd als vrijheid.

Dan lopen we de enorme hal van Stary Browar binnen en ik schud het gesprek van me af. Ik pak de hand van Ron stevig vast, wrijf over mijn hoogzwangere buik. Ik brand van verlangen om mijn kind te zien, maar ik moet nog bijna een maand geduld hebben... Ondanks het bitterzoete afscheid van oma heb ik het gevoel dat mijn leven steeds meer een juiste vorm weet aan te nemen, harmonieuzer wellicht... Alsof mijn zware buik me ankert in de aarde, me belet om weg te lopen.

Ik doe mijn mantel open als we het gebouw betreden. Het is een nieuwe jas, een lichte jas, de mooiste jas die ik ooit heb gehad. Een onbezonnen aankoop, want dicht kon hij allang niet meer.

Stary Browar is een magnifiek gebouw, een winkelcentrum en een centrum voor kunst tegelijkertijd. Opgetrokken van rood baksteen, in vorm gelijkend op een bierbrouwerij, bewaakt het statig de toegang naar een van de grotere winkelstraten in het centrum. Binnen is een enorme hal met grote en kleinere, meer verborgen, kunstwerken. Dit gedeelte, het atrium, is door middel van een binnen- en een buitenplaats verbonden met de gebouwen erachter. Er is een theater en een bioscoop en er zijn enkele hallen waar tentoonstellingen worden gehouden. Ook zijn er bruggen en galerijen. Het geheel geeft je het gevoel dat je een nieuwe, magische wereld in stapt.

De winkels die hier gehuisvest zijn, zijn duur. De kunst, de sfeer, is gratis. Alle ondernemers geven hierdoor iets aan elke voorbijganger, niet alleen aan de klant.

Midden in de hal gaan we zitten en bestellen drankjes.

Als ik mijn latte drink en om me heen kijk, meen ik hier ergens een deel van het antwoord te zien op de vraag hoe je een begerenswaardige toekomst kan bouwen op een op het eerste oog onbruikbaar verleden.

Het oude en het nieuwe. Want het oude moet behouden blijven, het fundament vormen voor het nieuwe. Een verborgen gisteren leidt tot een gistend heden, waar geen morgen op kan staan.

'Stary Browar is dit jaar uitgeroepen tot het beste winkelcentrum ter wereld,' zegt papa als hij mijn blik volgt. Ik lach. Het schuimlaagje van zijn latte heeft een beetje melk in zijn snor achtergelaten.

Tante Monika is er ook, met oom Grzesiek. Zij zullen ons vanmiddag vergezellen, en ook later, als we naar de begraafplaats gaan. Grzesiek heeft een splinternieuwe auto, een Ford Focus hatchback. Een diesel. Hij is er apetrots op.

Opeens besef ik dat het voor het eerst is dat we elkaar zien op een andere plek dan bij iemand thuis. Dat is... ja, dat is bijna Nederlands. Edyta en Jarek hebben ruim tweeëntwintig jaar in Nederland gewoond; daarvan hebben ze er tien jaar als arts gewerkt. Ze vertellen dat ze deze herfst niettemin terugverhuizen naar Polen. Op mijn vraag naar het waarom, zeggen ze alleen maar: 'Teodor is groot geworden.'

Monika vraagt hoe het met mijn zwangerschap is. Ik

meld dat ik ziek ben geweest maar dat alles goed gaat en dat ik nergens last van heb.

'Ah, het zijn toch andere tijden... Anton, weet je nog de dag dat Ida geboren werd?' vraagt Monika aan papa. Die knikt instemmend. Hoe kan hij dat ooit vergeten?

'Ze woonden toen in dat krot. Vier hoog, geen verwarming, nergens een telefoon... Het was 1979, de koudste winter van de eeuw,' vertelt Monika enthousiast. 'Dus toen Ewa krampen kreeg en Anton niet thuis was, moest ze zelf al die trappen af, op zoek naar een taxi. Maar er waren natuurlijk geen taxi's op straat, overal lag een dik pak sneeuw... Toen is Ewa naar de eerste de beste auto gestapt die ze zag, en dat was een MP-busje. Militaire Politie, snap je... Daar wilde je juist niet in stappen...'

Grzesiek schudt vol ongeloof zijn hoofd. 'Ewa heeft altijd wel lef gehad... Reken maar dat ze haar naar het ziekenhuis gebracht hebben!'

'Jammer, erg jammer, dat ze juist in Nederland die stomme psychoses moest krijgen...' zeg ik zacht, meer tegen mezelf dan tegen iemand in het bijzonder. Anders had ze in Nederland misschien juist wat rust kunnen vinden, denk ik, zonder die gedachte uit te spreken.

Edyta kijkt verbaasd naar me op.

'In Nederland? Maar er waren toch al eerder van die episodes? In Polen al?' Edyta kijkt het gezelschap rond en het ongemakkelijke schuiven begint.

Mijn ogen schieten niet-begrijpend van de een naar de ander.

Edyta snapt dat ze nu niet kan stoppen en vervolgt: 'Monika, jij vertelde mij dat ze al toen ze jong was, Ida was nog klein, een keer in de tram stapte en er urenlang in bleef zitten... Ze dacht dat ze in de trein naar de zee zat...' Edyta kijkt vertwijfeld en gaat met de moed der wanhoop verder met haar verhaal. 'En ze heeft toch zelfmoord proberen te plegen? Toen ze al die pillen had geslikt?'

Ik kijk nogmaals rond. Kan het zijn dat Ewa's gekte slechts een voortzetting was van een pad dat lang daarvoor was ingeslagen? Een pad dat eenieder die hier zit bekend was? Ik kijk papa aan. Heb jij dezelfde waanzin als ik bij mama gezien en heb je me toch, een kind van amper tien, met haar naar een vreemd land laten gaan?

Papa kijkt weg.

Het is te veel, ik sta op, wankel en grijp naar mijn buik. Ik voel een enorme kramp en golven zuur speeksel komen omhoog, zoeken een weg naar buiten. Ik zoek iets, een prullenbak, de wc is te ver, maar ik vind alleen een emmer sop en val ervoor op mijn knieën. Als ik de emmer naar me toe trek gooi ik de inhoud over me heen en ik zit midden in de bagger, midden in de kots. De schoonmaakster komt verbolgen naar me toe, kijkt naar mijn mooie mantel, kijkt dan naar de bolling van mijn buik en heft alleen haar handen ten hemel, want voor het aangezicht van God zijn we allemaal gelijk. Geschrokken buigen ze zich allemaal over me heen, maar ik wil ze niet meer zien, niemand. Verraders! Ik gebaar naar Ron dat hij me hier weg moet halen. Een straat verder lopen we een hotel in en Ron regelt een kamer, zodat ik kan liggen.

Nog lang nadat ik gewassen ben, blijf ik schokken. Al zou ik willen, mijn lichaam kan het niet vergeten. Ron houdt me alleen maar vast, wrijft over mijn rug en ik blijf maar huilen, als een dier, zonder gêne. Niets kan me stoppen.

Uiteindelijk val ik in slaap.

Papa staat in de kamer, in een heftige discussie met Ron verwikkeld. Ron is boos, woedend, ik heb hem nog nooit zo boos gezien. Papa blijft goed overeind, wil iets aan Ron uitleggen, blijft telkens dezelfde gebroken zinnen in het Duits herhalen. Dan merken ze dat ik wakker ben en vallen ze stil.

'Je vader wil dat je met hem meegaat,' zegt Ron. Hij doet een stap naar voren en slaat zijn armen om zich heen.

'Ida... het moet,' zegt papa bijna onhoorbaar. 'Er is iets wat je moet weten.' Hij loopt weg naar zijn auto. Daar zal hij op me wachten.

'Ida, je gaat niet met hem mee, hoor je me?' Ron staat nog steeds als een rots; er is geen discussie mogelijk.

Ik wil niet weg van Ron, maar ik moet.

'Ida! Je hebt het beloofd!' schreeuwt Ron nu. Hij pakt me vast, verliest eindelijk zijn kalmte, zijn zelfbeheersing. Ach lieverd, ik wilde je nog waarschuwen waar je aan begon...

'Laat ze toch...' zegt hij dan zacht, bijna smekend als hij zijn handen om me heen slaat en over mijn haar streelt.

Maar het is te laat. Mijn blik wordt weer koud en duister.

'Ga weg,' zeg ik hard en ik duw zijn handen weg. Ron kijkt me aan. Hier begrijpt hij niets van. 'Ga weg!' gil ik nu. Ik sta op en duw hem weg. Nog steeds kijkt hij naar mij; zijn blik is vol verbazing. Wat haat ik hem, ik haat hem echt – omdat hij me ook maar één seconde heeft laten geloven dat de wereld een vreedzame plek is, dat er zoiets is als liefde. Hij blijft naar me kijken, in totale verwarring. Wat wil hij dan? Moet ik wachten tot ook hij mij verraadt? Ik weet niet van wie hij houdt, maar zeker niet van mij. Al zijn spullen raap ik bij elkaar en gooi ze op de gang, duw hem er dan achteraan.

'Ga!' gil ik en ik sla hem. Hij houdt alleen maar mijn armen tegen, hij kan mij niet slaan. Na een minuut of tien draait hij zich om en loopt weg.

Dan loop ik zelf ook naar beneden, naar de auto van papa. De afgrond die ik nu in stap, voelt vertrouwd. Alle wegen die ik had kunnen bewandelen, hadden evengoed hierheen geleid.

Kilometers rijden we buiten de stad – een uur, misschien wel twee uur. Ik blijf stuurs voor me uit kijken, we wisselen geen woord. We komen uit bij een bos. Hier mogen geen auto's meer rijden, maar met de kleine Fiat van papa rijden we toch een stuk het bos in. Uiteindelijk komen we uit bij een klein huisje, een boswachtersstation. Het huisje lijkt redelijk verlaten, de moestuin is onbeheerd.

Zonder aarzeling loopt papa naar de blokhut toe en doet de deur open.

'Dit, dit was het huis van papa,' zegt hij als we binnen staan.

Mijn opa? Mijn blonde opa?

Papa pakt een jachtgeweer van de muur en gebaart dat ik met hem mee moet gaan. Het jachtgeweer ziet er goed onderhouden uit, het glanst. Papa gooit het wapen om zijn schouder met een gemak dat routine verraadt, en met een schok besef ik dat ik maar weinig over papa weet. Hij loopt het pad op en zet er stevig de pas in, te snel voor mij. Met de grootste moeite houd ik hem bij. We lopen een heuvel op en al snel raak ik buiten adem. Dan begint papa te praten.

'Mijn ouders waren in de oorlog tewerkgesteld. Vijftien, zestien jaar oud waren ze nog maar. Eerst in Polen, toen in Duitsland,' zegt hij, stug voor zich uit kijkend. 'Ze kregen precies genoeg te eten om niet dood te gaan. Acht-, misschien negenhonderd calorieën per dag.' Hij blijft even staan, loopt dan de heuvel verder op.

'Toen de oorlog voorbij was, toen mijn ouders weer bij elkaar waren, kwamen ze hier wonen. Het was niet slecht. Veel herten, konijnen, eten dus, en betrekkelijke rust. Eigen grond... Papa kende de omgeving, dit was zijn thuis. Een paar jaar hebben ze zo geleefd. Toen kwam ik...' – pauze – '... mijn moeder raakte zwanger. Alles leek goed te gaan, tot de geboorte. De geboorte ging mis. Er was iets met haar bekken, met haar baarmoeder. Waarschijnlijk niet goed ontwikkeld. Niet volgroeid... Is ze tien jaar later alsnog aan de oorlog doodgegaan.'

Onbewust wrijf ik over mijn eigen buik. De tocht valt me zwaar en ik voel weer kramp opkomen.

Het pad loopt af en we stoppen. We staan boven op een heuvel, voor ons strekken zich bossen uit. Een halve meter verder eindigt de heuvel abrupt, we staan bijna voor een ravijn.

Papa kijkt me niet aan. 'Mijn moeder. Zo mooi en eigenwijs. Denk ik, want je lijkt op haar.' Ik begrijp het niet, want ik dacht dat er geen foto's meer waren van zijn moeder.

'Mijn vader en ik bleven hier wonen. Hier was ook gevaar. Eén keer stond ik hier, precies op deze plek en er kwam een everzwijn aangelopen, ze liep recht op me af... Achter haar hoorde ik het gepiep van de kleintjes. Ik verstarde: één beweging en de zeug zou me aanvallen. Ik was tien, had geen schijn van kans... Je opa stond een paar meter achter me, met het geweer, maar deed niks. Misschien heb ik uren zo gestaan, misschien minuten, maar ik weet zeker dat het uren waren en mijn vader deed niks. Uiteindelijk liep het zwijn weg. Mijn vader wilde dat ik het zelf op zou lossen, dat ik zelf met het beest leerde om te gaan...'

Hij zwijgt weer en verzinkt in gedachten.

'Toen ik toch echt naar school moest, toen hij me alles had geleerd wat hij kon, gingen we in Poznań wonen. In het huis waar jij geboren bent... Daar bleven we tot aan mijn huwelijk met zijn tweeën wonen. Nadat ik met je moeder trouwde, kwam hij weer hier wonen, in het huis in het bos, waar hij de gevaren zo goed kende.'

Papa zet het geweer voor zich op de grond. 'Hij bracht ons vaker wild, bessen, paddenstoelen... In het weekend waren wij vaak bij hem. Het ging goed. Het was rustig.'

Papa zwijgt een poos.

'Totdat de staat van beleg werd ingevoerd... Toen werd het drukker in het bos. Vaak werd er na het invallen van de avond aangeklopt. Soms door mensen die aan de MP waren ontsnapt. Vaker nog door de MP'ers zelf, op zoek naar eten, op zoek naar wodka... De wodka kwam ik zo vaak mogelijk brengen, elke keer dat ik er mijn handen op kon leggen. Maar je moeder vond dat na een tijdje niet meer goed, ze had zelf de wodka nodig, ze was haar zaken aan het opbouwen, en zonder wodka kreeg je niks van de grond. Ik wilde zo graag dat ze gelukkig was...'

Hij stopt weer, het praten valt hem zwaar. 'Ze had van die buien. Dan zakte ze weg, alsof ze iemand anders werd. Maar elke keer kwam ze terug, was ze er weer, toen nog wel...' Papa laat zijn schouders hangen.

'Telkens opnieuw moest ik weer kiezen, tussen Ewa en mijn vader... Ik was al niet zo goed in dat spel, dat ritselen, ruilen, bij alles nadenken, onderhandelen. Had ik al wodka geregeld en voor mijn vader gekozen, dan moest ik het ook nog bij hem zien te krijgen, hier in het bos... Grzesiek hielp me zo vaak hij kon, hij was de enige die nog de stad uit kon komen... Je moeder wilde het niet meer, wilde Grzesiek beschermen, wilde zelf de wodka inruilen voor andere zaken... Een hele tijd ging dat goed... Totdat...' Hij breekt het verhaal af.

'Ik moest steeds maar kiezen, begrijp je dat?'

Dan verstevigt hij zijn greep op het geweer en zegt: 'Hoe het ook zij, op een keer kwam de MP bij mijn vader aankloppen en was de wodka op. Waarom ze hem uiteindelijk met zijn eigen geweer hebben doodgeschoten, weet ik niet. Misschien waren ze in paniek geraakt nadat ze hem zo mishandeld hadden. Een boswachter, dat had status in het land en die MP'ers, dat waren uiteindelijk ook gewoon maar Polen...

Ik vond hem, zijn hemd gestreken en vol gestold bloed,

blauwe plekken, het geweer lag naast hem. Zelfmoord kon het nooit zijn geweest, het was geen contactschot, hij had geen kruit of roet op zijn hemd.' De hand waarmee papa het geweer vasthoudt, trilt.

'Weet je, die laatste jaren was ik je moeder definitief kwijt. Ze was weg, ik begreep haar niet meer. Ik wilde het haar niet kwalijk nemen, maar... Misschien vergaf ze het zichzelf niet. Maar dat ze dit land uit wilde, dat zij jou het land uit wilde hebben, daarin begrepen we elkaar juist heel goed...' Hij wijst met het geweer naar de bossen: 'Ik, ik zou hier voor altijd blijven, want dit is mijn land...' zegt hij dan zacht.

'Dus toen ik dat document moest tekenen, zes jaar later, het document waarmee ik als vader toestemming gaf voor jouw vertrek, heb ik getekend,' eindigt hij gelaten.

Ik sta nog steeds naast papa. De baby in mijn buik roert zich. Het verhaal van papa zweeft nog door de lucht, het dringt nog niet echt door. Eigenlijk wil ik gewoon naar huis.

'Oké,' zeg ik alleen maar, en ik wil teruglopen. Maar dan bedenk ik me. Ik grijp papa's hand vast en pak hem het geweer af. Het geweer is zwaar, ondraaglijk zwaar. Ik moet het wapen weggooien, maar iets houdt me tegen. De kracht is weg, nergens heb ik nog kracht voor, ik voel me zo moe en dit geweer drukt me verder neer... Als in een trance loop ik naar de rand van het ravijn, met het geweer in mijn handen.

Het lijkt zo simpel ook.

'Idaaaa!' een felle schreeuw doorklieft de lucht. Ik draai me om en zie Ron. Hij rent naar ons toe. Op de achtergrond zie ik Grzesiek staan.

Opeens wordt alles heel helder. Ik pak het geweer met twee handen vast, houdt het boven mijn hoofd en gooi het in het ravijn.

Dan pas laat ik papa alleen en loop ik naar Ron toe. Ik moet nu echt naar huis.

3

Ron en ik gaan in Grzesieks Focus zitten. Graag wil ik Ron vertellen wat er allemaal gebeurd is, maar daarvoor is mijn ademhaling te moeizaam. Eerst moet die vervelende kramp uit mijn buik. Het duurt nog best een tijd voordat ik doorheb dat deze kramp anders is, dat het meer is. Het is ons kind.

Ron zegt iets tegen Grzesiek, die meteen het gaspedaal dieper intrapt.

Dan gaat het allemaal erg snel. Eerst ben ik nog over mijn toeren, maar zodra ik het ziekenhuis bereik, maakt mijn paniek plaats voor overgave. Mijn lichaam doet wat het moet doen en ik heb geen tijd meer om me zorgen te maken over de zaal waar ik terecht zal komen, of over de aanwezige artsen. Het enige waar ik naar verlang is een vloer om op te liggen en Ron zijn hand.

Voor ik het weet zie ik hoe een mensje in Ron zijn armen wordt gelegd. Hij kijkt verbijsterd naar het kindje; één seconde lang lijkt hij in een shock te verkeren.

'Het is een meisje,' zegt hij dan, en hij lacht.

Niets lijkt Ron meer te deren, niet de vreemde omgeving, niet de vreemde taal. Het liefst zou hij het kindje, ons meisje, blijven vasthouden, maar een kleine verpleegster gebaart steeds woester naar hem en hij geeft het mensje aan mij.

Voor het eerst zie ik haar ogen. Mijn dochter vlijt zich vol vertrouwen tegen me aan, het hoofdje zoekt mijn borst en haar handjes, haar vingertjes klampen zich vast aan mijn huid.

Dan voel ik de tranen komen. Ze stromen over mijn wangen, ze blijven maar komen, een rivier, nee een zee aan tranen stort ik uit.

Ron blijft er rustig onder. Zelfs als het huilen van mij nog dagen lijkt aan te houden, blijft hij stralen en lachen als hij ons samen ziet. Het zijn dan ook geen slechte tranen. Het is alleen zo dat het wiegen, kussen, baden en strelen zo natuurlijk gaat en zo natuurlijk voelt, dat het niet anders kan dan dat ook ik ooit door een moeder zo intens ben gewiegd, gekust, gebaad en gestreeld.

'Hoe heet ze?' vraagt de verpleegster.

'Stella?' Ik kijk vragend naar Ron. 'Stellita...' fluister ik alvast om te oefenen.

'Stella.' Ron laat de naam over zijn tong glijden. Hij pakt het meisje van me over en houdt haar tegen zich aan. 'Haar naam is Stella' zegt hij dan in zijn beste Pools, en hij knikt naar de verpleegster.

Het is in een van die eerste nachten dat ik door een gefluister word gewekt. Ik spits mijn oren, wil weten of ik Stella hoor, maar zij slaapt vredig naast me. Dan weet, nee, dan *herken* ik het, deze stem van lang geleden. Het zijn de woorden in mijn hoofd die me wakker maken. Niet de gekmakende woorden van de afgelopen jaren. Dit is anders. Geordend. Het zijn woorden klaar om naar buiten te gaan.

Ik scheur een stukje van de krant die naast me ligt en wacht op wat er komt.

Dan schrijf ik op:

Het meisje dat leest...

Ik probeer in mijn hoofd te tellen: bij welk nummer ben ik ooit gestopt met deze reeks? Dan streep ik de zin door.

Het meisje dat schrijft I.

Armer: een illusie.
Rijker: een verhaal.

Gelukzalig vouw ik het papiertje doormidden, stop het in mijn bh en val weer in slaap.

De dagen erna trekken Ron, Stella en ik bij papa in om bij te komen van de bevalling en de geboorte alvorens terug te rijden naar Nederland. Het eerste cadeau dat Stella van papa krijgt is een Disney-film. 'Doornroosje?' mompel ik verbaasd als ik de film heb uitgepakt. Omdat ik nog veel tijd in mijn bed doorbreng, zet ik hem toch maar aan, ter afwisseling van de eindeloze stroom nieuws en herhalingen van oude series. Doornroosje, daar heeft papa me vroeger niks over verteld.

'Kijk, Stella, kijk,' licht ik de film toe aan Stella, die tevreden op mijn borst ligt. 'De koning en de koningin krijgen een kindje, een dochtertje, ze zijn erg blij. Ze geven een feestje!' Ik houd de armpjes van Stella een seconde in de lucht. 'Ja, een feestje!

Maar kijk... Ze zijn iemand vergeten uit te nodigen... Malafidia! De moeder van al het kwaad... Nu komt ze toch... Vertoornd! Boos! Woedend! O, nee! Kijk! Ze gaat hun dochter vervloeken! Op haar zestiende verjaardag zal Doornroosje zich aan het weefgetouw prikken en voor honderd jaar in een diepe slaap vallen... Zo zie je maar...' vertel ik Stella, 'het Kwaad kun je niet negeren, je kunt niet doen alsof het niet bestaat... Het zit in ons allemaal... In mij, in jou...' Verontschuldigend geef ik haar een kus op haar zachte hoofdje.

'Juist als je het probeert weg te stoppen, haalt het je alsnog in, jaren later, zestien jaar later, of dertig jaar later, en ontneemt het je waar je het meest van houdt... Je kind, je geliefde of jezelf...' vervolg ik. Nu praat ik meer tegen mezelf.

'Het Kwaad kun je daarom het best erkennen, binnenlaten, accepteren, in de ogen kijken... Het beste kun je ermee dansen, dat is je enige kans om de leiding te nemen!'

Even kijk ik peinzend voor me uit. Mijn hand aait als uit zichzelf over de zachte haartjes op Stella's hoofd en ik kus haar zachte wangetjes. Ze doet haar ogen open, maakt een tevreden geluidje en ik pak haar op, houd haar dicht tegen me aan; ik sta op en samen dansen we voorzichtig door de kamer.

Zonder te kijken voel ik dat Ron in de deuropening staat en naar ons kijkt. Zonder te kijken weet ik dat hij lacht. Bij ons lacht hij altijd.

4

'Pap, ben jij eigenlijk ooit lid geweest van de communistische partij?' vraag ik als we samen met Ron en Stella over de begraafplaats Junikowo in Poznań lopen. Het is Allerzielen en de begraafplaats is één grote zee van brandende kaarsjes. Ron en ik hebben besloten deze viering nog mee te maken alvorens we in onze nieuwe gezinssamenstelling terugkeren naar Nederland.

Nu we met zijn vieren midden op de begraafplaats staan, ben ik blij met deze beslissing. Eén dag in het jaar, tijdens Allerzielen, staat het hele land stil om zijn doden te eren. Over deze begraafplaats lopen we in één grote colonne, totdat groepjes mensen afslaan om in de smalle lanen tussen de grafstenen hun dierbaren op te zoeken, die vandaag aanwezig mogen zijn. Vandaag is dan eindelijk ook de dag dat Ron en ik de laatste eer aan oma kunnen bewijzen. Het verdriet lijkt verspreid over heel Polen als overal in het land de klokken slaan en mensen om ons heen zich verenigen in gebed.

'Nee, ik heb geweigerd.' Papa recht zijn rug als hij aan zijn verzet van weleer denkt. 'Wel heb ik een keer een raar opstel geschreven om mijn eindexamen te halen,' voegt hij er voor de volledigheid aan toe.

'Ik heb trouwens ook mijn lidmaatschap opgezegd van de katholieke kerk,' zegt papa dan. 'Je moeder is destijds met een ongelovige getrouwd.'

De laatste mededeling schokt me vele malen meer dan de eerste. Iedereéén in Polen was toch lid van de katholieke kerk? Om ons heen is een zee aan grafzerken met een kruis erop.

Nu ik papa zo zie in zijn onthulde heldendom, stel ik de vraag die ik al zo lang geleden had willen stellen.

'Pap, waarom noemde je mama "Poolster"?'

Papa is maar heel even uit het veld geslagen.

'Een Poolster is er altijd. Het is het punt dat je aanhoudt als je twijfelt, het punt waar je altijd op vaart.'

Maar mama... was nou niet bepaald onveranderlijk, denk ik erbij.

Een vlaag wind stijgt op en schudt onze bos bloemen woest door elkaar.

'Misschien zag ik je moeder als een belichaming van de liefde die ik voor haar voelde...' Hij zwijgt even voordat hij verdergaat. 'Ik denk dat ik eigenlijk daarop vertrouw, daarop vaar: een eigen gevoel van liefde, ook al voert die liefde je soms naar plekken die hoogst ongemakkelijk zijn.'

'Net als...'

'Net als de waarheid, ja,' zegt hij, en hij vouwt zijn handen in elkaar achter op zijn rug. Hij loopt een paar stappen vooruit en zelf houd ik mijn pas een beetje in. Nu loop ik naast Ron, die Stella in de net aangeschafte kinderwagen voortduwt, achter papa aan.

Hier, op deze begraafplaats, ben ik voor het laatst jaren

geleden geweest, om het graf van tante Maria te bezoeken. Het graf is er nog, onveranderd. Verse bloemen, brandende lichtjes, ook op haar graf. De ruimte om het graf heen daarentegen is nauwelijks herkenbaar, is in de afgelopen jaren helemaal opgevuld met nieuwe grafstenen. Het nieuwe dubbele graf van oma en opa, dat ernaast geplaatst is, valt bijna niet op. Ook hier zijn veel bezoekers langsgetrokken vandaag, alles is vers, de herinneringen zijn weer opgepoetst. Slechts één persoon staat er nog, een vrouw die een sigaret rookt.

Het is tante Monika. Voor zover ik weet is zij al jaren geleden gestopt met roken, en zelfs toen rookte ze uitsluitend menthol. In mijn eentje loop ik naar haar toe. Deze geur herken ik. Op het pakje in haar hand staat Mocne. Als ze me aankijkt, zie ik dat ze gehuild heeft.

'Ik kom hier zo af en toe,' zegt ze verontschuldigend. 'Even een sigaretje roken met je moeder...'

Dit is onverwacht, ook ik voel tranen in mijn ogen prikken. Onwennig raak ik Monika's arm aan, trek haar onhandig naar me toe. Dan pak ik een sigaret uit het Mocne-pakje. Ik wil niet roken, maar loop naar het graf toe, hurk en leg de sigaret op het graf. Mijn ogen bekijken de steen die ik nooit eerder heb gezien. De naam van mama staat recht onder de naam van opa. Een steek gaat door mijn hart.

Ik sta op en recht mijn rug.

Even blijf ik zo voor de grafsteen staan. Papa en Ron staan achter mij met Stella's kinderwagen. Om me heen duizenden lichtjes, een windvlaag rukt op, de geesten en demonen hebben vrij spel vandaag.

Dan draai ik me om en loop ik nogmaals naar Monika. Ik pak een nieuwe sigaret uit het pakje en leg hem neer naast de sigaret van mama.

Poznań, november 2005